D1231181

# LA VIE ROMANTIQUE D'ALICE B.

MELANIE GIDEON

# LA VIE ROMANTIQUE
# D'ALICE B.

*Traduit de l'anglais
par Séverine Quelet*

Fleuve Noir

Titre original :
*Wife 22*

Le Code de la propriété intellectuelle n'autorisant, aux termes de l'article L. 122-5, 2ᵉ et 3ᵉ a, d'une part, que les « copies ou reproductions strictement réservées à l'usage privé du copiste et non destinées à une utilisation collective » et, d'autre part, que les analyses et les courtes citations dans un but d'exemple ou d'illustration, « toute représentation ou reproduction intégrale ou partielle faite sans le consentement de l'auteur ou de ses ayants droit ou ayants cause est illicite » (art. L. 122-4).
Cette représentation ou reproduction, par quelque procédé que ce soit, constituerait donc une contrefaçon sanctionnée par les articles L. 335-2 et suivants du Code de la propriété intellectuelle.

© Melanie Gideon 2011
© 2012, Fleuve Noir, département d'Univers Poche,
pour la traduction française.
ISBN : 978-2-265-09350-8

À BHR – Mari n° 1

« *Only Connect* »[1]

E. M. Forster.

1. « Relier ! » Citation célèbre tirée du roman *Howards End*.

PREMIÈRE PARTIE

# 1

29 avril
17 h 05

RECHERCHE GOOGLE : « paupière qui tombe »

Environ 54 300 résultats (0,14 seconde)

Paupière qui tombe : Encyclopédie médicale Medline
Plus
Une paupière qui tombe est due à un affaissement
excessif de la paupière supérieure... Elle donne un air
endormi ou fatigué.           .

Paupière qui tombe... Alternatives naturelles
Parlez le menton relevé. Ne plissez pas le front, cela
ne fera qu'aggraver votre problème...

Droopy... paupières tombantes
Personnage de dessin animé américain... aux paupières tombantes. Nom de famille McPoodle. Réplique
culte : « Vous savez quoi ? Ça me rend dingue. »

## 2

Je fixe le miroir de la salle de bains et me demande pourquoi personne ne m'a dit que ma paupière gauche tombait
comme une chaussette. Pendant longtemps, j'ai fait plus
jeune que mon âge. Et voilà qu'aujourd'hui, sans prévenir,
c'est le grand rassemblement des années passées et que,
brusquement, j'accuse mon âge – quarante-quatre ans – et
même plus si ça se trouve. Du bout de l'index, je soulève la
peau en trop et la fais bouger. Est-ce qu'il existe un truc pour
remédier à ça ? Une crème ? Des renforts de paupières ?
— Qu'est-ce qu'il a, ton œil ?
Peter passe la tête dans l'entrebâillement de la porte de la
salle de bains. En dépit de l'agacement que je ressens à me
faire espionner, je suis contente de voir la petite bouille
pleine de taches de rousseur de mon fils. À douze ans, ses
besoins sont encore limités et faciles à combler : des gaufres
de la marque Eggo et des caleçons Fruit of the Loom – ceux
avec la ceinture élastique en coton.
— Pourquoi ne m'as-tu pas prévenue ?
Je compte sur Peter. On est proches, lui et moi, surtout
quand il est question de prendre soin de notre apparence.
On a passé un marché : il est responsable de mes cheveux ; il
m'informe quand mes racines apparaissent pour que je

puisse prendre rendez-vous chez Lisa, ma coiffeuse. En échange, je m'occupe de son odeur. Je m'assure qu'il n'en a aucune. Pour une raison qui m'échappe, les petits garçons de douze ans ne sont pas sensibles à l'odeur de renfermé que peuvent dégager leurs aisselles. Le matin, il court vers moi les bras levés pour que je prononce mon verdict. « À la douche », je lui réponds la plupart du temps. Quelques fois, je mens et lui assure que c'est bon. Un garçon devrait sentir comme un garçon.

— À propos de quoi ?

— Ma paupière gauche.

— Quoi ? Qu'elle pendouille sur ton œil ?

Je grommelle.

— Juste un petit peu, ajoute-t-il.

— Bon sang, fais-je en me scrutant une nouvelle fois dans le miroir. Pourquoi tu ne m'as rien dit ?

— Et toi, pourquoi tu ne m'as pas dit que Peter voulait dire pénis en argot ?

— Ce n'est pas vrai.

— Apparemment si.

— Je te jure que je n'ai jamais entendu personne appeler un pénis « peter ».

— Ouais, ben maintenant tu sais pourquoi je veux qu'on m'appelle Pedro.

— Je croyais que tu avais décidé de t'appeler Frost.

— Ça, c'était en février. Quand on faisait nos recherches de groupe sur Robert Frost.

— Alors à présent que ces recherches sont terminées et que vos chemins se sont séparés, tu veux être un Pedro ?

Le collège, paraît-il, c'est la quête de son identité. En tant que parents, notre boulot consiste à laisser nos enfants s'essayer à différents personnages, mais il faut arriver à suivre ! Frost un jour, Pedro le lendemain. Heureusement, Peter n'est pas un « émo ». Je ne sais même pas très bien ce que ça veut dire – je crois que c'est une sous-catégorie des gothiques, un gosse à la peau dure qui se teint les cheveux en noir et met de l'eye-liner ; et non, ça ne ressemble pas du tout à Peter, ça. Peter est un romantique.

— D'accord, dis-je. Mais est-ce que tu as envisagé Peder ? C'est la version norvégienne de Peter, et ça rime avec heure. Tes copains pourraient dire « à tout à l'heure, Peder ». Rien ne rime avec Pedro. On a du ruban adhésif quelque part ? J'ai envie de me scotcher la paupière. Pour voir ce que ça donnerait si je me faisais opérer.

— Sinon, j'aime bien ta paupière qui pend. Tu ressembles à un chien comme ça.

La mâchoire m'en tombe. *Vous savez quoi ? Ça me rend dingue.*

— Mais un chien comme Jampo, précise-t-il.

Il fait référence à notre clébard de deux ans, à moitié épagneul tibétain et à moitié Dieu-seul-sait-quoi, une espèce de brute de cinq kilos et demi, tendu comme une corde, qui mange ses propres déjections. Dégoûtant, oui, mais bien pratique quand on y réfléchit. Je n'ai jamais besoin d'avoir de sacs à crottes sur moi.

— Lâche ça, Jampo, espèce de sale cabot ! hurle Zoe depuis le rez-de-chaussée.

On entend l'animal courir avec frénésie sur le parquet, certainement un rouleau de papier toilette coincé dans la gueule. Avec ses crottes, c'est sa friandise préférée. Jampo signifie *doux* en tibétain, ce qui bien entendu est complètement à l'opposé de sa personnalité, mais je m'en fiche, je préfère un chien plein de vie. Franchement, ces dix-huit derniers mois, j'ai eu l'impression d'avoir de nouveau un petit à la maison et j'en ai aimé chaque minute. Jampo est mon bébé, le troisième enfant que je n'aurai jamais.

— Il faut le sortir. Mon cœur, tu veux bien aller le promener ? Je dois me préparer pour ce soir.

Devant la grimace de Peter, j'ajoute :

— S'il te plaît ?

— D'accord.

— Merci. Attends... Avant de sortir, est-ce qu'on a du ruban adhésif ?

— Je ne crois pas. On a du scotch marron dans le tiroir à bazar, sinon.

J'observe ma paupière.

— Un autre petit service ?

— Quoi ? soupire Peter.

— Tu veux bien m'apporter le scotch marron quand tu auras promené le chien ?

Il hoche la tête.

— Tu es mon fils numéro 1.

— Je suis ton seul fils.

— Et tu es super fort en maths, dis-je en lui plantant un baiser sur la joue.

Ce soir, j'accompagne William au lancement promotionnel de la vodka à la figue, une campagne sur laquelle son équipe à KKM Advertising et lui bossent depuis des semaines. J'ai attendu cette soirée avec impatience. Il va y avoir de la musique live, un groupe de trois filles qui jouent du violon électrique ; je ne me rappelle plus si elles viennent des monts Adirondacks ou Ozarks.

— Tenue professionnelle exigée, m'informe William.

Du coup, je ressors mon vieux tailleur pourpre Ann Taylor. Dans les années 1990, quand moi aussi je travaillais dans la pub, c'était mon ensemble de toute-puissance. Je l'enfile et me plante devant le miroir en pied. Le tailleur fait un peu démodé, mais peut-être qu'avec le collier en argent offert par Nedra pour mon anniversaire l'année dernière, on oubliera que le vêtement a connu des jours meilleurs. J'ai rencontré Nedra Rao il y a quinze ans à la halte-garderie. C'est ma meilleure amie et elle se trouve également être l'une des meilleures avocates spécialisées dans le divorce de l'État de Californie. Je peux toujours compter sur elle pour me prodiguer gratuitement – juste parce qu'elle m'aime – des conseils aussi subtils que sensés sur les relations conjugales, facturés

17

normalement quatre cent vingt-cinq dollars l'heure. J'enfile le tailleur et le contemple avec les yeux de Nedra. Je sais exactement ce qu'elle dirait : « Tu n'es pas sérieuse, ma chère » avec son accent anglais snobinard. Tant pis. Mon armoire ne renferme rien d'autre qui puisse passer pour une tenue professionnelle. Je glisse mes pieds dans mes chaussures à talons et descends l'escalier.

Assise sur le canapé, ses longs cheveux bruns ramassés en chignon lâche, se trouve ma fille de quinze ans, Zoe. Elle est sporadiquement végétarienne – en ce moment, non –, recycle de façon obsessionnelle et fabrique elle-même son propre baume bio pour les lèvres (menthe et gingembre). Comme la plupart des filles de son âge, elle est également une ex-professionnelle : ex-danseuse, ex-guitariste, ex-petite amie du fils de Nedra, Jude. Jude est une sorte de célébrité dans le coin. Il a participé à American Idol. Il est allé jusqu'à l'étape Hollywood avant de se faire éjecter parce qu'il chantait comme un eucalyptus californien en feu – à coups de craquements, de grésillements et d'explosions –, mais qui au final n'avait rien, mais alors rien du tout, de local.

Je soutenais Jude – nous le soutenions tous – lors de la première et de la seconde élimination. Mais juste avant qu'il aille à Hollywood, la célébrité lui est montée à la tête et il a trompé Zoe avant de la larguer sans ménagement, brisant ainsi le cœur de ma petite fille. La morale de l'histoire ? Ne jamais autoriser votre fille à sortir avec le fils de votre meilleure amie. J'ai mis – je veux dire Zoe a mis – des mois à s'en remettre. J'ai gratifié Nedra de quelques horreurs – des réflexions que j'aurais mieux fait de garder pour moi, du genre : « J'en attendais mieux de la part du fils d'une féministe avec deux mamans. » Nedra et moi ne nous sommes pas adressé la parole pendant un long moment. Ça va mieux maintenant, mais chaque fois que je vais chez elle, Jude est opportunément absent.

La main droite de Zoe vole à la vitesse de la lumière au-dessus du clavier de son portable.

18

— Tu remets cette vieillerie ? lâche-t-elle.

— Quoi ? C'est vintage. (Grognement moqueur de Zoe.) Zoe, chérie, tu veux bien lever les yeux de ce truc ? J'ai besoin de ton avis. Sois honnête : c'est si horrible que ça ? fais-je en écartant les bras.

— Ça dépend, réplique Zoe en penchant la tête sur le côté. Est-ce qu'il va faire très sombre ?

Je soupire. Il n'y a même pas un an, Zoe et moi étions très proches. Maintenant, elle me traite comme son frère – un membre de la famille avec lequel il faut composer. Je fais comme si je ne le remarquais pas mais surcompense invariablement en essayant d'être gentille pour nous deux. Je finis par ressembler à un mélange de Mary Poppins et de Miss Truly Scrumptious dans *Chitty Chitty Bang Bang*.

— Il y a une pizza au congélateur et, s'il te plaît, assure-toi que Peter est bien au lit à 10 heures. On ne devrait pas rentrer longtemps après.

Zoe continue de tapoter des messages.

— Papa t'attend dans la voiture.

Je file dans la cuisine pour récupérer mon sac.

— Bonne soirée ! Et ne regarde pas *American Idol* sans moi !

— J'ai déjà vu les résultats sur Internet. Tu veux que je te dise qui s'est fait virer ?

Je crie « Non ! » en courant vers la porte.

— Alice Buckle ! Ça fait vraiment trop longtemps ! Quelle bouffée d'air pur de te voir ! Pourquoi William ne te traîne-t-il pas plus souvent à ce genre de sauteries ? Mais il te rend service, j'imagine, hein ? Encore une soirée, encore un lancement d'une nouvelle vodka... J'ai pas raison ?

Frank Potter, le directeur artistique de KKM Advertising, observe discrètement par-dessus mon épaule.

— Tu es resplendissante, dit-il, son regard voletant partout autour de moi.

Il fait signe à quelqu'un dans le fond de la salle.

— Ton tailleur est super.

J'avale une grande lampée de vin.

— Merci.

Tandis que je balaye la salle des yeux, notant les chemisiers fluides, les escarpins dernier cri et les jeans moulants que portent la plupart des autres femmes, je comprends que « tenue professionnelle » sous-entend « professionnellement sexy ». En tout cas avec ce genre de public. Tout le monde a l'air fabuleux. Super important. Je croise un bras sous ma poitrine et tiens de l'autre main le verre de vin près de mon menton, tentative lamentable pour dissimuler un peu ma veste.

— Merci, Frank, dis-je, tandis qu'une perle de sueur me coule le long de la nuque.

Quand je ne me sens pas à ma place, mon corps réagit en transpirant. Autre réflexe : je me répète.

— Merci, dis-je une troisième fois.

Super, Alice, tiercé gagnant !

Il me tapote le bras.

— Alors, comment ça se passe à la maison ? Raconte-moi. Tout va bien ? Les enfants ?

— Tout le monde va bien.

— Tu es sûre ? demande-t-il, le visage tordu d'inquiétude.

— Oui, oui, tout le monde va bien.

— Formidable. Content de l'entendre. Et qu'est-ce que tu fais ces temps-ci ? Toujours prof ? Qu'est-ce que tu enseignes, déjà ?

— Le théâtre.

— Le théâtre. C'est vrai. Ça doit être si... gratifiant. Mais un peu stressant aussi, j'imagine, fait-il en baissant le ton. Tu es une sainte, Alice Buckle. Je n'aurais sans doute pas la patience, moi.

— Je suis sûre que tu la trouverais si tu voyais de quoi ces gamins sont capables. Ils sont si enthousiastes. Tu sais, l'autre jour justement, un de mes élèves...

Frank Potter regarde par-dessus ma tête une nouvelle fois, arque un sourcil interrogateur et hoche la tête.

— Alice, excuse-moi, je crois qu'on me convoque.

— Oui, oui, bien sûr, je suis désolée. Je ne voulais pas te retenir. Je me doute que tu as d'autres...

Il s'approche de moi et je me penche vers lui, pensant qu'il va m'embrasser sur la joue, mais à la place, il recule et me saisit la main qu'il secoue avec vigueur.

— Au revoir, Alice.

Je promène mon regard sur la pièce et observe les gens qui boivent avec assurance leurs figtinis lychee. Je glousse comme si une pensée amusante venait de me traverser l'esprit, essayant d'afficher la même aisance. Où est mon mari ?

— Frank Potter est un con, me murmure une voix à l'oreille.

Dieu merci, un visage familier. C'est Kelly Cho, un membre de longue date de l'équipe artistique de William – de longue date pour la pub, en tout cas, où les employés font des chaises musicales leur jeu préféré. Elle porte un tailleur, pas si différent du mien – les revers de ses manches sont de meilleure qualité –, si ce n'est qu'elle ne paraît pas très détendue avec. Elle l'a agrémenté d'une paire de cuissardes.

— Waouh, Kelly, tu es splendide, dis-je.

Kelly balaye mon compliment d'un geste de la main.

— Comment se fait-il qu'on ne se voie pas plus souvent ?

— Oh, tu sais. Traverser le pont, c'est compliqué. Avec la circulation. Et je ne suis toujours pas à l'aise à l'idée de laisser les enfants seuls à la maison. Peter n'a que douze ans et Zoe est en pleine crise d'adolescence.

— Comment va le travail ?

— Super. À part que je suis dans le fignolage jusqu'au cou entre les costumes, les parents qui chipotent pour un oui ou pour un non, et les petits cochons et les araignées qui n'ont pas appris leur texte. La classe de CE2 joue *Le Petit Monde de Charlotte* cette année.

— J'adore ce livre ! s'exclame Kelly avec un sourire. Ton job paraît si idyllique.

— Ah bon ?

— Oh, oui ! J'adorerais quitter cette foire d'empoigne. Tous les soirs, il se passe quelque chose. Je sais que ça semble très glamour – les dîners avec les clients, les places pour les matchs des Giants, les billets de concert –, mais c'est épuisant au bout d'un moment. Enfin, tu sais comment c'est. Tu es une veuve de la pub depuis longtemps.

*Une veuve de la pub ?* J'ignorais qu'il y avait un nom pour ça. Un nom pour moi. Mais Kelly a raison. Entre les voyages de William et ses clients, je suis quasiment une mère célibataire. On peut s'estimer heureux si on arrive à dîner en famille deux fois par semaine.

À travers la salle, je croise le regard de William. Il se dirige vers nous. Il est grand et bien bâti. Ses cheveux noirs grisonnent un peu sur les tempes, de cette façon provocante naturelle à certains hommes – comme s'ils criaient au monde qu'ils s'en foutent d'avoir quarante-sept ans parce qu'ils sont toujours super sexy et que les cheveux poivre et sel les rendent encore plus sexy. Une pointe de fierté me traverse tandis qu'il parcourt la salle dans son costume anthracite et sa chemise vichy.

— Où as-tu acheté tes bottes ? je demande à Kelly.

William nous rejoint.

— Chez Bloomies. Alors, William, ta femme ne connaissait pas l'expression « veuve de la pub ». Comment est-ce possible alors que c'est toi qui as fait d'elle une veuve ? demande Kelly en me décochant un clin d'œil.

— Je t'ai cherchée partout, lance William en fronçant les sourcils. Où étais-tu passée, Alice ?

— Elle était juste là à subir la présence de Frank Potter, répond Kelly.

— Tu as discuté avec Frank Potter ? s'inquiète William. C'est lui qui est venu te trouver ou c'est toi qui l'as abordé ?

— Il est venu me voir.

— Il a parlé de moi ? De la campagne ?

— Nous n'avons pas parlé de toi. Nous n'avons pas discuté longtemps, à vrai dire.

Je vois William serrer les mâchoires. Pourquoi est-il si tendu ? Les clients sont souriants et grisés par l'alcool. La salle est pleine de journalistes. Cette inauguration est un franc succès, d'après moi.

— On peut s'en aller, Alice ? demande William.

— Déjà ? Mais le groupe n'a pas encore commencé à jouer. J'avais vraiment envie de les écouter.

— Alice, je suis fatigué. Allons-y, s'il te plaît.

— William !

Un trio de jeunes hommes séduisants vient faire cercle autour de nous. Ils sont tous dans l'équipe de William.

Une fois que William m'a présentée à Joaquin, Harry et Urminder, ce dernier lance :

— Je me suis googlé aujourd'hui.

— Et hier aussi, ajoute Joaquin.

— Et la veille aussi, intervient Kelly.

— Vous allez me laisser finir ? s'énerve Urminder.

— Attends, je sais, lance Harry. 1 234 589 résultats.

— Pauvre con.

— L'art et la manière de lui couper l'herbe sous le pied, Harry, réplique Kelly.

— Maintenant, mes 5 881 me paraissent pathétiques, grommelle Urminder en faisant la moue.

— 10 263 n'est certainement pas pathétique, déclare Harry.

— Ni 20 534, renchérit Kelly.

— Vous mentez tous les deux, rétorque Joaquin.

— Ne sois pas jaloux, Mister 1 031, plaisante Kelly. Ça ne te sied pas.

— 50 287, lâche William en coupant le sifflet à tout le monde.

— Mec ! s'exclame Urminder.

— C'est parce que tu as gagné un Clio Awards, dit Harry. C'était quand, boss ? 1980...?

— Continue comme ça, Harry, et je te retire les semi-conducteurs et te colle à l'hygiène féminine, rétorque William.

Je ne peux réprimer une expression d'étonnement. Ils font le concours de celui dont le nom obtient le plus de résultats sur Google. Et ces résultats se comptent en milliers ?

— Regarde ce que tu as fait. Alice est horrifiée, commente Kelly. Et je la comprends. Nous ne sommes qu'une bande de lamentables narcissiques.

— Non, non, non, je ne vous juge pas. Je trouve que c'est drôle. De se googler. Tout le monde le fait, non ? Les gens ne sont pas assez courageux pour l'admettre, c'est tout.

— Et vous, Alice ? Vous vous êtes cherchée sur Internet récemment ? s'enquiert Urminder.

William secoue la tête.

— Alice n'a pas besoin de se googler. Elle n'a pas de vie publique.

— Vraiment ? Et quel genre de vie j'ai alors ?

— Une bonne vie. Une vie qui a du sens. Une vie plus petite, c'est tout, répond William en se pinçant le haut du nez. Désolé, les jeunes, c'était sympa mais on doit y aller. On a un pont à traverser.

— Vous devez vraiment partir ? demande Kelly. Je ne vois jamais Alice.

— Il a raison, dis-je. J'ai promis aux enfants de rentrer pour 10 heures. Il y a école demain, et tout ça.

Kelly et les trois hommes prennent la direction du bar. Je me tourne vers William :

— Une petite vie ?

— Je ne pensais pas à mal. Ne sois pas si susceptible, fait William en balayant la pièce du regard. En plus, j'ai raison. Quand est-ce que tu t'es googlée pour la dernière fois ?

Je mens :

— La semaine dernière. 128 résultats.

— C'est vrai ?

— Ça a l'air de te surprendre.

— Alice, je t'en prie, je n'ai pas de temps pour ça. Aide-moi à trouver Frank. Je dois voir un truc avec lui.

Je soupire.

— Il est là-bas, près de la fenêtre. Allons le voir.

William pose la main sur mon épaule.

— Attends ici. Je reviens.

Il n'y a pas une voiture sur le pont et je me prends à le regretter. En général, je me réjouis de rentrer à la maison : j'anticipe le plaisir d'enfiler mon pyjama, de me lover sur le canapé avec la télécommande dans la main, en sachant les enfants endormis à l'étage (ou feignant de dormir mais plus sûrement occupés à envoyer des textos ou des messages instantanés). Or ce soir, j'aimerais rester dans la voiture et rouler, aller quelque part, n'importe où. Cette soirée m'a perturbée et je n'arrive pas à repousser cette sensation : William a honte de moi.

— Tu es bien silencieuse. Tu as trop bu ? demande-t-il.

Je marmonne :

— Suis fatiguée.

— Frank Potter est un sacré numéro.

— Je l'aime bien.

— Tu aimes bien Frank Potter ? C'est un guignol.

— Oui, mais il est honnête. Il ne cherche pas à dissimuler la vérité. Et il a toujours été gentil avec moi.

William tape du bout du doigt sur le volant en rythme avec la radio. Je ferme les yeux.

— Alice ?

— Quoi ?

25

— Tu as l'air bizarre ces derniers temps.

— Bizarre comment ?

— Je n'en sais rien. Est-ce que tu ne serais pas en train de nous faire une crise de la quarantaine ?

— Je ne sais pas. Et toi, tu en fais une, de crise de la quarantaine ?

William secoue la tête et monte le son de la radio. Je pose le front contre la vitre et contemple les millions de lumières qui scintillent dans les collines de l'East Bay. Oakland a l'air en fête, presque en vacances. Ça me fait penser à ma mère. Ma mère est décédée deux jours avant Noël. J'avais quinze ans. Elle est partie acheter du lait de poule et s'est fait emboutir par un type qui a grillé un feu rouge. J'aime à penser qu'elle n'a jamais su ce qui lui arrivait. Raclement métallique, léger crissement, comme le murmure d'une rivière, et belle lumière envahissant l'habitacle. Voilà comment j'imagine ses derniers instants.

J'ai fait le récit de sa mort si souvent que les détails en ont perdu tout leur sens. Parfois, quand les gens m'interrogent sur ma mère, je suis submergée par une étrange nostalgie, pas complètement désagréable. Je parviens à faire apparaître avec netteté dans ma tête les rues de Brockton au Massachusetts qui, en cette journée de décembre, devaient être décorées de guirlandes lumineuses. Les clients faisaient la queue devant les magasins de spiritueux, leurs chariots débordant de packs de bières et de bouteilles de vin ; l'air embaumait les aiguilles des sapins que l'on vendait sur le parking. Mais cette nostalgie de ce qu'il y avait juste *avant* est rapidement vaincue par l'opacité de ce qui est arrivé *après*. Alors, mon cœur s'emplit des premières notes ringardes du générique de *Magnum* – c'est ce que mon père regardait à la télé quand le téléphone a sonné et qu'une femme à l'autre bout du fil nous a gentiment informés qu'il y avait eu un accident.

Pourquoi est-ce que je pense à ça ce soir ? Suis-je, comme William l'a suggéré, en pleine crise de la quarantaine ?

L'horloge tourne, c'est clair. En septembre, je vais avoir quarante-cinq ans, l'âge exact de ma mère quand elle est morte. Je suis dans mon année critique.

Jusqu'à présent, j'ai réussi à me rassurer en me disant que même si ma mère était morte, elle était toujours plus âgée que moi. J'avais encore à ouvrir toutes les portes qu'elle avait ouvertes, ce qui, d'une certaine manière, la maintenait encore en vie. Mais que se passera-t-il lorsque je la devancerai ? Quand j'aurai franchi tous les seuils que ma mère avait passés ?

Je jette un coup d'œil à William. Ma mère l'aurait-elle approuvé ? Aurait-elle accepté mes enfants, ma carrière, mon mariage ?

— Tu veux qu'on s'arrête au 7-11 ? me demande William.

S'engouffrer dans un supermarché pour y acheter un Kit-Kat après une virée en ville a toujours été notre petit rituel.

— Non, je n'ai pas faim...

— Merci d'être venue à l'inauguration.

Est-ce sa manière de s'excuser pour s'être montré si dédaigneux toute la soirée ?

— Mmm.

— Tu t'es amusée ?

— Oui.

William garde le silence un moment, avant d'ajouter :

— Tu mens très mal, Alice Buckle.

# 3

30 avril
1 h 15

RECHERCHE GOOGLE : « Alice Buckle »
Environ 26 résultats (0,01 seconde)

Boucles de ceinture « Alice au Pays des Merveilles »
Et aussi des boucles de ceinture avec la scène du thé, Tweedledee et Tweedledum, le Lapin blanc, ou Humpty Dumpty..

Alice Buckle
Archives du *Boston Globe*... La pièce de Mme Buckle, *La Serveuse de Great Cranberry Island*, jouée au théâtre de Blue Hill, était « fade, ennuyeuse, absurde »...

Alice Buckle
Alice et William Buckle, parents de Zoe et Peter, profitant du coucher de soleil...

RECHERCHE GOOGLE : « crise de la quarantaine »
Environ 2 333 000 résultats (0,18 seconde)

Urban dictionary
Période du mois où la femme a ses règles.

RECHERCHE GOOGLE : « crise de la quarantaine »
Environ 3 490 000 résultats (0,15 seconde)

Wikipédia, l'encyclopédie libre
Crise de la quarantaine, terme employé pour décrire la
période de doute...

Crise de la quarantaine : dépression ou passage obligé ?
Les changements survenant à la quarantaine peuvent
marquer le début d'une période croissante formidable.
Mais que faire quand la quarantaine devient une crise qui
se mue en dépression ?

RECHERCHE GOOGLE : « Zoloft »
Environ 31 600 000 résultats (0,12 seconde)

Zoloft. Sertraline.
Posologie. Effets secondaires. Grossesse..

Sertraline. Zoloft...
Je vais vous raconter mon expérience avec le Zoloft.
J'ai quitté l'hôpital psychiatrique hier après-midi...

RECHERCHE GOOGLE : « clés dans réfrigérateur + Alzheimer »
Environ 1 410 000 résultats (0,25 seconde)

Symptômes d'Alzheimer
L'Association pour les malades atteints d'Alzheimer a mis à jour la liste des... mettre ses clés dans le compartiment à œufs du réfrigérateur...

RECHERCHE GOOGLE : « perte de poids rapide »
Environ 30 600 000 résultats (0,19 seconde)

Perte de poids pour les nuls
J'ai perdu onze kilos ! M'évanouir plusieurs fois par jour n'est qu'un petit prix à payer...

RECHERCHE GOOGLE : « mariage heureux ? »
Environ 4 120 000 résultats (0,15 seconde)

À la découverte des secrets pour un mariage heureux – CNN
Nul ne sait ce qu'il se passe vraiment à l'intérieur d'un mariage en dehors des deux intéressés, mais des scientifiques en ont un aperçu relativement...

Des épouses minces comme secret de mariage heureux ! Inde
Des scientifiques révèlent le secret d'un mariage heureux. Les femmes qui pèsent moins que leur moitié...

Ingrédients pour un mariage heureux
Une cuillerée de gentillesse, deux cuillerées de gratitude, une dose quotidienne d'éloges, un secret précieusement gardé...

4

**Courrier indésirable (3)**

De : Medline
Objet : Vicodin, Percocet, Ritalin, Zoloft... à prix
réduits !!!!
Date : 1er mai ; 9 h 18
À : Alice Buckle <alicebuckle@rocketmail.com>
SUPPRIMER

De : Hoodia boutique
Objet : Pilules amaigrissantes à base de ver solitaire, le
secret minceur des femmes asiatiques...
Date : 1er mai ; 9 h 24
À : Alice Buckle <alicebuckle@rocketmail.com>
SUPPRIMER

De : Centre d'étude sur le mariage Netherfield
Objet : Vous avez été sélectionnée pour participer à un
sondage sur le mariage...
Date : 1er mai ; 9 h 29
À : Alice Buckle <alicebuckle@rocketmail.com>
DÉPLACER VERS BOÎTE DE RÉCEPTION

# 5

J'ai l'impression d'être le Frank Potter de mon propre petit monde. Pas le Frank Potter qui gravit les échelons de l'échelle sociale, mais le Frank Potter responsable de ses troupes. Je suis directrice artistique de l'école élémentaire Kentwood. L'Alice Buckle nerveuse et empotée qui a assisté au lancement de la nouvelle vodka aromatisée de William n'a rien à voir avec l'Alice Buckle présentement assise sur un banc dans la cour pendant qu'une petite de CM1 plantée derrière elle tente vainement de la coiffer.

— Désolée, madame Buckle, mais je ne peux rien faire avec ça, s'excuse Harriet. Peut-être que si vous les brossiez de temps en temps...

— Si tu me brosses les cheveux, ils ne feront que friser. Ils ressembleront à un nid de rats.

Harriet soulève mes épais cheveux bruns avant de les laisser retomber.

— Je suis désolée de vous le dire, mais ça ressemble déjà à un nid de rats. En fait, ça ressemble plus à un pissenlit.

Le franc-parler d'Harriet Morse est caractéristique des petites de son âge. Je prie pour qu'elle ne le perde pas avant d'aller au collège. Ça arrive à la plupart des filles. Pour ma part, je n'aime rien de plus qu'une gamine qui dit ce qu'elle pense.

— Peut-être que vous devriez les lisser, suggère-t-elle. Ma mère le fait. Elle peut même aller sous la pluie sans que ça frise.

— Et c'est pour ça qu'elle a l'air si classe, dis-je en repérant Mme Morse qui trottine vers nous.

— Alice, je suis désolée d'être en retard, s'excuse-t-elle en se penchant pour me serrer brièvement dans ses bras.

Harriet est la quatrième des enfants de Mme Morse à suivre mes cours de théâtre. Son aînée étudie aujourd'hui à l'école des Arts d'Oakland. Je me plais à penser que j'y suis pour quelque chose.

— Il n'est que 15 h 20, ne vous inquiétez pas.

Au moins deux douzaines d'enfants attendent encore dans la cour qu'on vienne les récupérer.

— Il y avait une circulation monstre, insiste Mme Morse. Harriet, qu'es-tu en train de faire aux cheveux de Mme Buckle ?

— C'est une excellente coiffeuse, en fait. J'ai bien peur que le problème ne vienne de mes cheveux.

— Désolée, me souffle silencieusement Mme Morse en plongeant la main dans son sac à la recherche d'un élastique qu'elle tend à sa fille. Chérie, tu ne crois pas que Mme Buckle aurait l'air géniale avec une queue-de-cheval ?

Harriet fait le tour du banc et m'examine d'un air solennel. Elle soulève mes cheveux au niveau des tempes.

— Vous devriez porter des boucles d'oreilles, déclare-t-elle. Surtout si vous relevez vos cheveux.

Elle prend l'élastique à sa mère et regagne son poste derrière le banc.

— Alors, qu'est-ce que je peux faire pour aider ce trimestre ? demande Mme Morse. Voulez-vous que j'organise la fête ? Je pourrais aider les enfants à apprendre leur texte.

L'école élémentaire Kentwood regorge de mères comme Mme Morse : des parents qui se portent volontaires sans qu'on leur demande rien et qui croient passionnément à l'importance du programme d'art dramatique. À vrai dire, c'est l'Association des parents d'élèves de Kentwood qui paye mon mi-temps. Le système scolaire d'Oakland est au bord de la faillite depuis des années. Les classes d'art et de musique sont les premières à passer à la trappe. Sans l'Association des parents d'élèves, je n'aurais pas de travail.

Chaque année, il y a une classe dont les parents ont des exigences supérieures et râlent et se plaignent – cette année, c'est le CE2 –, mais la plupart du temps, je les considère comme des coprofesseurs. Je ne pourrais pas faire mon boulot sans eux.

— C'est ravissant, dit Mme Morse à Harriet quand sa fille a terminé de tirer et de m'attacher les cheveux. J'aime beaucoup la bosse que tu as faite sur le dessus pour donner du volume.

Harriet se mordille la lèvre.

— J'ai pas fait exprès de faire une bosse.

— J'ai l'impression d'être Audrey Hepburn dans *Diamants sur canapé*, dis-je tandis que Carisa Norman traverse la cour en courant avant de se jeter sur mes genoux.

— Je vous ai cherchée partout ! fait-elle en me caressant la main.

— Quelle coïncidence ! Je t'ai cherchée partout aussi, dis-je alors qu'elle se pelotonne dans mes bras.

— Appelez-moi, me lance Mme Morse en mimant un téléphone près de son oreille tandis qu'elle s'éloigne avec Harriet.

J'emmène Carisa dans la salle des professeurs et lui achète une barre de céréales à la machine. Ensuite, nous retournons nous asseoir sur le banc et discutons de sujets de grande importance tels que les Barbies et le fait que les petites roues à son vélo lui font honte.

À 16 heures, lorsque sa mère s'arrête le long du trottoir et klaxonne, je regarde le cœur serré Carisa partir en courant. Elle paraît si vulnérable. Elle a huit ans et est un peu petite pour son âge : de dos, elle en fait six. Mme Norman me salue d'un signe de la main. Je lui réponds. C'est notre rituel, au moins quelques jours par semaine. Chacune d'entre nous prétendant qu'il n'y a rien d'anormal au fait qu'elle ait quarante-cinq minutes de retard pour récupérer sa fille.

# 6

J'adore le moment entre 16 h 30 et 18 h 30. Les jours rallongent et, à cette époque de l'année, j'ai en général la maison pour moi. Zoe a entraînement de volley, Peter est soit en répétition avec l'orchestre soit à l'entraînement de foot, et William se gare rarement dans l'allée avant 19 heures. À peine rentrée à la maison, je fais un tour rapide du propriétaire, rangeant, pliant du linge, examinant le courrier, puis je prépare le dîner. On est jeudi, alors ce soir c'est plat unique, genre lasagnes ou hachis Parmentier. Je ne suis pas franchement un cordon-bleu. Ça, c'est l'affaire de William. C'est lui qui cuisine pour les grandes occasions, les dîners qui soulèvent des « Oh ! » et des « Ah ! » extatiques. Je suis plus un chef de partie, mes repas n'ont rien de flamboyant ni de mémorable. Par exemple, on ne m'a jamais dit : « Oh, Alice, tu te rappelles la fois où tu as fait des zitis à la tomate ? » Mais je suis digne de confiance : j'ai à peu près huit recettes faciles et rapides dans mon carnet que je fais régulièrement tourner. Ce soir, c'est gratin au thon. Je glisse le plat dans le four et m'assois à la table de la cuisine avec mon portable pour vérifier mes mails.

De : Centre Netherfield <netherfield@centrenetherfield.org>
Objet : Sondage sur le mariage
Date : 4 mai ; 17 h 22
À : Alice Buckle <alicebuckle@rocketmail.com>

Chère Alice Buckle,
Nous vous remercions de l'intérêt que vous portez à notre étude et nous vous savons gré d'avoir pris le temps de remplir notre questionnaire préliminaire. Félicitations ! Vous avez été sélectionnée pour participer à l'enquête du Centre Netherfield sur le mariage au XXI$^e$ siècle. Vous remplissez trois de nos critères initiaux pour participer à cette étude : vous êtes mariée depuis plus de dix ans, vous avez des enfants scolarisés, et vous êtes monogame.

Comme nous vous l'avons expliqué dans notre questionnaire préliminaire, cette enquête est anonyme. Afin de préserver votre anonymat, nous vous avons créé un compte sur le serveur du Centre Netherfield. Votre adresse électronique pour tous nos échanges relatifs à cette enquête est : epouse22@centrenetherfield.org et votre mot de passe provisoire est 12345678. Nous vous remercions de bien vouloir vous connecter au plus vite afin de modifier votre mot de passe.

À compter d'aujourd'hui, toute correspondance vous sera adressée à l'adresse epouse22@centrenetherfield.org. Veuillez nous excuser pour ce pseudonyme très technique, mais cette mesure est dans votre intérêt et nous permet d'assurer la confidentialité totale de notre panel.

Un enquêteur assigné à votre dossier prendra prochainement contact avec vous. Soyez assurée que tous nos enquêteurs sont hautement qualifiés.

Un règlement de 1 000 dollars vous sera versé dès la fin de l'enquête.

Nous vous remercions une nouvelle fois pour votre engagement. Soyez fière de participer, aux côtés d'autres femmes et hommes soigneusement sélectionnés à travers tout le pays, à une enquête d'envergure dont les résultats pourraient changer la vision du monde sur le mariage.

Cordialement,
Centre Netherfield.

Je vais aussitôt me connecter sur mon compte epouse22.

De : Chercheur101 <chercheur101@centrenetherfield.org>
Objet : Enquête sur le mariage
Date : 4 mai ; 17 h 25
À : Epouse22 <epouse22@centrenetherfield.org>

Chère Épouse 22,
Je suis Chercheur 101 et je serai votre contact dans le cadre de l'enquête sur le mariage au XXI$^e$ siècle du Centre Netherfield. Laissez-moi me présenter. D'abord, les diplômes : j'ai un doctorat en sciences sociales et un master en psychologie. Je suis enquêteur spécialisé dans les études matrimoniales depuis près de vingt ans.

Vous devez certainement vous demander comment cela fonctionne. Concrètement, je suis là dès que vous avez besoin de moi. Je serai ravi de répondre à vos questions ou de transmettre vos inquiétudes à qui de droit.

Vous trouverez en pièce jointe le premier questionnaire. L'ordre des questions est aléatoire. Certaines d'entre elles vous paraîtront sans doute atypiques, d'autres sans rapport apparent avec le mariage mais d'une nature plus générale (questions concernant votre environnement, votre éducation, vos expériences, etc.). Nous vous remercions de bien vouloir répondre à toutes les questions. Je vous suggère de remplir ce premier questionnaire rapidement et instinctivement afin de fournir les réponses les plus honnêtes possible. Je me réjouis de travailler avec vous.

Cordialement,
Chercheur 101.

Avant de compléter le questionnaire préliminaire, j'avais cherché le Centre Netherfield sur Internet et découvert qu'il était affilié au Centre médical de l'Université de San Francisco. En raison de l'excellente réputation de cette université dans le domaine des sciences, je l'avais rempli et envoyé sans y réfléchir à deux fois. Quel mal y avait-il à répondre à quelques questions ? Mais maintenant que je suis officiellement acceptée et qu'on m'a assigné un enquêteur, j'ai quelques réticences à participer à une enquête anonyme. Une enquête dont je ne devrais probablement parler à personne (même pas à mon mari).

Mon cœur tressaute dans ma poitrine. Avoir un secret me donne l'impression d'être une ado. Une jeune femme qui a encore tout devant elle : des seins fermes, des villes à découvrir, un éventail de milliers d'étés, printemps et hivers à vivre.

J'ouvre vite la pièce jointe de peur de me dégonfler.

1. 43, non 44.
2. L'ennui.
3. Une fois par semaine.
4. Oui, assez.
5. Les huîtres.

6. Il y a trois ans.

7. Des fois, je lui dis qu'il ronfle alors que ce n'est pas vrai et il va dormir dans la chambre d'amis ; comme ça, j'ai le lit pour moi toute seule.

8. De l'Ambien (tous les trente-six du mois), des cachets d'huile de poisson enrichie en oméga trois, des vitamines, des complexes de vitamines B, du caltrate, de la vitamine D, du ginko biloba (pour aiguiser l'esprit, bon d'accord, plutôt pour la mémoire parce que tout le monde me dit « ça fait trois fois que tu me demandes ! »).

9. Une vie pleine de surprises. Une vie sans surprise. La caissière du supermarché qui se lèche les doigts pour séparer les sacs en plastique et qui touche mon sel et mon sachet de chips au vinaigre avec ses doigts encore humides avant de les ranger dans le sac en plastique préalablement léché, doublant ainsi la dose de salive sur mes achats.

10. J'espère que oui.

11. Je pense que oui.

12. À l'occasion. Mais sans y songer sérieusement. Je suis du genre à envisager le pire, comme ça le pire ne me prend jamais par surprise.

13. Les bosses.

14. Il prépare une vinaigrette à tomber par terre. Il pense à changer les piles de l'alarme incendie tous les six mois. Il est capable de régler les problèmes de plomberie mineurs, du coup, contrairement à la plupart de mes amies, je n'ai jamais besoin d'embaucher quelqu'un pour réparer un robinet qui fuit. Et puis, il est sexy dans son jean Carhartt. Je sais, j'évite de répondre à la question. Je ne sais pas très bien pourquoi. Je répondrai plus tard à celle-ci.

15. Réservé. Dédaigneux. Distant.

16. *Le Lion, la Sorcière blanche et l'Armoire magique.*

17. Nous sommes ensemble depuis dix-neuf ans et trois cents et quelques jours. Alors très, très bien je crois.

C'est facile. *Trop* facile. Qui aurait cru que la confession entraînerait un tel afflux de dopamine ?

Tout à coup, la porte d'entrée s'ouvre à la volée et Peter hurle :

— Prems aux toilettes !

Il refuse d'aller aux toilettes à l'école, alors il se retient toute la journée. Je referme mon ordinateur. Ça aussi, c'est mon moment préféré de la journée – quand la maison vide se remplit à nouveau et qu'en une heure le rangement que j'ai fait est réduit à néant. Je ne sais pas pourquoi, mais ça me fait plaisir. Parce que c'est tout aussi inévitable que satisfaisant.

Zoe entre dans la cuisine en faisant la grimace.

— Gratin de thon ?

— Ce sera prêt dans quinze minutes.

— J'ai déjà mangé.

— À l'entraînement de volley ?

— La mère de Karen nous a acheté des burritos en rentrant.

— Peter a mangé aussi, alors ?

Hochement de tête de Zoe qui ouvre le frigo. Soupir de ma part.

— Qu'est-ce que tu cherches ? Je croyais que tu avais mangé.

— Je ne sais pas. Rien, fait-elle en refermant la porte.

— Mince ! Qu'est-ce que tu as fait à tes cheveux ? demande Peter en entrant dans la cuisine.

— Oh zut, j'avais oublié ! Une de mes élèves a joué à la coiffeuse. Je trouvais que ça faisait très Audrey Hepburn, non ?

— Non, réplique Zoe.

— Non, confirme Peter.

Je retire l'élastique de mes cheveux en essayant de les lisser.

— Peut-être que si tu les brossais de temps en temps, me lance Zoe.

— C'est quoi, cette mode de la brosse ? Pour votre gouverne, sachez que certains types de cheveux ne devraient jamais être brossés. Il faut les laisser sécher naturellement.

— Mmm, grommelle Zoe en attrapant son sac à dos. J'ai une tonne de boulot. On se voit en 2021.

— Je peux jouer une demi-heure à Modern Warfare avant de faire mes devoirs ? demande Peter.

Je réponds :

— Dix minutes.

— Vingt.

— Quinze.

Peter jette ses bras autour de moi. Même s'il a douze ans, j'ai encore droit à de rares câlins. Quelques minutes plus tard, le bruit des armes à feu et des bombes résonne dans le salon.

Mon téléphone pépie. C'est un texto de William.

*Désolé. Dîner avec client. Rentre vers 10 h.*

Je rouvre mon ordinateur et appuie sur la touche ENVOI.

7

De : Chercheur101 <chercheur101@centrenetherfield.org>
Objet : Question n° 13
Date : 5 mai ; 8 h 05
À : Epouse22 <epouse22@centrenetherfield.org>

Chère Épouse 22,
Merci d'avoir répondu à ce premier jeu de questions et de me l'avoir fait parvenir si rapidement. J'ai une interrogation concernant la question n° 13 : vouliez-vous écrire « gosses » à la place de « bosses » ?

Cordialement,
Chercheur 101.

De : Epouse22 <epouse22@centrenetherfield.org>
Objet : Re : Question n° 13
Date : 5 mai ; 10 h 15
À : Chercheur101 <chercheur101@centrenetherfield.org>

Cher Chercheur 101,
Désolée pour l'erreur. C'est la faute de mes bosses, je veux dire de mes gosses. Ou plutôt de la correction automatique.

Bien à vous,
Épouse 22.

PS : Le numéro qui nous est attribué l'est-il de façon aléatoire ou a-t-il une signification particulière ? J'ai du mal à croire que je suis seulement la 22e épouse à participer à l'enquête.


De : Chercheur101 <chercheur101@centrenetherfield.org>
Objet : Re : Question n° 13
Date : 6 mai ; 11 h 23
À : Epouse22 <epouse22@centrenetherfield.org>

Chère Épouse 22,
Votre numéro comme le mien sont attribués de façon aléatoire, vous avez raison. Pour chaque série de l'enquête, nous utilisons des chiffres au hasard jusqu'à 500 et repartons de 1 pour la série suivante.

Sincères salutations,
Chercheur 101.

De : Epouse22 <epouse22@centrenetherfield.org>
Objet : Question n° 2, après réflexion
Date : 6 mai ; 16 h 32
À : Chercheur101 <chercheur101@centrenetherfield.org>

Cher Chercheur 101,

« L'ennui » n'est pas la raison de ma participation à cette enquête. J'y participe parce que je vais avoir 45 ans cette année, l'âge que ma mère avait quand elle est décédée. Si elle était en vie, c'est à elle que je parlerais plutôt que de répondre à ces questions. Nous aurions les conversations que j'imagine une mère peut avoir avec sa fille d'une quarantaine d'années. Nous parlerions de notre libido (ou du manque de libido), des 5 kilos qu'on n'arrête pas de perdre et de reprendre, et de la difficulté de trouver un plombier de confiance. Nous échangerions des astuces sur la façon de rôtir un poulet, de couper le gaz en cas d'urgence, de nettoyer les joints de fenêtres. Elle me poserait des questions du genre : « Es-tu heureuse, chérie ? Est-ce qu'il te traite bien ? Est-ce que tu t'imagines vieillir à ses côtés ? »

Ma mère ne sera jamais grand-mère. N'aura jamais un poil de sourcil blanc. Ne mangera jamais de mon gratin de thon.

Voilà pourquoi je participe à cette enquête.

Merci de corriger ma réponse à la question n° 2.

Bien à vous,
Épouse 22.

De : Chercheur101 <chercheur101@centrenetherfield.org>
Objet : Re : Question n° 2, après réflexion
Date : 6 mai ; 20 h 31
À : Epouse22 <epouse22@centrenetherfield.org>

Chère Épouse 22,
Merci pour votre honnêteté. Sachez qu'il est fréquent que des sujets corrigent leurs réponses ou envoient des addenda. Je vous présente mes condoléances pour votre mère.

Sincèrement,
Chercheur 101.

# 8

18. Courir, plonger, planter une tente, faire du pain, faire des feux de joie, lire Stephen King, me lever pour changer de chaîne, passer des heures au téléphone avec des amies, embrasser des inconnus, coucher avec des inconnus, flirter, porter des bikinis, me réveiller heureuse le matin sans raison particulière (sans doute parce que j'avais le ventre plat quel que soit mon menu de la veille), boire de la téquila, fredonner *Silly Love Songs* de Paul McCartney, m'étendre dans l'herbe et rêver de l'avenir, d'une vie parfaite et du mariage avec mon seul et unique amour.

19. Préparer le déjeuner, dire à la famille qu'ils sont capables de faire de meilleurs choix, prévenir les enfants quand ils sentent la transpiration, les mettre en garde contre les inconnus qui proposent des bonbons, les avertir quand ils ont des miettes au coin des lèvres. Préparer le fils préadolescent à la montée des hormones. Préparer le mari à la périménopause et aux conséquences que ça aura pour lui (trente jours de mauvaise humeur par mois à la place des deux auxquels il est habitué). Acheter des plantes vertes. Tuer les plantes vertes. Envoyer des textos, des messages instantanés, chatter, télécharger.

Déterminer la file la plus rapide au supermarché, ignorer des messages, supprimer, perdre les clés, mal comprendre ce qu'on me dit, m'inquiéter – surdité précoce, démence précoce, Alzheimer précoce ou insatisfaction côté sexe, vie et mariage avec besoin d'y remédier ?

20. Caissière chez Burger King, employée de la maison de retraite Royal Manor, serveuse au Fridays, serveuse au J.C. Hilary's, stagiaire au théâtre Charles de Boston, rédactrice publicitaire pour Peavey Patterson, auteur de pièces de théâtre, épouse, mère, et actuellement professeur d'art dramatique, de la maternelle au CM2, à l'école élémentaire Kentwood.

# 9

— Alice ! hurle William depuis la cuisine. Alice !
J'entends ses pas remonter le couloir.
Je referme rapidement la fenêtre du questionnaire du
Centre Netherfield et me connecte à un site de presse people.
— Ah, te voilà, fait-il.
Il est habillé pour le travail : pantalon beige et chemise
violet clair. C'est moi qui lui ai acheté cette chemise, parce
que je sais qu'avec ses cheveux et ses yeux sombres, cette
couleur lui va à ravir. Quand je la lui avais donnée, il avait
râlé, évidemment.
— Les hommes ne portent pas de couleur lavande, avait-
il dit.
— Non, mais les hommes portent du *chardon*, avais-je
répliqué.
Parfois, tout ce qu'il faut pour que les hommes se rangent
à votre avis, c'est appeler un chat un félin.
— Jolie chemise, observé-je.
Ses yeux volettent sur mon écran d'ordinateur.
— Gwen Stefani et un affreux jean ?
— Tu veux quelque chose ?
— Ah oui, il est affreux ! Elle ressemble à Oliver Twist.
Oui, je voulais quelque chose mais j'ai oublié quoi.

C'est une réponse typique – j'y suis habituée. L'un comme l'autre, nous errons souvent dans une pièce, perdus, et demandons à l'autre s'il sait ce qu'on fait là.

— Qu'est-ce qui t'arrive ? s'enquiert-il.

Mes yeux tombent sur la facture de l'assurance de la moto.

— Eh bien... J'aimerais que tu te décides pour la moto. Elle est dans l'allée depuis une éternité. Tu ne t'en sers jamais.

Cet engin prend une place précieuse dans notre petite allée. Plus d'une fois, je l'ai accidentellement accrochée en me garant.

— Un de ces jours, je la conduirai à nouveau.

— Tu dis ça depuis des années. Et chaque année, on paye l'assurance.

— Oui, mais là je le pense. Bientôt.

— Bientôt quoi ?

— Bientôt je la prendrai, répète-t-il. Plus souvent que je ne m'en suis jamais servi.

— Mmm, fais-je, distraite, avant de revenir à mon écran.

— Attends. C'est tout ce que tu voulais me dire ? La moto ?

— William, c'est toi qui es venu me trouver, tu te rappelles ?

Et non, la moto n'est pas le seul sujet que je veux aborder. Je veux avoir avec mon mari une conversation plus profonde que les histoires d'assurance et savoir à quelle heure il va rentrer et s'il a appelé le gars pour les gouttières, mais on dirait que nous sommes coincés là, à flotter à la surface de nos vies comme des enfants dans une piscine jonchée de frites en mousse.

— Et il y a plein de choses dont on peut discuter, dis-je.

— Du genre ?

Voilà, c'est l'occasion rêvée pour lui parler de l'enquête sur le mariage. « Tu ne croiras jamais le truc débile pour lequel j'ai signé ! Ils posent les questions les plus folles et c'est pour

50

la science. Parce que tu sais qu'il existe une science du mariage, tu n'y crois peut-être pas mais c'est vrai.» Mais non. À la place, je réponds :

— Du genre comment j'essaye, en vain figure-toi, de convaincre les parents des CE2 que les rôles des oies sont les plus importants de toute la pièce, même si les oies n'ont pas une ligne de texte. Ou bien nous pourrions parler de notre fils, Peter, ou plutôt Pedro, qui est homo. Ou je pourrais te poser des questions sur KKM. Tu travailles toujours sur les semi-conducteurs ?

— Les pansements.

— Pauvre chéri. T'es collé aux pansements ?

C'est plus fort que moi, je chantonne cette dernière phrase.

— On ne sait pas si Peter est gay, soupire William.

Nous avons eu cette conversation plusieurs fois déjà.

— Il pourrait l'être.

— Il a douze ans.

— Ce n'est pas trop jeune, douze ans, pour savoir. J'ai une impression. Un pressentiment. Une mère sait ce genre de choses. J'ai lu un article à propos de ces ados qui révèlent leur homosexualité au collège. Ça arrive de plus en plus tôt. Je l'ai mis dans mes favoris, je te l'enverrai par mail.

— Non, merci.

— William, nous devons nous instruire. Nous préparer.

— À quoi ?

— Au fait que notre fils est peut-être gay.

— Je ne comprends pas, Alice. Pourquoi t'impliques-tu tellement dans la sexualité de Peter ? Tu veux qu'il soit gay ?

— Je veux qu'il sache que nous le soutiendrons quelles que soient ses préférences sexuelles. Peu importe qui il est.

— Très bien. D'accord. Dans ce cas, j'ai une théorie. Tu penses que si Peter est homo, tu ne le perdras jamais. Il n'y aura pas de compétition. Tu resteras toujours la femme la plus importante de sa vie.

— C'est n'importe quoi.

51

William secoue la tête.

— La vie sera plus difficile pour lui.

— Tu parles comme un homophobe.

— Je ne suis pas homophobe, je suis réaliste.

— Regarde Nedra et Kate. Elles forment l'un des couples les plus heureux que nous connaissons. Personne n'a de comportement discriminatoire envers elles et tu les adores.

— L'amour n'a rien à voir avec le fait de ne pas vouloir que ton enfant soit inutilement discriminé. Et Nedra et Kate ne seraient pas heureuses si elles habitaient ailleurs que dans la baie. La baie de San Francisco n'est pas le monde réel.

— Et on ne *choisit* pas d'être homo. Hé ! Il pourrait être bisexuel. Je n'avais pas pensé à ça. Et s'il était bisexuel ?

— Bonne idée. Restons là-dessus, conclut William en quittant mon bureau.

Après son départ, je me connecte à Facebook et vérifie les dernières nouvelles en parcourant les statuts.

**Shonda Perkins**
Aime PX-90.
Il y a 2 minutes

**Tita De La Reyes**
*IKEEEEEAAAAA !!!!* L'enfer ! Un type m'a roulé dessus avec son chariot.
Il y a 5 minutes

**Tita De La Reyes**
*IKEEEEEAAAAA !!!!* Le paradis ! Boulettes de viande suédoises et myrtilles pour 3,99 $.
Il y a 11 minutes

**William Buckle**
Tombe, est en train de tomber...
Il y a 1 heure

Minute, quoi ? William a changé son statut et il ne cite ni Winston Churchill ni le dalaï-lama ? Le pauvre William fait partie de ces membres de Facebook qui passent un sale quart d'heure chaque fois qu'ils doivent trouver un statut original. Facebook lui donne le trac. Mais ce statut a une connotation incontestablement inquiétante. C'est *ça* qu'il était venu me dire ? Il faut que je lui demande de quoi il voulait parler mais d'abord, je rédige un rapide statut de mon cru.

**Alice Buckle**
*S'instruit.*
SUPPRIMER

**Alice Buckle**
*Est collé aux pansements.*
SUPPRIMER

**Alice Buckle**
*C'est la faute des bosses.*
PUBLIER

Tout à coup, la fenêtre de discussion instantanée s'ouvre.

Qu'est-ce qu'elles t'ont fait, les bosses ?

C'est mon père.

Alice chérie, tu es là ?

• Salut papa, je suis pressée. Je dois trouver W avt qu'il parte au boulot. On se parle demain ?

RDV ce soir.

• Tu as un RDV ? Avec qui ?

53

Te dirai si y a un 2ᵉ RDV.

- OK. Amuse-toi bien !

Tu t'inquiètes pas pour moi ? Les MST ont augmenté de 80 % chez les seniors de plus de 70 ans.

- Préfère pas discuter de ta vie sexuelle, papa.

AVEC QUI D'AUTRE JE DISCUTE DE VIE SEXUELLE ?

- Les caps, c quand on crie.

JE LE SAIS ! Merci pour le chèque. Il est arrivé en début de mois. C'est bien. Majorations impôt foncier. Reste, parle-moi.

- J'enverrai + le mois prochain. Un peu serrée ce mois-ci. Zoe a perdu son appareil dentaire. Encore. Tu as installé les ampoules à économie d'énergie ?

Vais le faire aujourd'hui. Promis. Quoi de neuf ?

- Peter est peut-être gay.

C'est pas du neuf.

- Zoe a honte de moi.

Pas neuf non plus.

- J'ai plein de trucs à faire. M'en sors pas.
- Papa ?
- Papa ?

Un jour, tu regarderas en arrière et tu comprendras que c'est le meilleur moment de la vie. Être en mouvement. Avoir toujours quelque chose à faire. Quelqu'un qui t'attend à la maison.

- Oh, papa. Tu as raison. Suis désolée.

☺

- T'appelle demain. Sois prudent ce soir.

T'aime.

- Moi aussi.

L'odeur du pain grillé flotte dans mon bureau. J'éteins l'ordi et vais dans la cuisine à la recherche de William, mais tout le monde est parti. La seule trace du passage de ma famille est une pile d'assiettes dans l'évier. *Tombe, est en tr*

# 10

Mon portable sonne. Je n'ai pas besoin de regarder l'écran pour savoir que c'est Nedra. Pour le téléphone, on a une espèce de connexion télépathique toutes les deux. Je pense à Nedra et elle appelle.

— Je viens juste de me faire couper les cheveux, annonce-t-elle. Et Kate m'a dit que je ressemblais à Florence Henderson. Et quand je lui ai demandé qui était Florence Henderson, elle a répondu que je ressemblais à Shirley Jones. Une Shirley Jones pakistanaise !

— Elle a dit ça ! (Je me retiens de rire.)

— Oui, elle l'a dit, souffle Nedra, vexée.

— C'est affreux. Tu es indienne, pas pakistanaise.

J'adore Kate. Quand je l'ai rencontrée la première fois, il y a treize ans, j'ai su en moins de cinq minutes qu'elle était parfaite pour Nedra. Je hais la phrase « Tu me complètes », mais dans le cas de Kate, c'est la stricte vérité. Elle était la moitié manquante de Nedra : une assistante sociale sérieuse, née à Brooklyn, qui dit les choses comme elles sont. La personne sur qui Nedra compte pour ne pas enrober les choses. Tout le monde a besoin de quelqu'un comme ça dans sa vie. Malheureusement, moi, j'ai trop de gens comme ça dans ma vie.

— Tu t'es fait faire une coupe en pétard ?

— Non, c'est pas en pétard, ce sont des mèches. Mon cou a l'air beaucoup plus long maintenant.

Nedra marque une pause avant de reprendre.

— Oh, putain ! s'exclame-t-elle. J'ai une coupe en pétard et je ressemble à une dinde. Et maintenant, j'ai une houppette sur la nuque comme Julia Child. Qu'est-ce que ce sera ensuite ? Une banane ? Comment en suis-je arrivée là ? Je ne sais pas pourquoi j'ai laissé cette garce de Lisa me convaincre de faire ça.

Lisa, notre coiffeuse, n'a rien d'une garce, même si elle m'a également mal conseillée plus d'une fois. Il y a eu la période malheureuse de la coloration bordeaux au henné. Et la frange — les femmes avec des cheveux épais ne devraient jamais porter de frange. Désormais, j'ai une coupe aux épaules avec des mèches dégradées autour du visage. Les bons jours, on me dit que je ressemble à la sœur aînée d'Anne Hathaway. Les mauvais, à sa mère. *Fais comme la dernière fois*, voilà la seule instruction que je donne à Lisa. C'est une petite phrase qui marche dans plein de situations, je trouve : au lit, pour la commande de mon café au lait de soja chez Starbucks, quand j'aide Peter/Pedro avec ses maths. Mais bon, ce n'est pas une façon de vivre. Je lui avoue alors :

— J'ai fait quelque chose. Je fais quelque chose en ce moment. Quelque chose que je ne devrais pas faire.

— Il y a des preuves écrites ? demande Nedra.

— Non. Oui. Peut-être. Les mails, ça compte ?

— Bien sûr que les mails, ça compte.

Je murmure dans le téléphone :

— Je participe à un sondage. Un sondage anonyme. Sur le mariage au XXI$^e$ siècle.

— L'anonymat, ça n'existe pas. Pas au XXI$^e$ siècle. Et sûrement pas sur Internet. Qu'est-ce qui te prend de faire ça ?

— Je n'en sais rien. J'ai cru que ce serait marrant ?

— Sérieusement, Alice.

— D'accord, d'accord. Très bien. Je crois que j'ai l'impression que le moment est venu de faire le point.

— De faire le point sur quoi ?

— Heu... Sur ma vie. Sur William et moi.

— Tu ne serais pas en train de nous faire une crise de la quarantaine ?

— Pourquoi est-ce que tout le monde me demande ça ?

— Réponds à la question.

Je soupire.

— Peut-être.

— Tout ce que tu vas y gagner, c'est un cœur brisé, Alice.

— Oui, mais il ne t'arrive jamais de te demander si tout va bien ? Pas seulement en surface mais en profondeur ?

— Non.

— Vraiment ?

— Vraiment, Alice. Je *sais* que tout va bien. Ce n'est pas le sentiment que tu as avec William ?

— On est tellement occupés, c'est tout. J'ai l'impression que chacun est un truc à faire sur la liste de l'autre, qu'il s'empresse de barrer. C'est horrible de dire ça, non ?

— C'est vraiment ce que tu ressens ?

— Parfois.

— Allez, Alice. Il y a autre chose que tu ne me dis pas. Qu'est-ce qui a déclenché tout ça ?

J'envisage d'expliquer à Nedra mon histoire d'année critique mais pour être honnête, même si nous sommes très proches, elle a encore ses deux parents et ne comprendrait pas. Nous ne parlons pas beaucoup de ma mère, elle et moi. Je garde ça pour les Mumble Bumbles, un groupe de soutien pour les personnes qui ont perdu un être cher et dont je suis membre depuis quinze ans. Même si je n'ai assisté à aucune réunion ces derniers temps, je suis amie Facebook avec tous les membres : Shonda, Tita et Pat. Je sais, le nom de notre groupe est bizarre. D'abord, on s'est appelé les Mother Bees, puis c'est devenu Mumble Bees qui s'est transformé, sans qu'on sache trop comment, en Mumble Bumbles.

— C'est juste que parfois, je me demande si on pourra tenir encore quarante ans. Quarante ans, c'est long. Tu ne crois pas que ça vaut le coup de se poser la question quand ça fait bientôt vingt ans qu'on est ensemble ?

— Olivia Newton John ! hurle Kate dans le fond. C'est à elle que tu ressembles ! Sur la pochette de l'album *Let's Get Physical.*

— D'après mon expérience, c'est quand on ne se pose pas de questions que la vie vaut la peine d'être vécue, réplique Nedra. Si quelqu'un veut vivre heureux et avoir beaucoup d'enfants, OK. Avec un seul partenaire. Chérie, je dois aller voir si je peux faire quelque chose pour cette coiffure hideuse. Kate se ramène avec des barrettes.

Derrière elle, j'entends Kate fredonner *I Honestly Love You,* d'Olivia Newton John ; elle chante comme une casserole.

— Tu veux bien me rendre un service ? demande Nedra. Quand tu me verras, ne me dis pas que je ressemble à Rachel de *Friends.* Et je te promets qu'on reparlera du mariage au XIX$^e$ siècle plus tard.

— Le mariage au XXI$^e$ siècle.

— C'est pareil. Bisous.

# 11

21. Je ne l'étais pas et puis j'ai vu le film sur le télescope Hubble en Imax 3-D.
22. Le cou.
23. Les avant-bras.
24. *Longiligne.* Voilà comment je le décrirais. Ses jambes tenaient à peine sous son bureau. C'était bien avant que les tenues chics décontractées au bureau soient autorisées et quand tout le monde était encore tiré à quatre épingles pour bosser. Je portais une jupe droite et des talons. Il portait un costume à fines rayures et une cravate jaune. Il avait le teint clair mais les cheveux très foncés, presque noirs, qui n'arrêtaient pas de lui tomber dans les yeux. Il ressemblait à Sam Shepard en plus jeune : sombre et tortueux.

J'étais complètement désarçonnée et je faisais de mon mieux pour ne pas le montrer. Pourquoi Henry (Henry, c'était mon cousin, celui qui m'avait obtenu l'entretien. Il jouait au foot avec W.) ne m'avait-il pas prévenu qu'il était aussi mignon ? Je voulais qu'il me remarque, qu'il me voie vraiment et oui, je savais qu'il était dangereux, c'est-à-dire indéchiffrable, c'est-à-dire avec attaches, c'est-à-dire PRIS – sur son bureau, il y avait une photo de lui avec une magnifique blonde.

J'étais en train de lui expliquer pourquoi une diplômée en théâtre, spécialisée en dramaturgie, voulait un boulot de rédactrice – ce qui requérait de tourner à outrance autour du pot (parce que c'est un boulot qui paye et que l'écriture de pièces de théâtre rapporte une misère et que je dois bien faire bouillir la marmite pendant que je me consacre à mon ART et pourquoi pas écrire des slogans sans aucun sens sur des produits pour lave-vaisselle) – quand il m'a interrompue.

— Henry a dit que vous aviez étudié à Brown mais vous êtes allée à l'Université du Massachusetts en fait ?

Punaise, Henry ! J'ai essayé de lui expliquer. Je lui ai sorti ma vieille excuse du « Tous mes ancêtres sont allés à l'Université du Massachusetts ». Mensonge. La vérité, c'est que ma bourse me permettait de suivre un cursus complet à l'Université (publique) du Massachusetts et seulement une moitié de cursus à l'Université (privée) de Brown. Mais il m'a coupée dans mon élan, m'arrêtant d'un geste de la main. La honte m'a envahie. J'avais l'impression de l'avoir terriblement déçu.

Il m'a rendu mon C.V., que j'ai déchiré en partant, sûre d'avoir foiré mon entretien. Le lendemain, un message de lui m'attendait sur le répondeur.

— Vous commencez lundi, Brown.

# 12

De : Epouse22 <epouse22@centrenetherfield.org>
Objet : Réponses
Date : 10 mai ; 5 h 50
À : Chercheur101 <chercheur101@centrenetherfield.org>

Chercheur 101,
J'espère que je fais comme il faut. Je m'inquiète car je pense que certaines de mes réponses excèdent la longueur requise. Peut-être préféreriez-vous un sujet qui va droit au but et répond oui, non, parfois et peut-être, mais voilà le truc : personne ne m'a jamais posé ce genre de questions avant. Des questions de ce genre, plutôt. On me pose tous les jours des questions normales pour une femme de mon âge. Comme aujourd'hui par exemple, quand j'ai essayé de prendre rendez-vous chez le dermatologue. La première question que la secrétaire m'a posée a été : « Avez-vous un grain de beauté suspect ? » Puis elle m'a annoncé que le premier rendez-vous possible était dans six mois et elle a ensuite voulu connaître mon année de naissance. Quand je la lui ai donnée, elle m'a proposé de m'entretenir avec le médecin au sujet d'injections en même temps que je faisais vérifier mes

grains de beauté. Dans ce cas, le médecin pouvait me recevoir la semaine prochaine. Jeudi, peut-être ? Voilà le genre de questions qu'on me pose habituellement, le genre de questions que je préférerais qu'on ne me pose pas.

Je crois que ce que j'essaye de vous dire, c'est que je suis contente de participer à cette enquête.

Sincères salutations,
Épouse 22.

De : Chercheur101 <chercheur101@centrenetherfield.org>
Objet : Re : Réponses
Date : 10 mai ; 9 h 46
À : Epouse22 <epouse22@centrenetherfield.org>

Épouse 22,
J'imagine que vous faites allusion à la question n° 24 quand vous vous inquiétez de donner des réponses trop longues. Pour tout vous dire, c'était comme de lire une scène de théâtre, avec les dialogues. Était-ce volontaire ?

Cordialement,
Chercheur 101

De : Epouse22 <epouse22@centrenetherfield.org>
Objet : Re : Réponses
Date : 10 mai ; 10 h 45
À : Chercheur101 <chercheur101@centrenetherfield.org>

Chercheur 101,
Je ne sais pas très bien si c'était volontaire ; c'était plutôt l'habitude. J'écrivais des pièces de théâtre avant. J'ai bien peur de penser naturellement en

découpage de scènes. J'espère que cela vous convient quand même.

Épouse 22.

De : Chercheur101 <chercheur101@centrenetherfield.org>
Objet : Re : Réponses
Date : 10 mai ; 11 h 01
À : Epouse22 <epouse22@centrenetherfield.org>

Épouse 22,

Il n'y a pas de bonne ou de mauvaise façon de répondre tant que vous répondez en toute honnêteté. À vrai dire, j'ai trouvé votre réponse à la question n° 24 très intéressante.

Bien à vous,
Chercheur 101.

## 13

**Julie Staggs**
Marcy – dans son lit de grande fille !
Il y a 32 minutes

**Pat La Guardia**
Passe l'après-midi avec son père. Red Sox. Aahh !
Il y a 46 minutes

**William Buckle**
Est tombé.
Il y a 1 heure

*Il est tombé ?* Me voilà officiellement inquiète. Je suis sur le point d'envoyer un texto à William quand j'entends le bruit caractéristique de la moto ronflant dans l'allée. Je me déconnecte rapidement de Facebook. Les enfants sont encore à l'école et William dîne avec un client. Il n'y a donc qu'une seule explication.
Je murmure à Nedra au téléphone :
— On est en train de se faire cambrioler. Quelqu'un vole la moto !
Nedra soupire.

— Tu en es sûre ?

— Oui, j'en suis sûre.

— Sûre à quel point ?

Ce n'est pas la première fois que Nedra reçoit un appel de ce genre de ma part.

Un jour, il y a quelques années, alors que je mettais une machine en route au sous-sol, le vent avait fait claquer la porte d'entrée contre le mur. Pour ma défense, il faut savoir que le bruit était en tout point semblable à celui d'un coup de feu. J'étais convaincue d'être en train de me faire cambrioler pendant que je me demandais s'il fallait vraiment de l'adoucissant dans une machine de blanc. Les cambriolages n'ont rien d'inhabituel dans notre quartier. C'est une réalité que les habitants d'Oakland connaissent, tout comme les tremblements de terre et les tomates anciennes à dix dollars le kilo.

Paniquée, j'avais idiotement hurlé :

— J'appelle mon avocat !

Comme personne ne répondait, j'avais ajouté :

— Et j'ai des nunchaku !

J'en avais acheté une paire à Peter qui venait de s'inscrire au taekwondo, qu'à mon insu il allait arrêter deux semaines plus tard parce qu'il n'avait pas compris que c'était un sport de contact. À quoi pensait-il que les nunchaku servaient ? Oh... Il voulait dire taï-chi, pas taekwondo. Ce n'était pas sa faute si tous ces arts martiaux commençaient par le même son.

Toujours pas de réponse.

— Les nunchaku sont deux bâtons reliés ensemble par une chaîne dont les gens se servent pour frapper d'autres gens. En les faisant tourner dans les airs. Très vite, avais-je crié.

Pas un bruit à l'étage. Ni pas feutrés ni même un craquement du vieux parquet. Avais-je imaginé la détonation ? J'avais appelé Nedra avec mon portable et je l'avais forcée à rester en ligne avec moi pendant une demi-heure, jusqu'à ce que la porte se referme en claquant sous l'effet du vent et que je comprenne quelle imbécile j'étais.

— Je te jure. Je ne crie pas au loup ce coup-ci, lui dis-je.

Nedra est comme un médecin urgentiste. Plus la situation est effrayante, plus elle est calme et garde la tête froide.

— Es-tu en sécurité ?

— Je suis dans la maison. La porte est verrouillée.

— Où se trouve le voleur ?

— Dehors, dans l'allée.

— Pourquoi est-ce que tu me parles, alors ? Appelle la police !

— On est à Oakland. Ils vont mettre trois quarts d'heure à arriver.

Nedra marque une pause.

— Pas si tu leur dis que quelqu'un s'est fait tirer dessus.

— Tu n'es pas sérieuse.

— Fais-moi confiance, ils seront là en dix minutes.

— Comment tu le sais ?

— Ce n'est pas pour rien qu'on me paye quatre cent vingt-cinq dollars l'heure.

Je n'appelle pas la police. Je mens très mal, surtout si je dois prétendre qu'une personne que j'aime est en train de se vider de son sang. À la place, je rampe à quatre pattes sous la fenêtre de devant et scrute l'allée par l'entrebâillement du rideau, le portable à la main. Mon plan consiste à prendre une photo du malfaiteur et à l'envoyer par mail à la police d'Oakland. Mais le voleur se révèle être mon mari, qui démarre en trombe dans l'allée avant que je me sois relevée.

Il ne rentre qu'après 22 heures, et en plus en se faufilant par la porte. À l'évidence, il a bu.

— J'ai été rétrogradé, lâche-t-il en s'effondrant sur le canapé. J'ai un nouvel intitulé de poste. Tu veux savoir ce que c'est ?

Je repense à ses statuts Facebook : *Tombe, est en train de tomber, est tombé.* Il l'a senti venir et ne m'a rien dit.

— Idéateur, poursuit-il.

William me regarde avec une expression neutre.

— Idéateur ? Quoi ? Ce n'est même pas un vrai mot, si ? Ils ont peut-être changé les titres de tout le monde. Peut-être qu'idéateur veut dire directeur artistique.

Il attrape la télécommande et allume la télé.

— Non, ça veut dire connard qui fourgue ses idées au directeur artistique.

— William, éteins la télé. Tu en es sûr ? Et ça ne te met pas en colère ? Tu te trompes peut-être.

William coupe le son de la télé.

— Le nouveau directeur artistique était mon idéateur jusqu'à hier. Oui, je suis sûr. Et à quoi ça servirait de se mettre en colère ?

— Tu pourrais agir pour changer ça !

— Il n'y a rien à faire. C'est décidé, c'est acté. On a du scotch ? Du bon. Du Single Malt ?

William semble complètement fermé, son visage inexpressif.

— Je n'arrive pas à y croire ! Comment peuvent-ils te faire un coup pareil après toutes ces années ?

— Le contrat des pansements. Conflit d'intérêts. Moi je crois à l'air libre, à la pommade antiseptique et aux croûtes, pas au camouflage des bobos.

— Tu leur as dit ça ?

Il roule les yeux.

— Oui, Alice, c'est exactement ce que je leur ai dit. Il y a une baisse de salaire.

William me lance un sourire sinistre.

— Une baisse plutôt conséquente.

Je suis paniquée, mais je m'efforce de garder un visage impassible. Je dois lui remonter le moral.

— Ça arrive à tout le monde, chéri.

— On a du porto ?

— À tous les gens de notre âge.

— C'est très réconfortant, Alice. De la vodka ?

— Quel âge a le nouveau directeur artistique ?

— Je n'en sais rien. Vingt-neuf, trente ans.

J'ai un hoquet de stupeur.

— Il t'a dit quelque chose ?

— *Elle*. C'est Kelly Cho. Elle a dit qu'elle avait hâte de travailler avec moi.

— Kelly ?

— Ne sois pas si étonnée. Elle est très douée. Brillante en fait. De l'herbe ? Du shit ? Les enfants ne fument pas encore ? Bon Dieu, ils sont vraiment à la traîne.

— Oh, William, je suis tellement désolée. C'est terriblement injuste.

Je me tourne pour le prendre dans mes bras.

Il lève la main et m'arrête.

— Non. Laisse-moi seul, c'est tout. Je n'ai pas envie qu'on me touche pour le moment.

Je m'écarte de lui sur le canapé, m'efforçant de ne pas le prendre personnellement. C'est typique de William. Lorsqu'il souffre, il est encore plus détaché. Il s'isole sur une île déserte. Je fais tout le contraire. Quand j'ai mal, je veux que tous ceux que j'aime soient avec moi sur l'île, assis autour du feu, à s'enivrer de lait de coco, à élaborer un plan d'attaque.

— Bon sang, Alice, ne me regarde pas avec ces yeux-là. Je ne peux pas m'occuper de toi pour l'instant. Laisse-moi ressentir les choses.

— Personne ne te demande de ne pas ressentir les choses, dis-je en me levant. Je t'ai entendu dans l'allée, tu sais. Démarrer la moto. J'ai cru qu'on se faisait cambrioler.

Je perçois le ton accusateur de ma voix et je me déteste pour ça. Ça arrive tout le temps. Le détachement de William amplifie mon besoin de connexion avec lui et me fait dire des choses désespérées qui l'éloignent encore plus. Je lance en essayant de ne pas paraître blessée :

— Je vais me coucher.

Le soulagement envahit le visage de William.

— Je monte dans un instant.

Alors il ferme les yeux, me gardant à l'écart.

# 14

Je ne suis pas fière de ce que je fais ensuite, mais considérez cela comme l'acte d'une femme souffrant d'un léger TOC qui a réalisé des projections budgétaires à trop long terme et qui a découvert qu'en un an (avec le salaire amputé de William et les clopinettes que rapporte mon boulot), nous entamerions nos économies et l'épargne pour les études des enfants. En deux ans, nos espoirs d'une retraite paisible et d'études universitaires pour notre descendance seraient réduits à néant. Nous devrons retourner à Brockton et emménager avec mon père.

Je ne vois pas d'autre alternative que d'appeler Kelly Cho. Je chantonne dans le téléphone de ma voix la plus calme et la plus guillerette, très professeur d'art dramatique :

— Kelly, bonjour. C'est Alice Buckle. Comment vas-tu ?

— Alice, répond Kelly d'un ton bizarre, en séparant chaque syllabe de mon prénom – A-Li-Ce. (Mon appel lui fait un choc, je le sens.) Je vais bien, et toi ?

Je répète en pépiant, ma voix calme de professeur d'art dramatique se faisant la malle – oh, mon Dieu !

— Je vais bien, et toi ?

— Qu'est-ce que je peux faire pour toi ? Tu cherches William ? Je crois qu'il est sorti déjeuner, dit-elle.

70

— En fait, c'est toi que je cherchais. J'espérais que nous pourrions avoir une discussion à cœur ouvert sur ce qui est arrivé. La rétrogradation de William.

— Oh ! Heu... d'accord. Mais ne t'a-t-il pas déjà mise au courant ?

— Si mais, heu... J'espérais qu'il existait un moyen d'inverser la vapeur. Je ne parle pas de te retirer ta promotion. Bien sûr que non. Ce ne serait pas juste. Mais on peut peut-être trouver une façon de rendre ça plus équitable pour William, sans qu'il ait à redescendre les échelons.

— Je ne sais pas.

— Tu pourrais peut-être le recommander. En parler autour de toi.

— En parler à qui ?

— Écoute. William travaille à KKM depuis plus de dix ans.

— Je le sais bien. C'est très dur. Pour moi aussi. Mais je ne crois pas...

— Bon sang, Kelly. Ce ne sont que des pansements.

— Des pansements ?

— Le client ?

Kelly garde le silence un moment.

— Alice, ce n'était pas les pansements. C'était Cialis.

— Cialis ? Cialis des problèmes d'érection ?

Petit raclement de gorge de Kelly.

— Celui-là même.

— Qu'est-ce qui s'est passé ?

— Demande-le-lui.

— C'est à toi que je le demande. S'il te plaît, Kelly.

— Je ne devrais pas...

— Je t'en prie.

— Je ne suis pas très à l'aise à l'idée...

— Kelly. Ne me force pas à te le redemander.

Elle pousse un profond soupir.

— Il a pété les plombs.

— Pété les plombs ?

— Pendant la réunion du groupe de discussion. Alice, je me demandais s'il se passait quelque chose à la maison parce que franchement, il n'est pas lui-même ces derniers temps. Enfin, tu l'as constaté toi-même. Sa conduite étrange lors du lancement de la vodka. Depuis deux mois, il est à l'ouest. Il est anxieux, irritable, distrait. C'est comme si le boulot était le dernier endroit sur terre où il voulait se trouver. Tout le monde l'a remarqué, il n'y a pas que moi. On lui a parlé. Il a reçu un avertissement. Et puis, il y a eu ce truc avec le groupe de discussion. C'était filmé, Alice. Toute l'équipe a vu la vidéo. Frank Potter l'a vue.

— Mais il fait partie du service créatif, pas du marketing. Pourquoi participait-il à cette discussion de groupe ?

— C'est lui qui a insisté. Il voulait faire partie de l'équipe de recherche.

— Je ne comprends pas.

— Ça vaut peut-être mieux.

— Envoie-moi la vidéo, dis-je.

— Ce n'est pas une bonne idée.

— Kelly, je t'en supplie.

— Oh, mince. Laisse-moi réfléchir une seconde.

Kelly se tait.

Je compte jusqu'à vingt et lance :

— Toujours en train de réfléchir ?

— OK, Alice. Mais tu dois promettre de ne dire à personne que je te l'ai envoyée. Écoute, je suis vraiment désolée. J'ai beaucoup de respect pour William. Il a été un véritable mentor pour moi. Je ne cherchais pas à lui prendre son poste. Je me sens très mal à cause de toute cette histoire. Tu me crois ? S'il te plaît, dis que tu me crois.

— Je te crois, Kelly. Mais maintenant que tu es directrice artistique, tu ne devrais sans doute pas supplier les gens de te croire.

— Tu as raison. Il faut que je travaille là-dessus. Je t'envoie la vidéo par mail.

— Merci.

— Et... Alice ?

— Mmm ?

— S'il te plaît, ne me déteste pas.

— Kelly.

— Quoi ?

— Tu recommences.

— C'est vrai, c'est vrai. Je suis désolée. Je n'étais pas préparée pour cette promotion. C'est tout ce dont j'ai toujours rêvé mais je ne pensais pas que ça arriverait si soudainement. Entre toi et moi, je me sens un peu comme un imposteur. Je ne sais pas quoi dire. Je devrais y aller maintenant. Je ne suis pas une mauvaise personne. Je t'aime beaucoup, Alice. S'il te plaît, ne me déteste pas. Oh, bon sang ! Au revoir.

# 15

De : Epouse22 <epouse22@centrenetherfield.org>
Objet : Nouvelles questions ?
Date : 15 mai ; 6 h 30
À : Chercheur101 <chercheur101@centrenetherfield.org>

Chercheur 101,
Le prochain questionnaire va-t-il bientôt arriver ? Je ne veux pas vous bousculer, et vous avez certainement des plannings d'envoi à suivre, mais j'ai plusieurs soucis ces jours-ci et répondre à vos questions me calme. J'y trouve un côté quasi méditatif. Comme lors de la confession. D'autres sujets vous ont-ils déclaré ressentir la même chose ?

Sincèrement,
Épouse 22.

74

De : Chercheur101 <chercheur101@centrenetherfield.org>
Objet : Re : Nouvelles questions ?
Date : 15 mai ; 7 h 31
À : Epouse22 <epouse22@centrenetherfield.org>

Épouse 22,

C'est très intéressant. Je n'ai jamais entendu parler de telles réactions mais nous avons eu vent de sentiments similaires. Une fois, un sujet a avoué que répondre aux questions était comme se libérer d'un fardeau. Je pense que l'anonymat y est pour beaucoup. Je vous envoie le prochain jeu de questions à la fin de la semaine.

Sincèrement,
Chercheur 101.


De : Epouse22 <epouse22@centrenetherfield.org>
Objet : Re : Nouvelles questions ?
Date : 15 mai ; 7 h 35
À : Chercheur101 <chercheur101@centrenetherfield.org>

Je crois que vous avez raison. Qui aurait cru que l'anonymat serait si libérateur ?

# 16

*Répondeur : Vous avez un nouveau message.*

« Alice, Alice ma chère ! Bunny Kilborn à l'appareil. De Blue Hill. Ça fait une éternité. J'espère que tu as reçu mes cartes de vœux. Je pense si souvent à toi. Comment vas-tu ? Et William ? Les enfants ? Zoe est-elle déjà partie à l'université ? Elle ne doit pas en être loin. Peut-être que tu l'enverras dans une fac de la côte Est. Écoute, je vais aller droit au but. J'ai un service à te demander. Tu te rappelles Caroline, notre benjamine ? Eh bien, elle part s'installer dans la baie et je me demandais si tu voulais bien l'aider un petit peu ? Lui faire visiter la ville. Elle cherche du travail dans l'informatique. Tu as peut-être des contacts dans le secteur ? Il faut qu'elle se trouve un appart, une colocation sans doute, et évidemment, un boulot, mais ce serait vraiment bien de savoir qu'elle n'est pas complètement seule là-bas. En plus, je sais que vous êtes faites pour vous entendre, toutes les deux. À part ça, comment ça va ? Tu enseignes toujours l'art dramatique ? Oserai-je te demander si tu écris encore ? Je sais que *La Serveuse de Great Cranberry Island* t'a bien refroidie mais... Je suis au télé-

76

phone, Jack. Au téléphone ! Désolée, Alice, je dois y aller. Dis-moi si... »

*Fin des nouveaux messages.*

Voilà une voix sortie du passé. Bunny Kilborn. La célèbre fondatrice et directrice artistique du théâtre de Blue Hill dans le Maine, lauréate de trois Obies, deux Guggenheims et un Bessie. Elle a tout mis en scène, d'*Un tramway nommé Désir*, de Tennessee Williams, au *Retour*, de Harold Pinter, en passant par *La Serveuse de Great Cranberry Island*, d'Alice Buckle à la fin des années 1990. Non, je ne suis pas en train de prétendre que je joue dans la même catégorie que Williams et Pinter. J'ai simplement participé à un concours de jeunes dramaturges et j'ai gagné le premier prix : la mise en scène de ma pièce au théâtre de Blue Hill. Tout ce pour quoi j'avais travaillé m'avait menée à ce moment et à cette récompense. C'était mon destin.

J'ai toujours été passionnée de théâtre. J'ai fait mes débuts d'actrice au collège et je me suis essayée à l'écriture de ma première pièce au lycée. C'était affreux, évidemment (avec une influence pesante de David Mamet qui reste à ce jour mon dramaturge préféré même si je ne supporte pas ses opinions politiques), mais j'en ai écrit une autre, puis une autre, puis encore une autre et à chaque nouvelle pièce, je trouvais un peu plus mon style.

À la fac, trois de mes pièces ont été produites. Je suis devenue une des stars du département des arts. Après mon diplôme, je travaillais de jour dans une agence de pub, ce qui me laissait mes nuits pour écrire. À vingt-neuf ans, j'ai finalement décroché la chance de ma vie, et ça a été un flop total. Bel euphémisme, Bunny, que de dire que la pièce m'a refroidie. Les critiques étaient si mauvaises que je n'ai jamais réécrit.

J'ai reçu une bonne critique dans le *Portland Press Herald*. Je peux encore en réciter des passages par cœur : « riche en émotions», «une histoire de passage à l'âge adulte qui fait réfléchir», «une dose d'émotions qui rappelle un shoot de *Jungleland* de Springsteen». Mais je peux également citer des passages d'autres critiques, toutes mauvaises : « échoue lamentablement», «cliché et tiré par les cheveux», «du travail d'amateur», et « acte 3 ? Qu'on nous achève ! ». La représentation de la pièce a cessé au bout de deux semaines.

Bunny s'est efforcée de garder le contact avec moi toutes ces années, mais je n'ai pas vraiment donné suite. J'avais trop honte. J'avais humilié Bunny et sa troupe et j'avais gâché ma seule et unique chance de percer.

L'appel de Bunny est plus qu'une heureuse coïncidence. Je veux reprendre contact avec elle, l'avoir à nouveau dans ma vie, d'une façon ou d'une autre.

Je décroche le téléphone et compose son numéro d'une main nerveuse. Ça sonne deux fois.

— Allô ?

— Bunny... Bunny, c'est toi ?

Silence, puis :

— Oh, Alice ! Chérie ! J'espérais bien que tu appellerais.

# 17

Il me faut quelques jours avant d'avoir le courage de regarder la vidéo de KKM. L'idée me traverse l'esprit, tandis que je suis assise devant mon ordinateur, le doigt prêt à cliquer sur Play, que je suis en train de franchir une ligne. Mon cœur bourdonne comme lorsque j'ai appelé Kelly, ce qui est, quand on y pense, le véritable moment où j'ai franchi la ligne – en agissant comme la mère de William et pas comme sa femme. Si mon cœur connaissait le morse et envoyait un message, il dirait *Alice, espèce de petite fouineuse, supprime ce fichier sur-le-champ!* mais je ne connais rien au morse alors je chasse cette idée et lance la vidéo.

La caméra est posée sur une table autour de laquelle sont assis deux hommes et deux femmes. On entend Kelly sans la voir.

— Une seconde, dit-elle.

La table devient toute floue puis nette à nouveau.

— Prêt, fait la voix de Kelly.

— Groupe de travail pour Cialis, commence William. Avec : Elliot Ritter, 56 ans ; Avi Schine, 24 ans ; Melinda Carver, 23 ans ; Sonja Popovich, 47 ans. Merci à tous d'être présents. Bien, vous venez de visionner notre publicité. Qu'en pensez-vous ?

— Je ne la comprends pas. Pourquoi sont-ils dans deux jacuzzis différents si le mec a une érection de quatre heures ? demande Avi.

— Il n'a pas une érection de quatre heures. Si c'était le cas, il serait en route pour l'hôpital. Les précautions d'emploi doivent être clairement stipulées dans la pub, explique William.

Melinda et Avi échangent un regard lubrique. Sous la table, la main de Melinda se pose sur la cuisse d'Avi et la presse.

— Vous êtes ensemble ? demande William. Ils sont ensemble ? souffle-t-il.

— Ils ne nous l'ont pas précisé, répond Kelly.

William doit porter une oreillette et Kelly se tient probablement derrière le miroir sans tain, à regarder et écouter sans être vue.

— Ouais, bon, comment ce jacuzzi s'est-il retrouvé en haut de la montagne ? demande Avi. Et qui l'a porté là-haut ? C'est ça que je voudrais savoir.

— On appelle ça la suspension volontaire d'incrédulité. J'aime bien les jacuzzis, fait Elliot. Mon épouse adore les jacuzzis.

— Pouvez-vous m'expliquer pourquoi, Elliot ? demande William.

— Certaines pubs sont tellement vulgaires.

— C'est toujours mieux que celle avec l'homme qui lance son ballon dans un pneu suspendu ou que l'autre avec le train. Je vous en prie. C'est insultant. Un vagin n'est ni un pneu ni un tunnel. Ou peut-être que si, c'est un tunnel, déclare Melinda.

— Donc votre femme préfère les pubs pour Cialis, Elliot ? reprend William.

— Elle préférerait que je n'aie pas de problème d'érection, répond l'homme. Mais puisque je connais quelques soucis dans ce domaine, oui, elle trouve la pub avec le jacuzzi plus acceptable que les autres.

— Sonja, on ne vous a pas encore entendue. Que pensez-vous de cette publicité ? demande William.

L'intéressée hausse les épaules.

— OK, je reviendrai à vous plus tard. Donc, Cialis. Avi, vous avez vingt-quatre ans et vous en prenez. Pourquoi ?

— Tu lui parles comme s'il se droguait, fait remarquer Kelly.

Avi se tourne vers Melinda qui lui lance un sourire timide.

— Pourquoi pas ? répond-il.

— Avez-vous des problèmes érectiles ?

— Vous voulez dire à ce niveau-là ? fait Avi en désignant son entrejambe.

— Oui, soupire William.

— Mec, j'ai l'air d'avoir ce genre de problèmes ? C'est mieux, c'est tout.

— Mec, vous voulez bien développer ? insiste William.

Avi hausse les épaules, clairement peu désireux de partager les détails.

— Très bien, combien de fois par semaine avez-vous des rapports sexuels ?

— Combien de fois par jour, corrige Melinda. Deux. Des fois trois, le week-end. Mais deux fois, c'est sûr.

William peine à dissimuler le ton sceptique de sa voix.

— Vraiment ? Trois fois par jour ?

Elliot a l'air estomaqué. Sonja semble vouloir rentrer dans un trou de souris. Moi, j'ai un peu envie de vomir.

— Fais-le parler, ne le défie pas, souffle Kelly. Il nous faut des détails.

Ça ne me paraît pas si ahurissant que ça. Quand on avait une vingtaine d'années, William et moi, il nous arrivait de le faire trois fois par jour. Pour Presidents' Day et pour Yom Kippour.

— Oui, mec, trois fois par jour, répète Avi, l'air agacé. Pourquoi on mentirait ? Vous nous payez pour vous dire la vérité.

— Bien. Donc combien de fois par semaine prenez-vous du Cialis ?

— Une fois par semaine. Généralement, le vendredi après-midi.

— Pourquoi du Cialis et pas du Viagra ?

— Quatre heures. Trente-six heures. Faites le calcul.

— Qui vous l'a prescrit ? demande William.

— Mon médecin. Je lui ai dit que j'avais des difficultés. *À ce niveau-là.*

— Et il vous a cru ?

Avi se balance sur les deux pieds arrière de sa chaise.

— Mec, c'est quoi, votre problème ?

William marque une pause et se rabat sur une question banale.

— Si Melinda était une voiture, elle serait quel genre ?

Il y a vraiment quelque chose qui cloche chez William. Même sa voix semble différente.

Avi ne répond pas, il se contente de regarder la caméra d'un air provocateur.

— Lâche-le, dit Kelly. On est en train de le perdre.

— Allez quoi, fait William. Laissez-moi deviner. Une Prius. Une Prius avec le réservoir plein, quatre litres cinq au cent. Démarrage par carte. Bluetooth et sièges rabattables.

— William ! prévient Kelly.

— Comme ça tu peux baiser Melinda trois fois par jour.

L'étonnement réduit tout le monde au silence. Kelly déboule dans la pièce.

— Très bien ! Faisons une pause ! crie-t-elle. Vous trouverez à boire et à manger dans le couloir.

L'image s'éteint et reprend presque aussitôt. La table est à présent complètement désertée.

— Je n'arrive pas à croire que tu aies dit « baiser », lâche Kelly.

— C'est un connard, réplique William.

— On s'en fout, c'est un client.

— Oui, et on le paye pour être le client. En plus, les hommes d'une vingtaine d'années ne sont pas notre cible démographique.

— Faux. Les hommes entre vingt et trente-cinq ans représentent trente-six pour cent des nouveaux utilisateurs. Je devrais peut-être mener la discussion à ta place.

— Non. Je continue. Fais-les revenir.

En file indienne, les hommes et les femmes regagnent la pièce, des Coca et des Coca light à la main.

— Elliot, combien de fois par mois avez-vous des rapports sexuels ? demande William.

— Avec ou sans Cialis ?

— Comme vous voulez.

— Sans, aucun. Avec, une fois par semaine.

— Il serait donc correct de dire que Cialis a amélioré votre vie sexuelle ?

— Oui.

— Et auriez-vous essayé ce médicament si vous n'aviez pas eu de problèmes d'érection ?

Elliot semble perplexe.

— Pourquoi aurais-je fait cela ?

— Eh bien, comme Avi, ici présent, l'utiliseriez-vous pour le loisir ?

— Le croquet, c'est un loisir. Le mini-golf, c'est un loisir. Faire l'amour, ce n'est pas un loisir. L'amour, ce n'est pas un gobelet de milk-shake sans fond qui se remplit tout seul comme par magie. Il faut le remplir soi-même. C'est ça, le secret du mariage.

— Ouais, mec. Fonce dans le drugstore de ta femme. Va chercher ton milk-shake, lance Avi.

Elliot lui jette un regard meurtrier.

— On appelle ça « faire l'amour » pour une raison.

Avi roule les yeux.

— Je trouve ça mignon, intervient Melinda. Pourquoi est-ce qu'on ne fait pas l'amour ?

— Reviens à Sonja, souffle Kelly.

Sonja Popovich semble déprimée, comme si elle avait oublié de prendre ses médicaments. Quarante-sept ans. Elle a trois ans de plus que moi. Elle fait bien plus vieille. Non, elle fait plus jeune. Non, *je* fais plus jeune. Je joue à ça tout le temps. Franchement, je ne suis plus capable de donner un âge aux gens.

— On peut fumer ici ? demande Sonja.

— Je ne crois pas que ce soit conseillé. Une alarme se déclencherait sans doute, répond William.

Sonja sourit.

— Je ne fume pas vraiment. De temps en temps, c'est tout.

— Moi aussi, réplique William.

Depuis quand William est-il devenu un fumeur occasionnel ?

— Vous êtes donc ici car votre mari souffre de problèmes érectiles.

— Non, je suis ici à cause de *mes* problèmes d'érection.

— Hoche la tête, ordonne Kelly.

— Je déteste ces pubs pour Cialis. Et pour le Viagra. Et pour Levitra.

— Pourquoi ?

— Quand votre mari rentre à la maison et qu'il vous lance : « Eh ! chéri, bonne nouvelle, on peut faire l'amour pendant trente-six heures d'affilée », croyez-moi, vous n'avez pas envie de faire la fête.

— Le Cialis ne permet pas de faire l'amour pendant trente-six heures. Il améliore l'afflux sanguin pendant...

— Trente-six secondes. Record battu.

— Sérieux ? s'exclame Avi.

— Oui, sérieusement, reprend Sonja.

Son visage se décompose. Une grosse larme roule sur sa joue.

— C'est triste, commente William.

— Ne dis pas ça, souffle Kelly.

— Trente-six secondes, je suis désolé, mais c'est triste, poursuit William. Pour votre mari, je veux dire. Apparemment, pour vous, c'est une chance.

— Oh, bon sang ! lâche Kelly.

Sonja est en larmes maintenant.

— Quelqu'un peut lui filer un mouchoir ? Prenez votre temps, conseille William. Je ne voulais pas vous faire de la peine. Votre réponse m'a surpris, c'est tout.

— Ça me surprend aussi. Vous croyez que je ne suis pas surprise ? Je ne sais pas ce qu'il s'est passé, dit-elle en se tamponnant les yeux. J'adorais le sexe. Je veux dire, j'adorais vraiment ça. Mais maintenant, ça me paraît si... débile. Chaque fois qu'on fait l'amour, j'ai l'impression qu'un extraterrestre nous regarde et qu'il se dit : « Alors c'est comme ça que les espèces sous-développées qui n'utilisent que dix pour cent de leur cerveau procréent ? Comme c'est étrange. Comme c'est sale. Comme c'est brutal. Regardez les têtes affreuses qu'ils font. Et tous ces bruits... claquements et battements et succion. »

— On ne peut pas utiliser ça. Arrête les frais, dit Kelly. Change de sujet. Demande-lui ce qu'elle pense des jacuzzis.

— À quelle fréquence avez-vous des rapports sexuels ? interroge William.

Sonja lève vers lui un visage baigné de larmes, ne répond rien.

— À quelle fréquence aimeriez-vous avoir des rapports sexuels ?

— Jamais.

— On n'est pas en thérapie, intervient Kelly. C'est un groupe de discussion pour un client. Cette femme n'entre pas dans notre cible. Débarrasse-toi d'elle.

— Vous aimeriez penser différemment ?

Sonja hoche la tête.

— Si vous pensiez différemment, combien de fois par an voudriez-vous faire l'amour ? Vingt-quatre fois ? Deux fois par mois ?

— Oui, deux fois par mois, ça me paraît bien. Ça me semble normal. Vous pensez que c'est normal ?

— Normal ? Eh bien, c'est toujours le double de moi, réplique William.

— Ça suffit. Arrête, intime Kelly.

J'en hoquette de stupeur. Mon mari vient-il d'annoncer à tout son groupe de discussion et à toute son équipe la fréquence de nos rapports sexuels ?

— Ma femme et moi prétendons faire l'amour une fois par semaine comme tous les couples que nous connaissons et qui en fait ne font l'amour qu'une fois par mois, continue William.

— J'éteins la caméra, menace Kelly.

— Je ne dirais pas que notre mariage est dépourvu de sexe, poursuit William. Dépourvu de sexe, ça voudrait dire un rapport tous les six mois ou une fois par an. C'est juste que le bon moment se présentait plus souvent avant.

— Je suis désolé d'entendre ça, compatit Elliot.

— Dis-moi que nous ne serons pas comme ça dans vingt ans ! s'exclame Melinda.

— Jamais, répond Avi. Ça ne nous arrivera jamais, bébé.

— Chaque fois que le bon moment se présente. C'est ce « chaque fois » qui m'énerve. Ce n'est pas la liberté. Pas pour la femme en tout cas. C'est une menace, dit Sonja. C'est un code orange de l'érection.

— Je peux vous poser une autre question ? demande William.

— Allez-y, accepte Sonja.

— Vous croyez que la plupart des femmes de votre âge pensent comme vous ?

Elle renifle avant de répondre.

— Oui.

Je fais un arrêt sur image et pose ma tête contre le bureau en regrettant de ne pouvoir rembobiner les dix dernières minutes de ma vie. Pourquoi, pourquoi, pourquoi a-t-il fallu que je regarde ça ? J'ai honte d'avoir agi dans le dos de William. Je suis en colère, à cause de la conduite agressive et dénuée de tout professionnalisme de mon mari (la règle d'or quand on anime un groupe de discussion : ne jamais, jamais partager d'infos personnelles). Je suis humiliée parce qu'il a révélé à tout le monde que notre mariage était dépourvu de sexe (c'est faux, nous faisons l'amour une fois par semaine, OK, peut-être une fois toutes les deux ou trois semaines, OK, peut-être que parfois, ça va jusqu'à une fois par mois). Je suis inquiète : si ça se trouve, il suit un traitement dont il ne m'a rien dit. J'ai peur qu'il ne prenne du Cialis et qu'il ne m'annonce bientôt que grâce à la médecine moderne, nous avons un créneau de trente-six heures durant lequel on attend de moi que je fasse l'amour trois fois par jour. Mais surtout, je suis triste car je me suis reconnue dans ces deux femmes. Melinda, la petite amie qui ne respire que pour son copain et Sonja pour qui ce n'est jamais le bon moment. Elles sont toutes les deux moi.

Dites-moi, Alice Buckle, quelle voiture seriez-vous si vous deviez être une voiture en ce moment ?

Facile : Une Ford Escape. Une hybride. Modèle de base. Ayant déjà roulé sa bosse. Au pare-chocs avant éraflé. Des accrocs sur toutes les portières. Avec une mystérieuse odeur de pomme pourrie qui s'échappe de la ventilation. Mais une voiture sur laquelle on peut compter. Une tout-terrain fiable sur route enneigée mais sous-exploitée car son propriétaire habite dans une ville où les températures descendent rarement en dessous de cinq degrés.

Et c'est justement là le problème.

# 18

25. La copine de William s'appelait Helen Davies et elle était vice-présidente du service conception. La rumeur circulait dans la boîte qu'ils allaient se fiancer d'un jour à l'autre. Ils arrivaient ensemble le matin en sirotant leurs cafés. Ils allaient déjeuner ensemble à Kendall Square. Elle le récupérait à la fin de la journée et ils filaient boire des cocktails dans Newbury Street. Elle portait toujours des fringues super classes. Moi, j'achetais les miennes dans les boutiques de dégriffé.

Je devais bosser sur le dossier d'un papier toilette, et non, ce n'était pas aussi nul que ça en avait l'air. J'avais dû rentrer chez moi avec des rouleaux de papier toilette pour réfléchir à une façon innovatrice de dire « Essuyez-vous vraiment avec une seule feuille ».

Tout ce temps, j'ai gardé William loin de mon esprit. Jusqu'au jour où il m'a envoyé un e-mail.

— Ce sont des baskets de course sur votre bureau ?

J'ai répondu par mail aussi.

— Désolée ! Je sais que c'est une habitude dégoûtante. Mettre mes chaussures sur les surfaces de travail. Ça n'arrivera plus.

Ensuite, il m'a de nouveau écrit.

— Je reviens de votre poste de travail. Où sont-elles maintenant ?

— Où sont quoi ?

Et là, les messages ont fusé comme les balles dans un match de tennis.

— Vos baskets de course, Brown.

— À mes pieds.

— Parce que vous rentrez chez vous ?

— Parce que je vais courir.

— Quand ?

— Pendant le déjeuner.

— Où ?

— Heu... Dehors.

— Oui, Brown. Je me doute, dehors. Où ça, dehors ?

— Je commence à l'hôtel Charles. Je fais une boucle de huit kilomètres.

— Je vous y retrouve dans quinze minutes.

# 19

De : Epouse22 <epouse22@centrenetherfield.org>
Objet : Délai
Date : 18 mai ; 12 h 50
À : Chercheur101 <chercheur101@centrenetherfield.org>

Chercheur 101,

Il va sans doute me falloir plus de temps que d'habitude pour vous envoyer mes réponses. C'est un peu la folie ici en ce moment. Je devrais sans doute vous informer que mon mari a été rétrogradé. Je suis sûre que nous allons nous en sortir mais nous sommes tous très stressés. Je dois avouer que c'est un drôle de moment pour se rappeler les débuts de notre relation. Il m'est difficile de concilier les jeunes et fougueux William et Alice avec les quadras que nous sommes devenus. Ça me rend un peu triste.

Bien à vous,
Épouse 22.

De : Chercheur101 <chercheur101@centrenetherfield.org>
Objet : Re : Délai
Date : 18 mai ; 12 h 52
À : Epouse22 <epouse22@centrenetherfield.org>

Épouse 22,
Je suis désolé pour le travail de votre mari. Je vous en prie, prenez tout le temps qu'il vous faudra. Se remémorer les débuts n'est pas toujours facile et fait remonter à la surface toutes sortes d'émotions enfouies. Mais sur le long terme, je suis sûr que vous trouverez instructif de replonger dans le passé.

Bien à vous,
Chercheur 101.

De : Epouse22 <epouse22@centrenetherfield.org>
Objet : Re : Pari
Date : 18 mai ; 13 h 05
À : Chercheur101 <chercheur101@centrenetherfield.org>

Chercheur 101,
Parfois, lorsque j'allume mon ordinateur, j'ai l'impression d'être au casino, assise devant une machine à sous. J'éprouve ce même sentiment fébrile d'anticipation – l'impression que tout est possible et que tout peut arriver. Tout ce que j'ai à faire, c'est lever la manette, c'est-à-dire appuyer sur envoi.
La récompense est instantanée. J'entends la machine mouliner. Je l'entends carillonner, crisser, tinter. Et quand les symboles s'alignent : « Kate O'Halloran aime votre publication », « Kelly Cho souhaite vous ajouter à sa liste d'amis », « Vous avez été identifiée dans une photo », je suis le grand vainqueur.

91

Ce que j'essaye de dire c'est : merci de votre réponse si rapide.

Amitiés,
Épouse 22.

De : Chercheur101 <chercheur101@centrenetherfield.org>
Objet : Injoignables
Date : 18 mai ; 13 h 22
À : Epouse22 <epouse22@centrenetherfield.org>

Épouse 22,
Je comprends parfaitement et ressens souvent la même chose, même si je dois avouer que ça m'inquiète : il me semble que nous avons atteint le point où nos expériences, nos souvenirs, nos vies entières, en fait, ne sont réels que si on les publie en ligne. Je me demande si l'époque où nous étions injoignables va nous manquer.

Bien à vous,
Chercheur 101.

De : Epouse22 <epouse22@centrenetherfield.org>
Objet : Re : Injoignables
Date : 18 mai ; 13 h 25
À : Chercheur101 <chercheur101@centrenetherfield.org>

Chercheur 101,
Je ne me languis pas de l'époque lointaine où nous étions injoignables. Quand je suis connectée, je peux aller n'importe où, faire et apprendre n'importe quoi. Aujourd'hui, par exemple, j'ai visité une petite bibliothèque au Portugal. J'ai appris l'art de la vannerie chez les Shakers et découvert que ma meilleure amie au col-

lège adorait les sorbets à l'orange sanguine. D'accord, j'ai aussi appris qu'une certaine star de la pop croyait fermement qu'elle était une fée, une vraie de vraie venue du royaume des fées. Voilà où je veux en venir : l'accès à l'information. Plus besoin de regarder par la fenêtre pour savoir le temps qu'il fait. Je peux recevoir la météo du jour tous les matins sur mon ordi. Qu'y a-t-il de mieux que ça ?

Bien à vous,
Épouse 22.


De : Chercheur101 <chercheur101@centrenetherfield.org>
Objet : Météo
Date : 18 mai ; 13 h 26
À : Epouse22 <epouse22@centrenetherfield.org>

Épouse 22,
Se faire surprendre par la pluie ?

Amitiés,
Chercheur 101.

# 20

BULLETIN MÉTÉOROLOGIQUE DU WEEK-END
MAISON DES BUCKLE
529 IRVING DRIVE

Alerte vigilance : Tempête maritale à progression rapide
Samedi matin

Vent : Froid. Gelé. Mari qui reste de glace en faisant comme si de rien n'était. TMax : Survivre à la journée sans crier. TMin : Se prendre la tête dans les mains. Gémir doucement. Accès constants de honte et de mortification en imaginant les employés de KKM envoyer la vidéo de Cialis à des centaines d'amis et ladite vidéo devenir un virus. Visibilité : Limitée. Refuse de regarder plus haut que la mâchoire du mari dans le but d'éviter tout contact visuel. Partager ces prévisions : Envoyer à <u>nedrar@gmail.com</u>

Message instantané de nedrar@gmail.com
Nedra : Pauvre William.

94

Alice : Pauvre William ? Pauvre moi, oui !

Nedra : Voilà ce que tu récoltes à avoir agi dans le dos de William.

Alice : Tu as regardé la vidéo au moins ?

Nedra : Tu veux un conseil ?

Alice : Ça dépend. Ça va me coûter combien ?

Nedra : Oublie cette vidéo. Fais comme si tu ne l'avais jamais regardée.

Samedi après-midi

Indice de chaleur : Très élevé. Chaud bouillant.

TMax : Regarder des adaptations télévisées de classiques anglais affalée dans le canapé.

TMin : Essayer de compter dans ma tête le nombre de fois où nous avons fait l'amour ces vingt dernières années tout en faisant semblant de regarder des adaptations de classiques anglais. Incapable de faire des additions dans ma tête. Compter sur mes mains. Estimation à 859. Pas si mal, non ?

Visibilité : De faible à nulle. Épais brouillard tandis que j'essaye de calculer le nombre de fois où nous ferons l'amour dans les vingt prochaines années.

Partager ces prévisions : Envoyer à nedrar@gmail.com

Message instantané de nedrar@gmail.com

Nedra : Ne remets pas le sexe à plus tard.

Alice : Pourquoi ?

Nedra : Il ne s'agit pas de sexe.

Alice : De quoi s'agit-il ?

Nedra : D'intimité. Il y a une différence.

Alice : Qu'est-ce que tu proposes ?

Nedra : Reprends contact avec lui.

Alice : T'es une drôle d'avocate spécialisée dans le divorce.

Samedi soirée

Vent : Retombant.
TMax : Mon horoscope me prédit une romance inatten-
due.
TMin : Regarder la vidéo de Cialis pour la huitième fois.
Pour ma défense, les visionnages répétés de la vidéo sont le
seul moyen de me désensibiliser à l'atroce humiliation
publique que mon mari m'a infligée. Je crois que je mérite
une médaille. Je dis à ma famille que je mérite une médaille.
Ils me demandent pourquoi.
Bilan de situation de sécheresse : En amélioration. Je
m'assois à côté de lui sur le canapé.
Partager ces prévisions : Envoyer à nedrar@gmail.com

> Message instantané de nedrar@gmail.com
> Nedra : As-tu supprimé cette fichue vidéo ?
> Alice : Oui.
> Nedra : C'est bien. Maintenant, passe à autre chose.
> Alice : Mon horoscope me prédit une romance à venir.
> Nedra : Bien sûr, ma puce.
> Alice : Je dois juste être patiente.
> Nedra : Ça va aller. Tu le sais, hein ?
> Alice : Être patient, c'est pas le fort des vierges.
> Nedra : Ni des avocats spécialisés dans le divorce. A +

## 21

26. Ne pas enlever les filtres de café usagés. Pisser à côté de la cuvette des toilettes. Ne pas fermer la porte quand il fait pipi. Lire par-dessus mon épaule. Les jeans à l'envers dans le panier de linge sale.

27. 3. Bon d'accord, 5.

28. Une fois par an.

29. En tout. En rien. Je ne peux pas répondre à cette question.

30. Un album de timbres.

31. Il attendait dans la cour de l'hôtel Charles. Il écoutait son walkman. Il m'a fait un signe de la tête, on est partis et il n'a pas décroché un mot de toute la course. Moi, en revanche, j'étais pas fichue de la boucler, dans ma tête en tout cas. *Asics ? Hum, il doit avoir des pieds larges. Pourquoi ne parle-t-il pas ? Il me déteste, ou quoi ? Est-ce que c'est mal ce que nous faisons ? Est-ce que je dois faire semblant de ne pas courir avec lui ? Pourquoi ne court-il pas avec Helen ? Hélène de Troie. Qu'est-ce qu'il écoute ? Est-ce que c'est un rendez-vous ? Punaise, il est canon ! À quel jeu joue-t-il ? Il sent l'après-rasage. Est-ce que mes cuisses tremblotent ? Oui, il vient bien de me toucher accidentellement le sein avec*

*son coude. Est-ce qu'il s'est rendu compte que c'était mon sein ? Pourquoi ne dit-il rien ? Qu'il aille se faire voir, moi non plus je ne dirai rien.* Nous avons couru huit kilomètres en 41 minutes. De retour chez Peavey Patterson, il m'a gratifiée d'un nouveau hochement de tête avant de tourner à gauche pour s'engouffrer dans les toilettes de la direction. J'ai tourné à droite, vers les toilettes des employés. Quand j'ai regagné mon bureau, mes cheveux emmêlés attachés en une queue-de-cheval brouillonne, un mail m'attendait.

— Vous courez vite.

32. Que si nous n'y prêtions pas attention, il est facile de s'oublier l'un l'autre.

# 22

De : Epouse22 <epouse22@centrenetherfield.org>
Objet : Bonjour
Date : 20 mai ; 11 h 50
À : Chercheur101 <chercheur101@centrenetherfield.org>

Chercheur 101,
Désolée d'avoir mis si longtemps à vous répondre. Les choses ne se passent pas très bien entre mon mari et moi et il m'est donc difficile de répondre aux questions. Surtout celles qui abordent la façon dont nous sommes tombés amoureux.

Sincèrement,
Épouse 22.

De : Chercheur101 <chercheur101@centrenetherfield.org>
Objet : Re : Bonjour
Date : 20 mai ; 11 h 53
À : Epouse22 <epouse22@centrenetherfield.org>

Épouse 22,
C'est tout à fait compréhensible étant donné les circonstances, même si je dois dire que vous vous en sortez à merveille avec ces questions. Vous avez l'air de vous rappeler tous les détails, ce qui, à bien y réfléchir, doit expliquer la difficulté que vous éprouvez à y répondre. Vous vous rappelez si bien votre passé. À la lecture de votre réponse à la question n° 31, j'avais l'impression d'y être avec vous. Simple curiosité : Vivez-vous le présent avec autant d'attention pour les détails ?
J'espère que les choses s'arrangeront pour votre mari et sa situation professionnelle.

Bien à vous,
Chercheur 101.


De : Epouse22 <epouse22@centrenetherfield.org>
Objet : Re : Bonjour
Date : 20 mai ; 11 h 55
À : Chercheur101 <chercheur101@centrenetherfield.org>

Chercheur 101,
Je ne sais pas si ça s'arrangera mais au moins j'ai réduit le temps que je passais au supermarché à hésiter entre le Minute Maid et le Tropicana. Maintenant, je me contente de mettre du Sunny D dans mon chariot. Et non, je ne suis pas capable de vivre le présent avec la même attention pour les détails. Mais une fois que le

présent est devenu passé, je n'ai aucun problème à l'envisager de manière obsessionnelle.

Épouse 22.

De : Chercheur101 <chercheur101@centrenetherfield.org>
Objet : Re : Bonjour
Date : 20 mai ; 11 h 57
À : Epouse22 <epouse22@centrenetherfield.org>

Épouse 22,
Qu'est-il arrivé au Tang ?

Chercheur 101


De : Epouse22 <epouse22@centrenetherfield.org>
Objet : Re : Bonjour
Date : 20 mai ; 12 h 01
À : Chercheur101 <chercheur101@centrenetherfield.org>

Chercheur 101,
Vous savez, je ne peux m'empêcher de jouer au jeu des « et si » en ce moment. Et si j'avais fait du vélo plutôt que du jogging ? Et si William avait épousé Hélène de Troie au lieu de moi ?

Sincèrement.
Épouse 22.

De : Chercheur101 <chercheur101@centrenetherfield.org>
Objet : Re : Bonjour
Date : 20 mai ; 13 h 42
À : Epouse22 <epouse22@centrenetherfield.org>

Épouse 22,
D'après mon expérience, « et si » est un jeu très dangereux.

Amitiés,
Chercheur 101.

## 23

Je suis assise sur un banc, mon portable à la main, entourée par une centaine d'enfants qui courent en cercle. Je suis de corvée de récréation. Certains enseignants détestent la surveillance de la récré, ils trouvent ça épuisant et abrutissant, mais moi, ça m'est égal. Je suis très douée pour examiner la mer d'enfants, décrypter le langage de leurs corps, écouter les octaves de leurs voix et les arrêter avant les inévitables méfaits : tirage de cheveux, échange de cartes Pokémon ou application de gloss à paillettes Hello Kitty. Ce genre d'intuition peut être considéré comme une malédiction, moi je préfère l'envisager comme un don. Surveiller la cour de récré, c'est comme conduire une voiture. En surface, je suis hyper alerte, à l'intérieur, je peux laisser libre cours à mes pensées et réfléchir à ma vie.

J'ai suivi le conseil de Nedra et n'ai pas avoué à William que j'avais parlé à Kelly Cho dans son dos. Cela fait maintenant deux secrets que je tais à mon mari : l'enquête sur le mariage et mon visionnage de la vidéo du groupe de discussion sur Cialis. L'hystérie m'a gagnée un peu quand je lui ai montré le tableau Excel de mon budget et lui ai sorti une phrase du genre « Tu dois faire davantage d'efforts ». Il dit qu'il prospecte dans d'autres agences de pub en ville mais je crains que ça ne serve à rien. Les choses vont mal partout. Les magasins ferment et les budgets rétrécissent ou disparaissent carrément. Il doit arranger les choses à KKM. À cause du groupe de discussion sur Cialis, j'ai décidé de ne plus jamais assister au lancement d'un nouveau produit chez KKM.

Et *mon* boulot ? J'ai bien de la chance d'en avoir un. À la fin de l'année scolaire, je discuterai avec l'Association des parents d'élèves de l'éventualité de passer à plein temps à la rentrée suivante. Si ça ne marche pas, je devrai chercher un job mieux rémunéré. Il faut que je rapporte plus d'argent à la maison.

La sonnerie retentit et les enfants se mettent à rentrer en courant. J'ouvre rapidement mon application Facebook.

**Shonda Perkins > Alice Buckle**
Définition d'un ami : une personne avec qui vous avez déjeuné il y a moins d'un an.
Il y a 43 minutes

**Collège John F. Kennedy**
Vous suggère de limiter à une heure par jour le temps que votre enfant passe devant un écran, ce qui inclut les textos, les tweets, Facebook et les chats. Ceci ne comprend pas les recherches scolaires faites en ligne.
Il y a 55 minutes

**Weight Watchers**
Revenez ! Vous nous manquez.
Il y a 3 heures

**William Buckle** aime *Tone Loc* et *Mahler*.
Il y a 4 heures

**William Buckle** aime *Voyage au bout de l'enfer, Docteur Folamour ou : Comment j'ai appris à ne plus m'en faire et à aimer la bombe* et *Jusqu'au bout du rêve*.
Il y a 4 heures


Tone Loc ? Tone Loc et son *Funky Cold Medina* ? Et le film préféré de William est *Jusqu'au bout du rêve* ? Nous ne sommes décidément pas dans un rêve. Un cauchemar, plutôt. William s'est fait mettre au placard pour avoir révélé à toute sa boîte combien de fois par mois nous faisions l'amour et je raconte en douce à un parfait inconnu qu'un jour il m'a touché le sein avec son coude. Comme mon homonyme, j'ai glissé dans le terrier du lapin et je tombe, je tombe, je suis tombée.

## 24

33. Si le sujet l'intéresse.

34. Je couchais avec un type qui s'appelait Eddie. Je l'avais rencontré à la salle de sport où je faisais des longueurs de bassin. Eddie était entraîneur à la salle de muscu, gentil et pas prise de tête. Il avait des joues roses et des dents parfaites. Il n'était pas mon genre mais son corps – ô Seigneur ! Notre relation était purement physique et nos rapports sexuels exceptionnels, mais je savais que ça n'irait jamais plus loin. Évidemment, je ne le lui avais pas encore dit.

— Hé, Al ! Allie !

On était vendredi après-midi et j'étais au comptoir d'Au Bon Pain en train de commander une salade au poulet et un Coca light. J'avais fait la queue pendant un quart d'heure et il y avait une bonne vingtaine de clients derrière moi.

— Excusez-moi. Pardon. Je suis avec elle.

Eddie s'est frayé un chemin dans la file d'attente.

— Salut, poupée.

Avant lui, je n'étais jamais sortie avec un homme qui m'appelait « poupée » et je dois avouer que ça me plaisait - jusqu'à ce moment-là. Dans l'intimité de la chambre, ça me donnait l'impression d'être fragile et de vivre à la Bonnie & Clyde, mais là, au milieu d'Au Bon Pain, ça faisait franchement ringard.

Il m'a embrassée sur la joue.

— Dis donc, c'est bondé, ici.

Il portait un bandana bleu autour de la tête, façon Rambo. J'avais vu ce bandana dans la salle de muscu, qui est, à mon avis, le seul endroit où un bandana doit être porté de cette façon. Nous n'étions pas vraiment encore sortis ensemble en public. En général, j'allais chez lui ou il venait chez moi, vu que, comme je l'ai dit, notre relation était centrée sur le sexe. Mais voilà que nous étions au Bon Pain, qu'il ressemblait à Sylvester Stallone et que j'étais mortifiée.

— T'as pas chaud ? ai-je demandé en fixant ostensiblement son front, essayant de lui télégraphier silencieusement : « Tu es à Cambridge, pas dans le North End. Enlève tout de suite ce truc ridicule ! »

— Il fait un peu chaud, ici, a-t-il répondu en retirant sa veste en jean, se retrouvant en débardeur.

Il s'est penché en avant, les deltoïdes bandés, et a posé un billet de vingt dollars sur le comptoir.

— Mettez deux salades au poulet, a-t-il lancé avant de se tourner vers moi. J'ai voulu te faire une surprise.

— Eh bien, c'est réussi ! Je veux dire, je suis surprise. Heu... Je crois qu'ils n'acceptent pas les clients en marcel ici.

— J'espérais qu'après le déjeuner tu me montrerais ton bureau. Que tu me présenterais à tes collègues.

Je savais ce qu'Eddie avait en tête. Il se disait que je l'exhiberais au bureau et que la direction de Peavey Patterson craquerait pour ce canon au corps incroyable (exactement comme moi lorsque je l'avais vu à la salle de sport) et s'empresserait de lui faire tourner la pub d'un produit phare. Pas folle, la bête ! Il n'était pas totalement à côté de la plaque en ce qui concernait son potentiel – il

107

était charismatique et pouvait sûrement vendre n'importe quoi : du P.Q., des lingettes, de la bouffe pour chiens. Mais pas en marcel avec un bandana autour de la tête.

— Ouais, super idée. J'aurais juste aimé que tu me préviennes. Aujourd'hui, ça va pas être possible. Un de nos gros clients est en ville. D'ailleurs, je n'aurais sans doute même pas dû sortir déjeuner. J'aurais dû avaler un morceau au bureau. Tous les autres mangent dans leurs bureaux.

— Alice ! Alice ! Désolée pour le retard ! a crié une femme.

Voilà que maintenant, c'était Helen qui remontait la queue, tirant derrière elle un William mal à l'aise. Lui et moi avions fini de courir à peine une demi-heure plus tôt. Je suis presque sûre qu'Helen ignorait tout de nos entraînements. Et que j'avais utilisé sa crème solaire. Ou même qu'après la douche, je sentais encore sa crème solaire.

— Hé ! Pas le droit de garder des places pour les autres ! a hurlé quelqu'un.

— Ils ont doublé tout le monde ! a renchéri un autre.

— On est avec elle. Désolée, m'a-t-elle murmuré. Quelle queue ! Ça ne te dérange pas, hein ? Eh bien, bonjour ! s'est-elle exclamée avec un immense sourire en voyant Eddie, ses yeux s'attardant sur le bandana. Qui est ton ami, Alice ?

Devant son ton moqueur, je me suis sentie tout à coup très protectrice.

— Voici Eddie. Eddie, je te présente Helen et William.

— Petit ami, a cru bon de corriger Eddie en se penchant pour serrer la main d'Helen. Je suis son petit ami.

— Vraiment ! a fait Helen.

— Vraiment ? s'est étonné William.

— Vraiment, ai-je répété, agacée.

Croyait-il que j'étais célibataire ? Et pourquoi je n'aurais pas un petit ami qui ressemble à Mister Olympia, hein ?

— Hé, poupée ? a murmuré Eddie en m'embrassant dans le cou.

William a haussé un sourcil. La mâchoire lui en est tombée. Était-il jaloux ?

— Ton écran solaire sent la noix de coco. Miam, a gloussé Eddie.

Helen s'est tournée vers William.

— Je croyais que ça venait de toi.

# 25

De : Epouse22 <epouse22@centrenetherfield.org>
Objet : Maritalscope
Date : 25 mai ; 7 h 21
À : Chercheur 101 <chercheur101@centrenetherfield.org>

Chercheur 101,

Simple curiosité : comment faites-vous pour interpréter mes réponses ? Y a-t-il un programme informatique dans lequel vous saisissez les données et qui vous sort un profil ? Une catégorie ? Genre un horoscope ? Un maritalscope ?

Et pourquoi ne m'envoyez-vous pas toutes les questions d'un coup ? Ne serait-ce pas plus simple ?

Épouse 22.

De : Chercheur101 <chercheur101@centrenetherfield.org>
Objet : Re : Maritalscope
Date : 25 mai ; 7 h 45
À : Epouse22 <epouse22@centrenetherfield.org>

Épouse 22,

C'est beaucoup plus compliqué qu'un horoscope, à vrai dire. Connaissez-vous les services de streaming musical ? Vous entrez une chanson que vous aimez et une radio, basée sur les attributs de la chanson, est créée pour vous. Eh bien, la façon dont nous interprétons, codifions et évaluons vos réponses est très similaire à ce procédé. Nous dépouillons vos réponses pour ne garder que des points de données sentimentales. Pour certaines de vos réponses les plus longues, on peut obtenir jusqu'à cinquante points de données qui devront être examinés et enregistrés. Pour les réponses plus courtes, peut-être cinq points. J'aime à penser que nous avons développé un algorithme du cœur.

Concernant votre seconde question, nous avons découvert qu'une relation de confiance s'établit lentement avec le temps entre le sujet et l'enquêteur. C'est pourquoi nous morcelons l'envoi de nos questions. L'anticipation est un avantage pour nous deux.

L'attente est un art en perdition. Le monde bouge en une fraction de seconde et je trouve ça bien dommage, parce qu'il me semble que nous avons perdu les plaisirs simples du départ et du retour.

Affectueusement,
Chercheur 101.

De : epouse22 <epouse22@centrenetherfield.org>
Objet : Re : Maritalscope
Date : 25 mai ; 9 h 22
À : chercheur 101 <chercheur101@centrenetherfield.org>

Cher Chercheur 101,
*Les plaisirs simples du départ et du retour.* Vous parlez
comme un poète, Chercheur 101. C'est un peu ce que je
ressens parfois. Comme un astronaute qui chercherait le
chemin pour regagner le monde corporel et découvrirait
que celui-ci a cessé d'exister pendant que lui-même flot-
tait dans l'espace. Je crains que ce ne soit dû au fait de
vieillir. J'ai moins accès à la gravité et donc je passe la
plupart de mes journées à flotter, sans attaches.

Il fut une époque où chaque soir, avant de nous endormir, mon mari et moi nous racontions, allongés dans le
lit, nos publications Facebook en face à face.

« Alice a passé une très mauvaise journée. William
pense que demain ça ira mieux. »

Je dois dire que ça me manque.

Épouse 22.

# 26

Les classes de cinquième partent camper à Yosemite. Ce qui veut dire que je pars camper – hourra! En tout cas, je pourrais tout aussi bien y aller étant donné tous les préparatifs que je dois faire pour Peter. Je lui demande :

— Tu as des ustensiles de camping ?

— Non, mais nous avons des assiettes en carton.

— Combien de repas ? (Je compte sur mes doigts.) Dîner, petit-déjeuner, déjeuner, dîner, petit-déjeuner. Les assiettes sont biodégradables, pas vrai ?

L'école de Peter prend ces histoires de protection de l'environnement très au sérieux. Le plastique est prohibé. Les serviettes en tissu fortement conseillées. Pendant la semaine d'intégration, l'Association des parents d'élèves vend des boîtes à casse-croûte ainsi que des tasses et des sweat-shirts.

Peter hausse les épaules.

— On va sûrement me faire des remarques.

Je fais un rapide calcul dans ma tête. Faire vingt bornes pour aller à REI acheter un nouveau kit d'ustensiles de camping le jour de la journée sans voitures – le jour où je devrais faire du covoiturage ou au moins prendre le bus. Arriver à REI pour me rendre compte que les seuls kits qu'il reste sont fabriqués au Japon. Repartir complètement vaincue parce que je vais me faire remonter les bretelles (par Zoe) si j'achète un kit d'ustensiles qui a parcouru près de cinq mille kilomètres pour arriver à Oakland. Conclusion : va pour les assiettes en carton.

— Si on te demande, tu diras que le carbone émis pour aller acheter un kit d'ustensiles de camping dépasse largement l'utilisation de cinq assiettes en carton que ta mère a achetées en 1998 quand l'effet de serre était causé par des jardiniers qui mangeaient trop de choux au déjeuner.

— Bonnet noir ou vert ? demande Peter avant de se décider. Le vert. Et tu as pensé à acheter des lingettes ? Je veux un plan de secours au cas où les douches seraient dégoûtantes. J'espère qu'ils nous laisseront, Briana et moi, partager une tente. Nous avons expliqué à M. Solberg que c'était totalement platonique entre nous ; on est amis depuis le CM1, pourquoi on pourrait pas camper ensemble ? Il a dit qu'ils allaient y réfléchir.

— Y réfléchir, ça veut dire : « Non, mais je vais attendre le dernier moment pour te l'annoncer. »

Peter grommelle.

— Et si je me retrouve coincé avec Eric Haber ?

Peter n'arrête pas de parler d'Eric Haber. C'est un crétin. Il mâche très bruyamment et se révèle incapable d'avoir une conversation normale.

— Dans ce cas, tu lui offriras le bonnet noir, dis-je.

Je soupçonne Peter d'avoir le béguin pour Eric et d'avoir peur de l'avouer. J'ai lu les magazines pour gays et trans-sexuels, ils prétendent que mon boulot consiste à garder l'esprit ouvert et à attendre que mon enfant soit prêt à sortir du placard. Le pousser à se révéler avant qu'il ne soit prêt ne fera que le marquer à vie. Si seulement je pouvais le sortir de ce placard à sa place. J'ai imaginé la scène tellement de fois dans ma tête. « Peter, j'ai quelque chose à te dire. Ça va te faire un choc mais tu es gay. Peut-être bisexuel mais je suis quasi-ment sûre que tu es homo. » Après, on se mettrait à pleurer de soulagement et on se ferait un marathon *Desperate Hou-sewives*, ce qu'il nous arrive déjà de faire mais là, ce serait différent parce que nous partagerions le fardeau de son secret. À la place, j'essaye de lui faire savoir subtilement mon approbation pour son choix de vie imminent.

— Eric a l'air cool. Tu voudrais peut-être l'inviter à venir jouer à la maison ?

— Tu veux bien arrêter de dire « cool » et « jouer » ?

— Eh bien, qu'est-ce que je dois dire, alors ? Quand tes amis viennent à la maison ?

— Qu'ils viennent à la maison.

— C'est ce qu'on disait dans les années 1970 ! C'était il y a plus de trente ans et les choses étaient différentes à l'époque. Ce qui n'a pas changé, c'est que c'est toujours aussi dur d'être au collège. Le corps qui change. Les identités qui s'affirment. Un jour, tu crois être une personne et le lendemain tu es quelqu'un d'autre. Mais ne t'inquiète pas, c'est tout à fait normal. Ça fait partie de...

Les yeux de Peter se posent sur le haut de mon crâne.

— C'est quoi, ces mèches orange ?

J'attrape une mèche de cheveux entre mes doigts.

— C'est ce qui arrive quand la couleur s'estompe. Ça fait vraiment orange ?

— Plutôt rouille.

Le lendemain matin, je dépose Zoe et Peter à l'école et, sur le chemin pour aller travailler, je remarque l'oreiller de Peter sur la banquette arrière. Je vais être en retard mais je sais que Peter ne dormira pas bien par terre sans son oreiller. Je fais demi-tour et roule à toute allure jusqu'à l'école. J'arrive juste à temps. Le car qui emmène les élèves de cinquième à Yosemite est encore dans le parking, le moteur ronflant.

Je monte dans le car, l'oreiller sous le bras. Il y a un moment de flottement où personne ne remarque que je suis là et j'en profite pour balayer frénétiquement la foule du regard, ravie de pouvoir espionner mon fils dans son habitat naturel.

Je le repère au milieu des rangées, assis à côté de Briana. Il a ses bras passés autour d'elle et sa tête repose sur son épaule.

115

C'est une vision surprenante pour plusieurs raisons. D'abord, c'est la première fois que je vois mon fils dans une position si intime et il a l'air tout à fait à l'aise et mature, ce qui me perturbe. Ensuite, parce que je sais qu'il fait semblant. Il essaye de passer pour un hétéro, ce qui me brise le cœur.

— Pedro, ta mère est là.

Existe-t-il cinq mots plus humiliants que ceux-là dans un car ?

— Pedro a oublié son doudou ! chantonne quelqu'un à l'arrière.

Ah ben oui, ça existe.

— Je le donnerai à Peter, m'assure Mme Ward, la prof d'anglais de Peter, assise quelques rangées devant moi.

Je serre l'oreiller plus fort, mortifiée.

— C'est bon, donnez-le-moi, insiste-t-elle.

Je lui tends l'oreiller mais reste pétrifiée sur place. Je ne peux pas détacher mon regard de Briana. Je sais que je n'ai pas de raisons de me sentir menacée mais je ne peux m'en empêcher. En un an, elle est passée de la fillette dégingandée affublée d'un appareil dentaire à une ravissante jeune fille en jean moulant et caraco. William aurait-il raison ? Aurais-je peur de perdre Peter au point de me sentir en compétition avec une gamine de douze ans ?

— Vous devriez partir maintenant, madame Buckle, me conseille Mme Ward.

Oui, je devrais partir avant que « Pedro, ta mère est là » ne se transforme en « Pedro, ta mère chiale parce qu'elle ne supporte pas d'être séparée de toi pendant vingt-quatre heures ». Peter est affalé sur son siège, les bras croisés, le regard tourné vers la vitre. Je remonte dans ma voiture et me tape doucement la tête contre le volant pendant que le car démarre. Alors, je lance mon CD de Susan Boyle (la chanson *Wild Horses* m'aide toujours à me sentir courageuse) et j'appelle Nedra.

— Peter a une couverture, je pleure dans le téléphone.

Pas besoin d'expliquer à Nedra que je ne parle ni de doudou ni de dessus-de-lit.

— Une couverture ? Tant mieux pour lui ! C'est pratiquement une étape obligatoire. S'il est gay, bien sûr.

Nedra, à l'instar de William, hésite encore quant à la sexualité de Peter. Je lui demande :

— Alors, c'est normal ?

— En tout cas, ce n'est pas anormal. Il est jeune et confus.

— Et humilié. Je viens de lui foutre la honte de sa vie devant tous les cinquièmes. J'allais lui proposer de m'aider à faire ma coloration, mais maintenant il me déteste et je vais devoir m'en occuper toute seule.

— Pourquoi tu ne vas pas voir Lisa ?

— J'essaye de faire des économies.

— Alice, arrête d'envisager le pire. Les choses vont s'arranger. La couverture a un nom ?

— Briana.

— Seigneur, je déteste ce prénom. Ça fait tellement...

— Américain, je sais. Mais c'est une gentille fille. Et très jolie, j'ajoute, un peu coupable. Ils sont amis depuis des années.

— Elle sait qu'elle sert de couverture ?

Je repense à eux deux lovés l'un contre l'autre, les yeux de Briana à moitié clos.

— J'en doute.

— Sauf si elle est lesbienne et qu'il est sa couverture aussi. Ils ont peut-être passé une sorte de marché. Comme Tom et Katie.

— Oui, comme ToKat !

Je hais l'idée que Briana soit dupée. C'est presque aussi triste que le fait que Peter fasse semblant d'être hétéro.

— Personne ne les appelle ToKat.

— KatTo ?

Silence au bout du fil.

— Nedra ?

— Je vais renouveler ton abonnement à *People* et, cette fois, tu as intérêt à le lire.

# 27

— Vous êtes si gentille de m'héberger jusqu'à ce que je trouve un appartement ! s'exclame Caroline Kilborn. Dans l'embrasure de ma porte, j'ai toutes les peines du monde à dissimuler mon étonnement. Je m'attendais à une version plus jeune de Bunny : une jeune femme blonde, élégamment vêtue et coiffée. Et à la place, c'est une rousse sans complexes, parsemée de taches de rousseur, qui me gratifie d'un grand sourire, ses cheveux retenus en queue-de-cheval. Elle porte une de ces jupes de sport noire qui épouse les formes et un débardeur ample qui dévoile ses bras musclés.

— Vous ne vous souvenez pas de moi, n'est-ce pas ? Vous m'avez dit que je ressemblais à une poupée. Une poupée de chiffon avec des cheveux en laine orange !

— J'ai dit ça ?

— Oui, quand j'avais dix ans.

Je secoue la tête.

— J'ai dit ça ? Mon Dieu, c'est vraiment malpoli. Je suis désolée.

Elle hausse les épaules.

— Ça ne m'a pas dérangée. C'était le soir de la première de votre pièce au théâtre de Blue Hill. Je suis sûre que vous aviez d'autres chats à fouetter.

— Ah, oui, dis-je en faisant la grimace pour essayer de chasser ce souvenir indésirable de mon esprit.

Caroline m'offre un grand sourire en se balançant sur ses talons.

— C'était une super pièce. Mes amies et moi avions adoré.

Ses amies ? Ses petites copines de l'école maternelle, oui.

— Vous courez ? demande-t-elle.

De la main, elle désigne mes baskets pleines de boue, que j'ai jetées dans la jardinière ne contenant que de la terre car apparemment, je suis incapable de me rappeler qu'il faut arroser les plantes.

— Eh bien, oui.

Ce que je veux dire, bien sûr, c'est que je faisais de la course à pied, il y a vingt ans, mais qu'aujourd'hui je fais plutôt du jogging. Bon d'accord, de la marche à pied. D'accord, d'accord, je marche jusqu'à l'ordinateur et considère que j'ai fait mes dix mille pas quotidiens.

— Moi aussi, réplique-t-elle.

Quinze minutes plus tard, Caroline Kilborn et moi partons courir.

Cinq minutes plus tard, Caroline Kilborn me demande si je fais de l'asthme.

Cinq secondes plus tard, je lui raconte que ma respiration sifflante est causée par mes allergies et l'acacia en fleur. Je lui propose négligemment de partir devant, parce que je ne voudrais surtout pas l'empêcher de profiter d'un bon entraînement dès son premier jour en Californie.

Une fois Caroline hors de vue, je marche sur une pomme de pin, me tords la cheville et tombe, m'affalant dans un tas de feuilles en priant pour qu'on ne me roule pas dessus

Je m'inquiétais pour rien. Personne ne me roule dessus.

Une chose bien pire encore arrive : une voiture s'arrête et un gentil vieux monsieur me propose de me ramener chez moi. En fait, je ne comprends pas très bien ce qu'il me dit parce que j'ai les écouteurs enfoncés dans les oreilles et que j'essaie désespérément de lui faire signe que tout va bien, comme on fait après une chute alors qu'il est évident qu'on ne va pas bien du tout. J'accepte qu'il me raccompagne en voiture. À la maison, je mets de la glace sur ma cheville puis monte à l'étage en faisant un petit détour par la chambre de Zoe. Je remarque sa dernière acquisition en provenance de la friperie : une crinoline de 1950, jetée sur le dossier d'une chaise. Je me rappelle les pantalons pattes d'ef à rayures que je portais au lycée et me demande pourquoi je n'avais pas le courage de m'habiller davantage comme elle le fait, dans un style unique qu'aucune autre élève n'affiche. Pour ma fille, suivre une mode, c'est aussi pécher que de répondre « plastique » au supermarché quand on vous demande quel genre de sacs vous voulez. J'ouvre la porte de son armoire et tandis que je fouille dans ses robes-fourreaux taille 36, je me demande ce qu'il se passe dans sa vie, pourquoi elle ne me dit rien, comment elle peut être si sûre d'elle à quinze ans. Ce n'est pas normal et ça me fait peur. Mais c'est *mon* cardigan jaune, non ?

Je dois me mettre sur la pointe des pieds pour l'attraper et dans la manœuvre, je fais tomber un paquet de cupcakes au chocolat, un autre de Ding Dongs et un de Yodels, ainsi que trois pulls pliés qui sentent l'ail. On ne devrait jamais acheter des pulls vintage : l'odeur de transpiration ne quitte jamais totalement la laine. Je l'aurais dit à Zoe si elle avait demandé.

— Oups ! s'exclame Caroline sur le seuil de la chambre.

— La porte de Zoe était ouverte.

— Bien sûr.

— Je cherchais mon sweat.

Tout en prononçant ces paroles, j'essaie d'analyser le fait que Zoe garde secrètement des paquets de gâteaux dans son placard.

— Laissez-moi vous aider à ranger ça.

Caroline s'agenouille à côté des paquets, les sourcils froncés.

— Est-ce que Zoe est une perfectionniste ? Beaucoup de filles de son âge le sont. Aurait-elle rangé ces paquets par ordre alphabétique ? Cupcakes, Ding Dongs, Yodels en dernier. On va les placer par ordre alphabétique juste au cas où.

Je crie :

— Elle est boulimique ! Comment ai-je pu ne pas le voir !

— Waouh, tempère Caroline en empilant les boîtes dans le plus grand calme. Attendez une minute. Pas de conclusion hâtive.

— Ma fille garde une centaine de gâteaux dans son armoire.

— Heu... c'est un peu exagéré.

— Il y en a combien par paquet ?

— Dix. Mais toutes les boîtes sont ouvertes. Si ça se trouve, elle a monté une petite affaire. Elle les vend peut-être au lycée. Ou alors elle aime le sucré, c'est tout.

J'imagine Zoe en train de se fourrer des Ding Dongs dans la bouche la nuit, une fois tout le monde couché. C'est toujours mieux que si elle se fourrait le biscuit de Jude dans la bouche la nuit, une fois tout le monde couché. Que Dieu me vienne en aide, voilà ce que je me dis.

— Tu ne comprends pas. Ce n'est pas le genre de Zoe de manger des cochonneries.

— Pas en public, en tout cas. Vous devriez peut-être attendre de voir si elle montre des signes de boulimie avant de lui dire quoi que ce soit, suggère-t-elle.

Il fut une époque, pas si lointaine que ça, où Zoe et moi passions tous les vendredis après-midi ensemble. Je la récupérais à l'école et l'emmenais dans un endroit spécial : au magasin de perles, chez Colonial Donuts, chez Macy pour essayer des gloss. Mon cœur se serrait de bonheur à l'instant où elle montait dans la voiture. C'est toujours le cas mais aujourd'hui, je dois le lui cacher. J'ai appris à ignorer ses regards absents et ses yeux levés au ciel. Je frappe quand la porte est fermée et n'essaye pas d'écouter aux portes quand elle est en conversation avec la webcam. Ce que je veux dire, c'est qu'à part cette petite effraction du placard, je suis en général plutôt douée pour la laisser vivre sa vie. Mais elle me manque terriblement. Évidemment, j'ai entendu les récits de guerre de parents avec des enfants plus âgés. J'ai juste cru, comme tout parent plein d'arrogance, que je serais l'exception et que jamais je ne la perdrais.

— Tu as sans doute raison, dis-je. Je vais faire quelques recherches.

Une grimace me tord le visage. Ma cheville me lance. Elle a pris des teintes noires et bleues.

— Qu'est-ce que vous vous êtes fait à la cheville ? demande Caroline.

— Je suis tombée. Après ton départ. J'ai glissé sur une pomme de pin.

— Oh, non ! Vous avez mis de la glace ?

Je hoche la tête.

— Pas assez longtemps de toute évidence, remarque Caroline.

Elle se relève d'un bond et empile les paquets de gâteaux sur l'étagère du placard. D'une main experte, elle replie les pulls.

— Quand j'étais au lycée, je bossais chez Gap tous les étés, explique-t-elle en rangeant les vêtements devant les paquets de gâteaux.

Je lui passe mon cardigan jaune. Caroline le prend sans un mot, le pose au sommet de la pile et referme la porte du placard. Elle me tend la main.

— Maintenant, allons mettre un peu plus de glace sur cette cheville.

## 28

35. Et du coup, on avait un secret. Tous les lundis, mercredis et vendredis, on se retrouvait devant l'hôtel Charles, à l'heure du déjeuner, pour courir. Au bureau, on déclarait ne pas s'entraîner ensemble tous les deux jours. On prétendait ne pas connaître la forme des cuisses de l'autre, ou ses cicatrices aux chevilles ou aux genoux, ou la marque de ses chaussures de course. On affectait de ne pas savoir qui était pronateur et qui ne l'était pas, et de ne pas remarquer que nous avions tous les deux le même bronzage agricole auquel nous remédierions dès le mois de juin quand nous ôterions des couches de vêtements et que nos épaules prendraient une couleur noisette. J'ignorais avec splendeur le fait qu'il avait une petite amie. Je faisais semblant de ne pas connaître l'odeur sauvage de sa transpiration et sa façon même de transpirer : un filet rectiligne dans le dos et un en travers de la clavicule. Je feignais de ne pas m'être acheté de nouveaux shorts de course et de ne pas m'être entraînée à courir devant le miroir pour être sûre que rien ne dépassait, et de ne pas m'enduire les jambes de lait pour bébé pour qu'elles brillent et soient douces. Je feignais de ne pas être obsédée par l'odeur corporelle qu'est censé

dégager un partenaire de course, de ne pas me torturer les méninges pendant des heures sur la nécessité ou non de porter du parfum avant de finir par m'asperger de déo en espérant envoyer le message « odeur fraîche et naturelle pour les femmes, pas pour les bébés ». Il prétendait ne pas remarquer quand mon souffle devenait court au point de devenir un gémissement quasi inaudible lors du sprint du dernier kilomètre, l'hôtel Charles dans le champ de mire, et je prétendais ne pas nourrir de fantasmes dans lesquels il me prenait la main, me faisait monter dans une chambre puis dans son lit.

36. Avoir un secret est le plus puissant des aphrodisiaques au monde et – par définition – exactement ce qui manque dans un mariage.

## 29

Chère Épouse 22,

J'ai pris la liberté de codifier votre dernier mail – en points de données sentimentales. Désir, tristesse, nostalgie et espoir. Cette dernière émotion ne vous semble peut-être pas évidente mais aucun doute ne subsiste dans mon esprit. C'est de l'espoir.

Je ne devrais probablement pas vous dire ça, mais ce que j'apprécie le plus chez vous, c'est votre caractère imprévisible. Juste au moment où je pense vous cerner, vous dites quelque chose qui me déstabilise complètement. Il arrive que la correspondance entre un sujet et son enquêteur en révèle plus que les réponses aux questions elles-mêmes.

Vous êtes une romantique, Épouse 22. Je ne l'aurais jamais deviné.

Chercheur 101.

De : Epouse22 <epouse22@centrenetherfield.org>
Objet : Re : Espoir
Date : 30 mai ; 21 h 28
À : Chercheur101 <chercheur101@centrenetherfield.org>

Chercheur 101,
Qui se ressemble s'assemble.
Êtes-vous réel ?

Épouse 22.


De : Chercheur101 <chercheur101@centrenetherfield.org>
Objet : Re : Espoir
Date : 30 mai ; 21 h 45
À : Epouse22 <epouse22@centrenetherfield.org>

Épouse 22,
Je peux vous assurer que je suis bien réel. Je prends votre question comme un compliment et j'anticipe en répondant à votre question suivante (comme ça vous n'aurez pas besoin de la poser) : non, je ne suis pas un vieux monsieur. Croyez-le ou non, il existe des hommes de votre génération qui sont des romantiques. On nous confond souvent avec des grincheux. J'ai hâte de recevoir vos prochaines réponses au questionnaire.

Chercheur 101.

De : Epouse22 <epouse22@centrenetherfield.org>
Objet : Re : Espoir
Date : 30 mai ; 22 h 01
À : Chercheur101 <chercheur101@centrenetherfield.org>

J'ai pris la liberté de codifier *votre* dernier mail. Selon moi, les points de données sentimentales sont : la flatterie, le dépit et la dernière émotion, qui ne vous semble peut-être pas évidente, l'espoir. Qu'espérez-vous, Chercheur 101 ?

Sincèrement,
Épouse 22.


De : Chercheur101 <chercheur101@centrenetherfield.org>
Objet : Re : Espoir
Date : 30 mai ; 22 h 38
À : Epouse22 <epouse22@centrenetherfield.org>

Épouse 22,
J'imagine que j'espère ce que chacun espère : être reconnu pour ce que je suis vraiment.

Chercheur 101.

# 30

alicebuckle@rocketmail.com
**Favoris**

nymag.com/infos/articles/science de gaydar
La science de Gaydar
Si l'orientation sexuelle est biologique, les traits qui donnent l'apparence gay le sont-ils aussi ? La nouvelle recherche sur les indicateurs biologiques, de l'intonation de la voix à l'implantation des cheveux.
Exemple 1 :
Les hommes gay ont le plus souvent les cheveux implantés en spirale dans le sens contraire des aiguilles d'une montre.

alicebuckle@rocketmail.com
**Favoris**

cestlouche.org/troubleducomportementalimentaire/symptomes
1. Dissimuler de la nourriture dans des endroits étranges (placards, tiroirs, valises, sous le lit) pour éviter de manger (anorexie) ou manger plus tard (boulimie).

2. Faire de l'exercice en continu.

3. Se rendre aux toilettes immédiatement après chaque repas (parfois l'eau coule pendant longtemps pour couvrir le bruit des vomissements).

4. Exécuter des rituels étranges lors des repas comme déplacer la nourriture dans l'assiette pour donner l'impression d'avoir mangé, découper la nourriture en tout petits morceaux, éviter tout contact de la fourchette avec les lèvres.

5. Perte de cheveux, apparence « grise » de la peau.

6. Se plaindre constamment d'avoir froid.

7. Avoir les jointures des doigts irritées ou calleuses, les yeux injectés de sang, des contusions claires sous les yeux et les joues.

## 31

— Végétarienne ou carnivore, aujourd'hui ? je demande à Zoe en apportant un plat de poulet rôti et de pommes de terre.

— Carnivore.

— Super. L'aile ou la cuisse ?

Zoe hausse un sourcil dégoûté.

— J'ai dit carnivore pas cannibale. L'aile ou la cuisse. C'est exactement pour ça que les gens deviennent végétariens. On devrait inventer des nouveaux mots pour que ça fasse moins humain.

Je soupire.

— Du genre « viande blanche » ou « viande rose » ?

— Ça, c'est raciste, fait remarquer Peter.

— Ni l'un ni l'autre, dit Zoe. J'ai changé d'avis.

Je pose le plat de poulet sur la table.

— D'accord, monsieur et madame politiquement corrects. Qu'est-ce que je dois dire, alors ?

— Pourquoi pas sec ou un peu moins sec ? propose Peter en donnant des coups de fourchette dans la volaille.

— Ça m'a l'air délicieux ! intervient Caroline.

Un frisson secoue Zoe qui repousse son assiette.

— Tu as froid, ma puce ? On dirait que tu as froid, dis-je.

— Je n'ai pas froid.

— Bon, tu as prévu de manger quoi alors, Zoe ? Si tu ne veux pas de membres de poulet.

— De la salade. Et des pommes de terre sautées.

— Une pomme de terre sautée, répète Peter tandis que Zoe met une pauvre patate dans son assiette. J'imagine que faire sept cent cinquante abdos par jour, ça coupe l'appétit.

— Sept cent cinquante abdos !

Ma fille a un trouble du comportement alimentaire ET un trouble compulsif de l'exercice physique ?

J'aimerais bien souffrir d'un trouble compulsif de l'exercice physique.

— Et tu te demandes pourquoi ils t'ont appelé comme un pénis, lance Zoe à son frère.

— Caroline, je n'en reviens pas à quel point tu ressembles à ton père, intervient William pour changer de sujet.

Il porte son uniforme du week-end : jean et T-shirt délavé au logo de l'université du Massachusetts. Même s'il a fait ses études à Yale, lui vivant, il ne fera jamais de pub pour sa fac. C'est une des choses que j'ai toujours aimée chez lui. Ça et le fait qu'il porte un T-shirt de *ma* fac.

— Elle ressemble à Maureen O'Hara, dit Peter.

— Comme si tu savais qui est Maureen O'Hara, ironise Zoe.

— Et toi, tu sais ? Et c'est Pedro. Alors appelle-moi Pedro. Elle jouait dans *Rio Grande* avec John Wayne. Je sais qui est Maureen O'Hara.

Dans un raclement, Zoe recule sa chaise et se lève. Je lui demande :

— Où vas-tu ?

— Aux toilettes.

— Et tu ne peux pas attendre qu'on ait fini de manger ?

— Non. Tu me fous la honte, là.

— Très bien, vas-y.

Je jette un coup d'œil à la pendule. Il est 19 h 31. Elle n'a pas intérêt à y passer plus de cinq minutes.

Je me lève et trépigne au-dessus de la tête de Peter.

131

— Hé, mon poussin, à quand remonte le dernier contrôle anti-poux à l'école ?

J'essaie de dire ça d'un ton aussi naturel que possible, comme si l'idée d'une épidémie de poux venait juste de me traverser l'esprit.

— Je sais pas. Je crois qu'ils le font tous les mois.

— Ce n'est pas assez.

Je dégage ses cheveux de ses tempes.

— Ne me dis pas que tu lui cherches des poux dans la tête alors qu'on est à table, grogne William.

— Je ne lui cherche pas des poux.

C'est la vérité. Je fais juste semblant.

— C'est agréable, ronronne Peter en se collant à moi. J'adore quand on me gratte le crâne.

Alors, dans quel sens révélateur est censée tourner la spirale de l'implantation des cheveux chez les gays, déjà ? La sonnette retentit. Mince, je ne me rappelle plus.

Je retire mes mains des cheveux de mon fils.

— Vous entendez l'eau couler dans la salle de bains ?

Peter commence à se gratter la tête.

— Je crois que tu devrais regarder encore, suggère-t-il.

La sonnette retentit une nouvelle fois.

Oui, c'est bien l'eau que j'entends couler. Ça n'arrête pas de couler. Est-elle en train de vomir ?

— J'y vais.

Je passe aussi lentement que possible devant la salle de bains, l'oreille attentive aux signes révélateurs de vomissements. Rien. Je vais ouvrir la porte d'entrée.

— Bonjour, lance un Jude nerveux. Zoe est là ?

Qu'est-ce qu'il fiche ici ? Je croyais lui avoir pardonné mais le voir sur le seuil de ma porte me fait comprendre que j'en suis loin. Je suis toujours furieuse après lui. Est-il la cause des troubles du comportement alimentaire de ma fille ? L'a-t-il poussée à cet extrême ? Je le dévisage, ce jeune homme qui a trompé ma fille : beau comme un apollon, un mètre quatre-vingt-six, le ventre plat, sentant l'après-rasage. Je me revois en train de lui lire *Heather a deux mamans* dans la cuisine de Nedra quand il était en maternelle. J'avais peur qu'il ne m'interroge sur son père dont je ne savais rien en dehors de son numéro de donneur de sperme. 128. Nedra et Kate ne l'ont pas rencontré avant que Jude n'ait trois ans.

À la fin de la lecture du livre, il avait dit :

— J'ai vraiment de la chance. Tu veux savoir pourquoi ?

— Bien sûr.

— Parce que si mes mamans se séparent et retombent amoureuses, alors j'aurai quatre mamans !

— Zoe n'est pas là, dis-je.

Ma fille nous rejoint à la porte.

— Si, elle est là.

— On est en train de dîner.

— J'ai fini.

— Ma puce, on dirait que tes yeux sont injectés de sang.

— Je mettrai des gouttes, réplique-t-elle avant de se tourner vers Jude. Quoi ?

Ils échangent un message silencieux et privé.

— Il y a école demain. Tu n'as même pas encore commencé tes devoirs.

Quand Zoe était en CM2 et que nous avons finalement eu la conversation sur la puberté et les règles, elle l'a bien pris. Elle n'était pas du tout effrayée ni dégoûtée. Quelques jours plus tard, elle était rentrée de l'école et m'avait expliqué qu'elle avait un plan. Quand elle aurait ses règles, elle transporterait ses tympans dans son sac à dos.

J'ai dû mobiliser toutes mes forces pour ne pas rire (ni lui dire qu'on n'appelait pas ça des tympans mais des tampons) parce que je savais que me moquer de son indépendance la détruirait. À la place, j'ai affiché le visage d'impassibilité que chaque mère apprend à porter. Le visage d'impassibilité que chaque mère transmet un jour à sa fille qui l'utilise alors comme une arme contre elle.

Zoe me regarde avec insistance.

133

— Une demi-heure, leur dis-je.

Mon ordinateur émet un petit bip quand je passe devant mon bureau, alors je fais un petit tour rapide sur Facebook.

**Julie Staggs**
Marcy – a du mal à rester dans son lit de grande fille.
Il y a 52 minutes

**Shonda Perkins**
S'il te plaît, s'il te plaît, s'il te plaît, ne me fais pas ça. Tu te reconnaîtras.
Il y a 2 heures

Julie enseigne à Kentwood et Shonda fait partie des Mumble Bumbles. J'entends un bruit de verre brisé dans la cuisine.

— Alice ! hurle William.

Je crie :

— Je suis là !

Je m'assois et écris rapidement deux messages.

**Alice Buckle > Julie Staggs**
Ne baisse pas les bras. Essaye de t'endormir avec elle les premières nuits. Peut-être qu'elle finira par comprendre.
Il y a 1 minute

**Alice Buckle > Shonda Perkins**
Déjeuner à Egg Shop. Demain. C'est moi qui régale. Je veux TOUT savoir !
Il y a 1 minute

Ensuite, je retourne rapidement à la table du dîner où je passe la demi-heure suivante à sortir les mêmes platitudes : « Ne baisse pas les bras. Je veux tout savoir. » Suis-je la seule à mener une double vie comme ça ?

# 32

De : Epouse22 <epouse22@centrenetherfield.org>
Objet : À la surface
Date : 1ᵉʳ juin ; 5 h 52
À : Chercheur 101 <chercheur101@centrenetherfield.org>

Cher Chercheur 101,

Je trouve que ces questions sur les débuts de ma relation avec William font vraiment remonter des choses à la
surface. D'un côté, c'est comme regarder un film. Qui
sont ces acteurs qui jouent les rôles de William et
d'Alice ? Voilà à quel point ces jeunes versions de nous
me paraissent étrangères. De l'autre, je parviens à retourner dans le passé et à créer des scènes si détaillées pour
vous. J'arrive à me rappeler exactement ce que ça fait de
fantasmer sur le fait de coucher avec lui. Ou combien
l'anticipation est délicieuse.

Quant au fait de ne rien dissimuler, je dois vous
avouer que répondre à des questions si intimes, être
écoutée avec autant d'attention, voir que mon avis et
mes sentiments sont pris à ce point en considération et
comptent pour quelque chose me remue profondément.

Je ne cesse de m'étonner de ma bonne volonté à vous révéler des informations si personnelles.

Sincèrement,
Épouse 22.

De : Chercheur101 <chercheur101@centrenetherfield.org>
Objet : Re : À la surface
Date : 1er juin ; 6 h 01
À : Epouse22 <epouse22@centrenetherfield.org>

Chère Épouse 22,
D'autres participants nous ont déjà rapporté ressentir de telles choses, mais je dois vous rappeler que c'est précisément parce que nous sommes des étrangers que vous êtes en mesure de vous confier si facilement.

Amitiés,
Chercheur 101.

# 33

Comme d'habitude, je suis en retard. Je pousse la porte de l'Egg Shop et une odeur réconfortante de pancakes, de bacon et de café me saute au visage. Je cherche Shonda du regard. Elle est assise dans le fond, mais elle n'est pas seule : les trois membres des Mumble Bumbles sont installés sur la banquette. Il y a Shonda, la cinquantaine, divorcée, sans enfants, responsable du rayon Lancôme chez Macy ; Tita, qui doit bien avoir dans les soixante-dix ans maintenant, mariée, huit fois grand-mère, infirmière du service oncologique à la retraite ; enfin Pat, la plus jeune de nous toutes, deux enfants, mère au foyer, et, à en juger par la rondeur de son ventre, maman d'un troisième incessamment sous peu. Elles m'accueillent avec de grands signes et les larmes me montent aux yeux. Même si je ne les ai pas vues depuis un moment, les Mumble Bumbles sont ma meute, mes sœurs orphelines.

— Ne sois pas fâchée, crie Shonda alors que je zigzague entre les tables.

— « S'il te plaît, s'il te plaît, s'il te plaît ? » (Je me penche pour l'embrasser.) Tu m'as tendu un piège.

— Tu nous manquais. C'était le seul moyen d'attirer ton attention, explique Shonda.

— Je suis désolée. Vous m'avez toutes manqué aussi mais je vais bien, vraiment.

Elles m'observent ensemble avec des visages grimaçants et empreints de compassion.

— Ne faites pas ça. Ne me regardez pas avec ces yeux-là. Mince !

— On voulait juste s'assurer que tu allais bien, dit Pat.

— Oh, Pat, tu es splendide.

— Vas-y, touche-le. Tu peux, tout le monde le fait.

Je pose les mains sur son ventre et je murmure :

— Ce qui compte, c'est l'emplacement. Bonjour, petit bébé. Tu n'imagines pas comme tu as bien choisi.

Shonda m'attire sur le siège à côté d'elle.

— Alors, c'est quand, ton quarante-cinquième anniversaire ?

À part moi, toutes les Mumble Bumbles sont plus âgées que leurs mères quand elles sont décédées. Je suis la dernière. Visiblement, elles n'ont aucune intention de laisser filer mon année critique sans marquer le coup. Je réponds, les yeux rivés sur la table :

— Le 4 septembre. C'est quoi, tous ces jus de tomate ?

Chacune a un verre devant elle.

— Goûte, conseille Tita en faisant glisser le sien vers moi. Et je t'ai apporté des lumpias. Fais-moi penser à te les donner.

Les lumpias sont la version philippine des pâtés impériaux. J'adore ça. Chaque fois que je vois Tita, elle m'en donne deux douzaines.

Je prends une gorgée et me mets à tousser. Le jus de tomate est agrémenté de vodka. Je m'exclame :

— Il n'est même pas midi !

— Il est 12 h 35, en fait, réplique Shonda en me montrant une flasque.

Elle appelle la serveuse d'un geste de la main et lui désigne son verre.

— Elle prendra la même chose.

138

— Non, elle n'en prendra pas, dis-je. Elle doit retourner travailler dans une heure.

— Raison de plus, rétorque Shonda.

— Le mien est sans alcool, soupire Pat.

— Alors ? lance Tita.

— Alors.

— Alors, nous sommes toutes réunies car nous voulions te sensibiliser à ce qui pourrait arriver, explique Tita.

— Je sais ce qui arrive et il est trop tard pour moi. Je ne porterai pas de bikini cet été. Ni l'été prochain. Ni le suivant.

— Alice, sois sérieuse, me gronde Shonda.

— Je suis un peu devenue dingue l'année où j'ai atteint l'âge de ma mère à sa mort, fait Pat. J'étais vraiment déprimée. Je n'ai pas pu sortir du lit pendant des semaines. Ma belle-sœur a dû venir pour s'occuper des enfants.

— Je ne suis pas déprimée.

— Tant mieux. C'est bien, dit Pat.

— J'ai démissionné de Lancôme, intervient Shonda. Et je suis devenue représentante pour les produits Dr Hauschka. Tu te rends compte ? Moi en train de vendre des soins holistiques pour la peau ? Mon principal client était Whole Foods. Tu as déjà essayé de te garer sur le parking du Whole Foods de Berkeley après 9 heures du matin ? Impossible.

— Je ne vais pas démissionner, dis-je. Et même si je le voulais, je ne pourrais pas car William vient d'être rétrogradé.

Les Mumble Bumbles échangent des regards inquiets, du genre « Je vous l'avais dit ».

— Ça va. Il fait un peu d'introspection. C'est un truc de la quarantaine.

— Alice, commence Tita, ce qu'il y a, c'est que... tu risques de te mettre à faire n'importe quoi. À agir différemment. Ça te rappelle quelque chose ? Il t'est arrivé des trucs dans le genre, ces derniers temps ?

— Non. Tout est normal. Tout va bien. Sauf que Zoe souffre d'un trouble du comportement alimentaire, que

Peter est homo mais ne le sait pas encore. Et que je participe à un sondage secret sur les joies du mariage.

Ce que les Mumble Bumbles savent, ce que nous partageons sans nous le dire de vive voix, ce qui n'a pas besoin d'être dit ni expliqué, c'est que personne ne nous aimera jamais comme nos mères. Oui, on nous aimera. Nos pères, nos amis, nos frères et sœurs, nos oncles et tantes, nos grands-parents, nos conjoints – et nos enfants si nous décidons d'en avoir – nous aimeront, mais jamais plus nous ne ressentirons cet amour inconditionnel et infaillible, l'amour maternel.

Nous avons essayé de nous apporter mutuellement cet amour. Quand nous avons échoué, nous nous sommes offert des épaules compatissantes et des oreilles attentives. Quand ça non plus ne suffisait pas, il restait les lumpias et les échantillons de mascara waterproof, des liens d'articles Internet, et oui, les jus de tomate agrémentés de vodka. Mais surtout, nous étions à l'aise ensemble parce que nous n'avions pas besoin de prétendre que nous allions mieux. Le monde voulait qu'on continue d'avancer. Le monde avait besoin qu'on continue d'avancer. Mais les Mumble Bumbles comprenaient que la bande-son de l'amour perdu passait toujours en fond sonore. Parfois, le son était coupé, mais à d'autres occasions, elle passait à plein volume, nous assourdissant.

— Raconte-nous tout depuis le début, ma belle, dit Tita.

## 34

37. Et alors un jour, planté devant l'hôtel Charles, il a ôté les écouteurs de mon baladeur, les a branchés dans le sien et pour la première fois, nous avons entretenu une vraie conversation. Ça donnait quelque chose comme ça :

Chanson n° 1 : De La Soul – *Ha-Ha Hey.*

Je suis un Blanc qui aime le hip-hop édulcoré. À l'occasion, quand j'ai bu, je suis même capable de danser.

Chanson n° 2 : Til Tuesday – *Voices Carry.*

Il vaudrait peut-être mieux qu'on garde pour nous le fait qu'on court ensemble à l'heure du déjeuner.

Chanson n° 3 : Nena – *99 Luftballoons.*

J'ai été punk pendant trois semaines quand j'avais treize ans. Impressionnée ?

Chanson n° 4 : The Police – *Don't Stand So Close To Me.*

Oh, si, approche-toi.

Chanson n° 5 : Fine Young Cannibals – *Good Things.*

C'est toi qui es bien.

Chanson n° 6 : Men Without Hats – *The Safety Dance.*

Pas de zone de sécurité avec toi.

Chanson n° 7 : The Knack – *My Sharona*.
Oui, tu me fais rugir. Tu fais tourner mon moteur.
Chanson n° 8 : Journey – *Faithfully*.
Fidèlement... un adverbe qui ne me correspond plus.

# 35

De : Epouse22 <epouse22@centrenetherfield.org>
Objet : Amis
Date : 4 juin ; 4 h 31
À : Chercheur101 <chercheur101@centrenetherfield.org>

Je pense qu'il est temps que nous devenions amis. Ça vous dit d'utiliser Facebook ? Je suis tout le temps sur Facebook et j'aime bien son aspect immédiat. Ce serait chouette de pouvoir chatter, non ? Si chacun de nous crée un profil et n'a que l'autre dans sa liste d'amis, nous pourrons garder notre anonymat. Le seul problème, c'est qu'on doit utiliser un vrai nom, alors j'ai créé un profil sous le pseudo Lucy Pevensie. Vous savez, Lucy Pevensie dans *Le Lion, la Sorcière blanche et l'Armoire magique* ? C'est la fille qui tombe dans l'armoire et se retrouve à Narnia. Mes enfants m'accusent toujours d'être perdue dans un autre monde quand je surfe sur Internet, du coup, c'est logique, même si c'est bizarre. Qu'en pensez-vous ?

Amitiés,
Épouse 22.

De : Chercheur101 <chercheur101@centrenetherfield.org>
Objet : Re : Amis
Date : 7 juin ; 6 h 22
À : Epouse22 <epouse22@centrenetherfield.org>

Chère Épouse 22,

En général, je ne communique pas avec les sujets via Facebook en raison des problèmes évidents concernant la vie privée, mais on dirait que vous avez trouvé un moyen d'y remédier. Je dirais, pour info, que je n'aime pas Facebook et que je ne suis pas du genre à « chatter ». Je trouve ces échanges via des petites fenêtres qui apparaissent brutalement à l'écran à la fois épuisants et perturbants. J'ai entendu à la radio aujourd'hui l'histoire d'une fille tombée dans une bouche d'égout qu'elle n'avait pas vue pendant qu'elle envoyait des textos. Facebook est selon moi un autre trou : le terrier du lapin. Mais j'étudierai la faisabilité de son utilisation et vous tiendrai au courant.

Sincèrement,
Chercheur 101.


De : Epouse22 <epouse22@centrenetherfield.org>
Objet : Re : Amis
Date : 7 juin ; 6 h 26
À : Chercheur101 <chercheur101@centrenetherfield.org>

Qu'est-ce qui cloche avec les terriers de lapins ? Certains d'entre nous ont un faible pour eux. Chagall estimait qu'une peinture était une fenêtre par laquelle une personne pouvait s'envoler vers un autre monde. Cette conception vous convient-elle mieux ?

Épouse 22.

144

De : Chercheur101 <chercheur101@centrenetherfield.org>
Objet : Re : Amis
Date : 7 juin ; 6 h 27
À : Epouse22 <epouse22@centrenetherfield.org>

Figurez-vous que oui. Comment l'avez-vous deviné ?

Chercheur 101.

## 36

— Alors, Qu'est-ce que tu veux faire ?
— Je n'en sais rien. Qu'est-ce que tu veux faire, toi ?
répond William. Tu as tout pour le dîner ? Qu'est-ce qu'on
doit apporter ?
— De l'agneau. Nedra m'a envoyé la recette par mail. Il
marine depuis hier soir. Je dois aller à Home Depot pour
prendre de la citronnelle, de la verveine citronnelle et un
autre truc à la citronnelle, je ne sais plus comment ça
s'appelle. Ça vient de Thaïlande.
— De la citronnelle de Thaïlande ? Pourquoi toute cette
citronnelle ?
— Le citron est un diurétique naturel.
— Je ne savais pas.
— Ah bon ?
Nous discutons poliment et avec précaution, comme deux
inconnus échangeant des banalités dans une soirée.
« Comment connaissez-vous notre hôte ? Et vous ? J'adore
les Corgis. Moi aussi ! » Cette distance entre nous s'explique
en partie par son silence concernant la débâcle avec Cialis et
le mien sur son secret que je connais. Et bien sûr, il y a le fait
que j'échange des mails avec un parfait inconnu au sujet des
détails intimes de notre mariage (à l'instar de William qui,

semble-t-il, raconte à de parfaits inconnus les détails intimes de notre mariage). Mais je ne peux pas tout mettre sur le dos de l'enquête ou de la rétrogradation de William. La distance entre nous a augmenté au fil des années. La semaine, nous discutons de façon primaire par textos et nos conversations sont quasiment toujours les mêmes.

— À quelle heure tu rentres ?

— 7 heures.

— Poulet ou poisson ?

— Poulet.

On est samedi. Caroline est à la maison mais nos deux enfants sont absents pour la journée – un événement rare dans notre foyer. J'essaye de ne pas paniquer, en vain. Sans eux, la journée m'apparaît menaçante et sans structure. En général, je conduis Peter à sa leçon de piano puis à son entraînement de foot et William emmène Zoe aux matchs de volley ainsi que chez Goodwill (où elle s'achète encore plus de vêtements vintage). Je tente de ne pas penser au fait que nous agissons comme des colocataires et la plupart du temps, être des colocs me convient très bien. Je me sens un peu seule mais à l'aise. Cependant, une journée entière tous les deux signifie que nous allons sortir de nos rôles de parents et revenir à ceux de mari et femme, ce qui me met la pression. Un peu comme le *Cialis sans Cialis*.

Quand les enfants étaient petits, je me souviens d'une connaissance qui m'avait confié comment son mari et elle s'étaient sentis abandonnés lorsque leur fils était parti à la fac. Sans réfléchir, je lui avais dit :

— C'est tout l'intérêt, non ? Il se lance dans la vie. Tu devrais être ravie.

De retour à la maison, j'avais raconté l'histoire à William et nous étions tous les deux sidérés. Du fond des tranchées de nos débuts de parents, nous aurions fait n'importe quoi pour profiter d'un après-midi à nous. Nous avions hâte que nos enfants deviennent indépendants. « Tu t'imagines être à ce point attaché à ton enfant que tu te sens complètement perdu quand il s'en va ? » nous nous disions. Dix ans plus tard, je commence tout juste à comprendre.

— Les Barbedian viennent-ils ce soir ? demande William.

— Je ne crois pas. Ils n'ont pas dit qu'ils avaient des billets pour les Giants ?

— Dommage. J'aime bien Bobby.

— Ce qui sous-entend que tu n'aimes pas Linda ?

William hausse les épaules.

— C'est ton amie.

— La tienne aussi, figure-toi.

Je suis irritée qu'il essaie de me refourguer Linda. Nedra et moi l'avons rencontrée lorsque nos enfants allaient à la même école maternelle. Nos trois familles se réunissent pour un dîner une fois par mois depuis des années. Tous les enfants nous accompagnaient au début mais en grandissant, chacun leur tour, ils ont commencé à nous faire faux bond. Aujourd'hui, seuls les adultes (et parfois Peter) se retrouvent. Sans les enfants pour faire tampon, la dynamique des dîners a changé. Par là, je veux dire qu'il est devenu de plus en plus évident que nous n'avons plus rien en commun avec Linda. Tout le monde aime Bobby en revanche.

William pousse un soupir.

— Écoute, ne te sens pas obligé de venir avec moi pendant que je fais les courses, dis-je. La dernière chose dont tu dois avoir envie, c'est de traîner dans une pépinière avec moi.

— Ça ne me dérange pas, réplique William, visiblement agacé.

— Vraiment ? Bon, d'accord. Est-ce qu'on propose à Caroline de nous accompagner ?

— Pourquoi on ferait ça ?

— Eh bien, si tu en as marre, vous pourrez courir autour du magasin ou je sais pas quoi encore.

Après mon jogging raté avec Caroline, William a commencé à courir avec elle. Les débuts ont été rudes. Il n'était pas en forme et les deux premières sorties l'ont laminé. Mais maintenant, ils courent huit kilomètres plusieurs matins par semaine et après, ils se préparent des smoothies avec des compléments alimentaires que Caroline essaye de me faire avaler en me promettant que j'attraperai moins de rhumes et que mes intestins fonctionneront mieux.

— Très drôle. C'est pas bien qu'on soit que tous les deux ? demande William.

Le problème de se retrouver « tous les deux » ces derniers temps, c'est que je pourrais aussi bien être toute seule. C'est moi qui lance toutes les conversations, qui l'informe de ce qu'il se passe avec les enfants, dans la maison, dans nos finances, et qui lui demande comment va sa vie. Il me renvoie rarement la pareille et ne me parle jamais de lui spontanément.

J'exprime mon enthousiasme excessif avec ma voix de Mary Poppins/Miss Truly Scrumptious :

— Si, bien sûr. Que tous les deux, c'est génial. On peut faire ce que l'on veut. Super !

J'ai envie d'une vie plus riche avec lui. Je sais que c'est possible. D'autres gens comme Nedra vivent des vies plus riches. Certains couples préparent ensemble de la moussaka tout en écoutant du jazz. Ils font leurs courses dans les marchés bio. Bien sûr, ils font leurs emplettes à une vitesse d'escargot (la lenteur semble être un élément clé d'une vie plus riche), ils s'arrêtent à chaque stand, goûtent un fruit, reniflent les herbes aromatiques, font la différence entre les citronnelles, s'assoient sur un perron et mangent des scones végétariens. Je ne parle pas de vie riche d'un point de vue financier. Je parle de richesse dans la capacité à ressentir les choses comme elles arrivent, à ne pas être constamment en train de penser à la suite.

— Hé, Alice !

Caroline entre dans la cuisine en agitant un livre.

Jusqu'à présent, Caroline n'a pas réussi à trouver de travail. Elle a passé de nombreux entretiens (on ne manque pas de start-up dans la baie) mais aucun n'a été concluant. Je sais qu'elle est angoissée, mais je lui ai dit de ne pas s'inquiéter, qu'elle pouvait rester avec nous jusqu'à ce qu'elle ait trouvé un poste et ait mis suffisamment de côté pour payer la caution d'un appartement. Avoir Caroline chez moi ne me pèse pas. En plus d'être d'excellente compagnie, elle est l'invitée la plus serviable que je connaisse. Elle va vraiment me manquer quand elle partira.

— Regarde ce que j'ai trouvé, chantonne-t-elle. *L'écriture de pièces de théâtre.*

Elle me tend l'ouvrage et un hoquet de surprise m'échappe. Je n'ai pas vu ce livre depuis des années.

— C'était ma bible, avant, dis-je.

— C'est toujours celle de ma mère, répond-elle. Alors, vous avez un week-end rien que pour vous tous les deux. Qu'est-ce que vous avez prévu d'amusant ? Vous voulez que je décampe ? demande-t-elle en arquant un sourcil.

Caroline utilise souvent des mots démodés comme « décamper ». Je trouve ça adorable. J'imagine que c'est parce qu'elle est la fille d'une dramaturge et qu'elle a vu des tas d'interprétations de *Our Town*. Avec un soupir, je tourne les pages jusqu'à la 25.

1. Ne commencez pas à écrire sans une idée.
2. Si vous n'avez pas d'idée, passez en revue votre propre vie à la recherche d'une scène. Envisagez tout ce qui vous entoure comme de la matière potentielle : le barbecue dans le jardin, des courses au supermarché, un dîner entre amis. Les meilleurs personnages sont souvent inspirés des gens que nous côtoyons.

Je referme le livre et le serre contre ma poitrine. Le tenir ainsi contre moi me remplit d'espoir.

— *L'écriture de pièces de théâtre* ? C'était ça, ta bible ? s'enquiert William.

Que William n'ait aucun souvenir de ce livre ni de l'importance qu'il avait pour moi (alors qu'il a reposé sur ma table de chevet pendant au moins cinq ans) ne me surprend même pas.

Dans ma tête, j'envoie un texto à William. *Désolée si je crains, mais tu crains aussi.*

Alors je me tourne vers Caroline :

— On part faire des courses, tu veux venir ?

# 37

DÎNER DE FÊTE MAROCAIN CHEZ NEDRA

*19 h 30 ; Cuisine de Nedra.*
MOI : Salut, Rachel ! Où est Ross ? Voilà l'agneau.
NEDRA *(remettant le papier d'alu sur la plaque de son four en fronçant les sourcils)* : Tu as suivi la recette à la lettre ?
MOI : Oui, mais avec un petit changement merveilleux.
NEDRA : Rien de bon ne sort jamais d'un merveilleux petit changement. Linda et Bobby viennent finalement.
MOI : Je croyais qu'ils allaient assister au match.
NEDRA *(reniflant l'agneau en faisant la grimace)* : Ils ne pouvaient pas résister à tes plats de grands chefs. Où sont les enfants ?
MOI : Peter est ici. Zoe est à la maison à faire des abdos. Où est Jude ?
JUDE *(entrant dans la cuisine)* : Là, à espérer être n'importe où ailleurs.
NEDRA : Chéri, tu restes avec nous ? Alice, ce serait génial que Jude reste avec nous, non ?
MOI : Si. Nedra, ce serait vraiment gé-ni-al.

NEDRA : Tu vois, chéri. Personne ne te rejette. Allez, dis que tu vas rester, s'il te plaît.

JUDE *(regardant ses pieds)*

MOI *(regardant mes pieds)*

NEDRA *(poussant un soupir)* : Vous êtes de vrais gamins tous les deux. Vous ne voulez pas faire la paix ?

JUDE : Je vais chez Fritz jouer aux Pokémons.

MOI : Vraiment ?

JUDE : Non, pas vraiment. Je vais dans ma chambre.

NEDRA : Au revoir, chéri. Un de ces jours, vous vous aimerez à nouveau tous les deux. C'est ma dernière volonté.

MOI : Tu as besoin d'être aussi mélodramatique ?

JUDE : Oui, c'est vraiment nécessaire ?

NEDRA : Les mélodrames, c'est tout ce que vous comprenez tous les deux.

*19 h 40 ; Salon.*

NEDRA : Les garçons, venez autour de moi. C'est l'heure des costumes. Kate et moi vous avons rapporté des fez de notre voyage au Maroc.

PETER *(incapable de gommer l'expression affligée de son visage)* : Je préférerais ne pas porter de fez vu que j'ai déjà un chapeau feutre.

NEDRA : Oui, et c'est exactement pour ça qu'on t'a rapporté un fez, pour que tu puisses ôter ce fichu feutre !

KATE : Je trouve son chapeau mignon.

WILLIAM : Je suis du côté de Peter. En tant que femmes, vous n'êtes peut-être pas familières des codes en vigueur pour les hommes et les chapeaux au XXI$^e$ siècle.

BOBBY : Oui, ce n'est pas comme dans les années 1950 quand les hommes retiraient leur chapeau avant le dîner. Au XXI$^e$ siècle, tu le portes pendant tout le repas.

MOI : Ou comme Pedro, pendant tout le mois de juin.

WILLIAM : Et si tu commences la soirée avec un chapeau, tu n'en changes pas pour un autre. Les chapeaux, c'est pas comme les cardigans.

NEDRA : Mets ton fez, Pedro, ou sinon...

MOI : Et nous ?

NEDRA : Kate, Alice et Linda, je ne vous ai pas oubliées. Voilà vos djellabas !

MOI : Génial ! Un vêtement long et ample avec de grandes manches que je ne vais pas manquer de faire tremper dans ma sauce à la menthe.

PETER : Je te l'échange contre mon fez.

NEDRA (*poussant un soupir*) : Vous n'êtes que des ingrats, tous autant que vous êtes.

*20 h 30 ; À table.*

KATE : Comment était Salzbourg, Alice ?

WILLIAM : Tu étais à Salzbourg ?

NEDRA : Oui, à manger des palatschinken. Sans toi, apparemment.

MOI : J'étais à Salzbourg sur Facebook. J'ai fait le test des « vacances de rêve ». J'ai toujours voulu aller à Salzbourg.

BOBBY : Linda et moi sommes sur Facebook. C'est une façon géniale de rester en contact sans être vraiment en contact. Comment j'aurais su sinon que tu allais à Joshua Tree ce week-end ?

LINDA : C'est un week-end pour les femmes, Bobby. Arrête de bouder. Les filles, vous êtes les bienvenues si ça vous tente.

NEDRA : Est-ce qu'il y aura des tambours et des trucs qu'on brûle ?

LINDA : Oui !

NEDRA : Alors, non.

LINDA : Au fait, on vous a dit qu'on faisait des travaux ? On rénove notre chambre. C'est absolument fantastique. On la transforme en deux chambres principales !

MOI : Pourquoi vous faut-il deux chambres principales ?

LINDA : C'est tendance. On appelle ça une suite modulable.

KATE : Donc vous allez faire chambre à part.

PETER : Est-ce que je peux sortir de table ? (*Sous-titre : est-ce que je peux me faufiler dans le bureau et jouer à World of Warcraft sur ton ordinateur, Nedra ?*)

NEDRA : Pourquoi ? Tu n'as pas envie de discuter des arrangements de tes parents et des parents de tes amis dans la chambre à coucher ? Oh, je t'en prie, Pedro, vas-y !

LINDA : N'est-ce pas formidable ? Ce sera comme quand on sortait ensemble : ta suite ou la mienne ?

NEDRA : Et la spontanéité, alors ? Et quand tu te réveilles au milieu de la nuit et que tu fais sauvagement l'amour à ta moitié endormie ?

MOI : Justement, je me posais la même question, Linda ! Quid de l'amour à moitié endormie ?

WILLIAM : On n'appelle pas ça un viol ?

LINDA : Je n'ai aucune envie de faire l'amour à 2 heures du matin. C'est un fait reconnu qu'il devient de plus en plus difficile de partager son lit en vieillissant. Bobby se lève trois fois par nuit pour pisser.

BOBBY : Linda se réveille dès que je remue le petit orteil.

LINDA : Nous partagerons la salle de bains, évidemment.

MOI : Eh bien moi, c'est le genre de choses que je préfère avoir en double.

LINDA : Ces deux chambres vont ranimer la flamme du mystère et la passion de notre mariage. Vous verrez. Bon sang, Daniel me manque. C'est complètement ridicule. J'avais hâte qu'il parte pour la fac et maintenant, j'ai hâte qu'il rentre à la maison.

WILLIAM : Est-ce que je vous ai dit que le chien a pissé sur mon oreiller il y a quelques semaines ?

KATE : Je connais un psy pour chiens très bien, si tu veux.

NEDRA : Une fois, j'ai eu un client qui avait uriné dans le tiroir à lingerie de sa femme.

BOBBY : La femme avait un tiroir à lingerie ? Combien de temps sont-ils restés mariés ?

MOI : Jampo sait que tu ne l'aimes pas. Il peut le sentir. Il révèle la vérité, ce chien.

155

WILLIAM : Il est méchant. Il bouffe ses propres crottes.

MOI : C'est exactement ce que je dis. Qu'est-ce qu'il y a de plus vrai que ça ? Manger ses propres excréments ?

NEDRA : Comment se fait-il que cet agneau ait le goût de crème pour le visage ?

WILLIAM : C'est à cause de la lavande.

NEDRA (*reposant sa fourchette*) : Alice, c'est ça, ton merveilleux petit changement ? La recette indiquait du romarin.

MOI : Pour ma défense, un plant de romarin ressemble exactement à un plant de lavande.

NEDRA : Oui, à part les fleurs violettes qui sentent la lavande sur le plant de lavande.

*21 h 01 ; À travers la porte de la salle de bains.*

PETER : Je peux te parler en privé ?

MOI : Je suis aux toilettes. Ça ne peut pas attendre ?

PETER (*des sanglots dans la voix*) : J'ai quelque chose à t'avouer. J'ai fait un truc très moche.

MOI : S'il te plaît, n'avoue rien. Tu n'es pas obligé de tout me dire. C'est bien aussi de garder des secrets. Tu le sais, n'est-ce pas ? Tout le monde a droit à son jardin secret.

PETER : Je n'ai pas le choix. C'est trop lourd à porter.

MOI : Comment vais-je le prendre ?

PETER : Tu vas être très déçue et peut-être un peu dégoûtée aussi.

MOI : Et comment vais-je devoir te punir à ton avis ?

PETER : Je n'ai pas besoin d'être puni. Ce que j'ai vu est une punition suffisante.

MOI (*ouvrant la porte*) : Bon sang, qu'est-ce que tu as fait ?

PETER (*en larmes*) : J'ai tapé « porno » dans Google

*21 h 10 ; Salon.*

LINDA : Je ne comprends pas pourquoi « colocataire » est un mot si grossier. Tous ceux qui sont mariés depuis plus de dix ans sont des colocataires la plupart du temps et s'ils prétendent le contraire, c'est qu'ils mentent.

NEDRA : Kate et moi ne sommes pas des colocataires.

MOI : Et vous n'êtes pas mariées non plus.

LINDA : Les lesbiennes ne comptent pas.

NEDRA : Les lesbiennes pur jus. Il y a une différence.

MOI : C'est quoi, une lesbienne pur jus ?

KATE : Une lesbienne qui n'a jamais eu de rapports avec un homme.

WILLIAM : Je suis un hétéro pur jus.

NEDRA : Alice, as-tu parfois l'impression que William et toi êtes devenus des colocataires ?

MOI : Quoi ? Non, jamais !

WILLIAM : Parfois, si.

MOI : Quand ?

*22 h 10 ; Bureau de Nedra.*

WILLIAM : Je n'arrive pas à croire qu'on fasse ça ! Pourquoi on fait ça ?

MOI : Parce que Peter est traumatisé. Il faut que je sache ce qu'il a vu.

WILLIAM (*poussant un soupir*) : C'est quoi, le mot de passe de Nedra ?

MOI : *Nedra*. Tu ne devrais pas écrire PORNO en majuscules ?

WILLIAM : Je ne crois pas que ce soit important.

MOI (*lâchant un hoquet de surprise*) : C'est une courge musquée, ça ?

WILLIAM : Et ça, c'est une stalactite ?

MOI : Oh, mon pauvre bébé !

WILLIAM : Efface l'historique.

MOI : Quoi ?

WILLIAM : Efface l'historique, Alice. Vite, avant que la boîte de courrier indésirable de Nedra ne soit inondée de pubs pour des augmentations du pénis.

MOI : J'oublie toujours de le faire.

MOI : Arrête de regarder par-dessus mon épaule. Va rejoindre les autres, je veux vérifier ma page Facebook.

157

WILLIAM : C'est très malpoli. Il y a plein de gens au salon.

MOI (*lui faisant signe de la main de déguerpir*) : J'arrive dans une seconde.

MOI (*cinq minutes plus tard*) : J'ai une demande d'ajout à une liste d'amis ? John Yossarian veut être mon ami ? John Yossarian ? Ce nom me dit quelque chose.

RECHERCHE GOOGLE : « John Yossarian »
Environ 626 000 résultats (0,13 seconde)

*Catch 22*, de Joseph Heller, 100 romans de tous les temps, *TIME*
Le capitaine John Yossarian est un pilote de bombardier qui essaye simplement de sortir vivant de la Seconde Guerre mondiale.

John Yossarian : Profil Gravatar
Je m'appelle John Yossarian. J'ai ramé jusqu'en Suède pour échapper à la folie de la guerre.

Capitaine John Yossarian, *Catch 22*
John Yossarian a passé tout son temps à l'infirmerie en prétendant être malade pour ne pas avoir à voler... instinct de survie.

MOI (*un sourire m'étirant les lèvres*) : Bien joué, Chercheur 101.

MOI (*cliquant pour accepter d'être son amie*)

MOI (*lui envoyant un message*) : Donc... Yossarian est en vie.

# 38

38. — Il n'est pas de tout repos.

— Alice, qu'en penses-tu ?

— Ça dépend. On parle du fauteuil ou de l'homme ?

William avait gagné un Clio Award pour son spot publicitaire vantant un fauteuil de relaxation et Peavey Patterson a organisé une fête chez Michela en son honneur. Nous remplissions tout le restaurant. J'étais coincée à une table de rédacteurs.

Le fauteuil : évidemment, c'était une horreur, mais il avait fait empocher à la boîte un beau petit pactole et voilà que j'assistais à cette soirée branchée, alors qui étais-je pour me plaindre ? L'homme : il n'était pas du tout au repos, en fait, il incarnait le dynamisme et le potentiel, debout dans son costume Hugo Boss bleu marine.

Je l'observais du coin de l'œil. J'ai vu qu'Helen me regardait en train de le regarder furtivement mais je m'en fichais. Tout le monde matait. Les gens s'approchaient de William avec nervosité, comme s'il était un dieu. Et c'en était un, le Dieu des fauteuils de relaxation hideux, le Jeune-Turc personnel de Peavey Patterson. Les gens l'approchaient d'un pas précipité, lui tapotaient le bras, lui serraient la main. Il y avait un côté grisant à se trouver si près du succès car il existait toujours une infime possibilité qu'un peu de ce succès déteigne sur vous. William se montrait poli. Il écoutait et hochait la tête mais parlait peu. Son regard a glissé vers moi et j'aurais pu le croire en colère – voilà à quel point son regard était noir. Cependant, au cours de la soirée, ses yeux n'ont cessé de me chercher obstinément et effrontément. J'avais l'impression d'être un verre de vin dont il prenait une gorgée chaque fois qu'il me regardait de l'autre bout de la salle. J'ai baissé le regard sur mon assiette. Mes *Linguine con Cozze al Sugo Rosso* étaient délicieuses mais pratiquement intactes car tous ces regards clandestins me tournaient la tête.

— Un discours ! Un discours !

Helen s'est penchée en avant et a murmuré à l'oreille de William. Quelques minutes plus tard, celui-ci a laissé Mort Rich, le directeur artistique, le conduire au centre du restaurant. Il a sorti une feuille de la poche de sa veste, l'a lissée et s'est mis à lire.

— Conseils pour faire un discours. Faites en sorte de ne pas aller aux toilettes au moment de votre discours. Remerciez l'équipe qui vous a permis de remporter cette récompense. Pause. Ne dites jamais que vous ne méritiez pas de gagner. Cela offensera votre équipe qui a fait tout le boulot vous permettant de vous tenir devant l'assistance et de recevoir les lauriers en gagnant ce prix. Ne remerciez pas les gens qui n'ont rien à voir avec votre victoire. Cela inclut les conjoints, petites amies, petits amis, patrons, serveurs et barmans. À la réflexion, remerciez le barman qui a contribué à votre victoire. Pause. Si vous avez le temps, nommez chaque personne individuellement et complimentez-les.

William a jeté un coup d'œil à sa montre.

— Pas de pause. Souriez, montrez-vous humble et affable. Concluez votre discours par un commentaire amusant.

160

William a replié son papier et l'a glissé dans sa poche.

— Commentaire amusant. Pause.

Explosion de rires et d'applaudissements dans la salle. Lorsque William est revenu s'asseoir à sa table, Helen lui a pris le visage entre les deux mains, a plongé son regard dans le sien et l'a embrassé goulûment sur la bouche. Quelques sifflements et applaudissements ont retenti. Le baiser a duré dix bonnes secondes. Elle a pivoté vers moi et m'a décoché un regard étonné mais triomphant. Je me suis détournée, piquée au vif, les yeux bien malgré moi remplis de larmes.

— Mmmiam ! Est-ce qu'ils sont fiancés ? a demandé ma voisine.

— Je ne vois pas de bague, a répondu une de nos collègues.

Avais-je tout imaginé ? Ce petit flirt ? Visiblement, oui, car pendant le reste de la soirée, William s'est comporté comme si je n'existais pas. Quelle idiote j'étais ! Invisible. Stupide. Je portais des bas couleur chair et je me rendais compte à présent qu'ils n'étaient pas du tout chair mais presque orange.

Vers minuit, je l'ai croisé en me rendant aux toilettes. Le couloir était étroit et nos mains se sont frôlées. J'étais bien décidée à ne pas lui dire un mot. C'en était fini de nos séances de courses à pied. J'allais demander à être mutée dans une autre équipe. Mais lorsque nos doigts se sont touchés, un courant électrique indéniable est passé entre nous. Il l'a senti aussi car il s'est pétrifié. Nous allions dans des directions opposées. Il regardait vers la salle de restaurant, moi vers les toilettes.

— Alice, a-t-il chuchoté.

Il m'est soudain apparu que je ne l'avais jamais entendu prononcer mon prénom. Jusqu'à cet instant, il m'avait seulement appelée Brown.

— Alice, a-t-il répété d'une voix basse et râpeuse.

Il ne disait pas « Alice » comme s'il voulait me poser une question. Il prononçait mon prénom comme une évidence, un état de fait. Comme si au terme d'un très long voyage – un voyage qu'il n'avait ni voulu ni prévu d'entreprendre – il était arrivé à mon nom, à *moi*. J'ai fixé la porte des toilettes. J'ai lu *Femmes*, *Dona*. J'ai lu *Hommes*, *Uomo*.

Il a touché mes doigts, rien d'accidentel cette fois. Ça a été le plus bref des contacts, un geste privé, destiné à ma seule attention. J'ai posé l'autre main contre le mur pour ne pas perdre l'équilibre, les jambes en coton sous l'effet combiné d'un excès de vin, du soulagement et du désir.

— Oui, ai-je répondu avant de gagner en trébuchant les toilettes.

39. Prends ça.

40. Je ne me souviens pas.

41. Il semble qu'on soit un couple que les autres envient.

42. Redemandez-moi plus tard.

# 39

**Lucy Pevensie**

A étudié à : Oxford.

Né(e) le : 24 avril 1934.

Employeur actuel : Aslan.

Famille : Edward, Peter et Susan.

Profession : Occupée à ne pas se transformer en pierre.

À propos de vous : Les années filent comme des minutes.

Oui, Épouse 22, je crains que la rumeur ne soit fondée. Les récits de ma mort sont grandement exagérés.

• Ici aussi, les rumeurs sont fondées, Chercheur 101. Il existe un autre monde de l'autre côté de l'armoire. Des animaux et des sorcières blanches ont bien été vus, ce n'est pas une exagération.

J'ai adoré lire votre profil.

• Je n'ai pas adoré lire le vôtre, Chercheur 101. Employeur : Centre Netherfield. C'est tout ? Quant à votre photo, je déteste cette petite silhouette. Vous auriez au moins pu utiliser clip art. Quelques touches de jaune peut-être ?

On verra.

• Maintenant que nous sommes amis, nous devrions peut-être régler nos paramètres de confidentialité afin que les gens ne nous trouvent pas.

J'ai déjà verrouillé mon profil. De nouvelles questions arriveront bientôt, par mail. Je refuse de les envoyer par chat.

• Merci d'être descendu dans le terrier pour venir me trouver.

C'est mon travail. Vous pensiez que je ne le ferais pas ?

• Je n'en étais pas sûre. Je sais que Facebook est un grand pas pour vous mais vous pourriez être surpris. Ça pourrait vous plaire. Ça a un côté immédiat que le mail n'a pas. Bientôt, les mails seront une espèce en voie d'extinction, amenée à disparaître, comme les lettres.

J'espère sincèrement que non. Les mails me paraissent civilisés comparés aux textos, publications et Twitts. Qu'est-ce que ce sera ensuite ? Nous communiquerons avec trois mots ou moins seulement ?

• Super idée ! On appellera ça des Twi. Des phrases de trois mots peuvent être très significatives.

Non, elles ne le sont pas.

• Essayons pour voir.

Vaut mieux pas.

• Vous n'êtes pas très doué à ce jeu-là.

Comment votre mari tient-il le coup ? Y a-t-il quelque chose que je puisse faire ?

• Rendez-lui son travail.

Autre chose ?

• Je peux vous poser une question ?

Bien sûr.

• Vous êtes marié ?

Je ne suis pas autorisé à divulguer des informations personnelles.

• Voilà qui explique votre profil. Ou plutôt le manque d'infos de votre profil.

Oui, désolé. Mais l'expérience nous a appris que moins vous en savez sur votre enquêteur, plus vous vous ouvrez.

• Donc, je devrais vous considérer comme la voix de mon GPS ?

C'est ce qu'ils ont fait avant vous.

• Qui ça, Chercheur 101 ?

Les autres sujets, évidemment.

- Des membres de votre famille ?

Je ne peux ni confirmer ni nier cette déclaration.

- Est-ce que vous êtes un programme informatique ?
Dites-moi. Est-ce que je communique avec un ordinateur ?

Peux pas répondre. Batterie bientôt déchargée.

- Regardez-vous. Vous Twi-ez. Je savais que vous en étiez capable.

Dois-je vous signaler quand je dois y aller ou juste écrire *Dois y aller* ? Je ne veux pas être malpoli. Quel est le protocole ?

- C'est DYA, pas « dois y aller ». Et l'avantage des chats, c'est que les longs au revoir qui n'en finissent pas ne sont pas une obligation.

Dommage pour moi qui suis un grand fan des longs au revoir qui n'en finissent pas.

Épouse 22 ?
Épouse 22 ?
Êtes-vous déconnectée ?

- Je prolonge notre au revoir.

**Alice Buckle**
A étudié à : Université du Massachusetts.
Né(e) le : 4 septembre.
Employeur actuel : École élémentaire Kentwood.
Famille : William, Peter et Zoe.
Profession : Occupée à essayer de ne pas se transformer en pierre.
À propos de vous : Les minutes filent comme des années.

**Henry Archer > Alice Buckle**
La ferme, maintenant. Ça va, on a compris qu'il n'a pas plu en Californie depuis des mois.
Il y a 4 minutes

**Nedra Rao > Kate O'Halloran**
Tu m'as captivée.
Il y a 13 minutes

**Julie Staggs**
Est-ce de la maltraitance d'attacher les pieds et les mains de sa fille aux montants de son lit avec des rubans Hello Kitty ? Je plaisante !!!
Il y a 23 minutes

**William Buckle**
Libre
Il y a 1 heure

DEUXIÈME PARTIE

## 41

William s'est fait licencier. Il n'a pas reçu de réprimande, ni d'avertissement. Il n'a pas été rétrogradé mais licencié. Au beau milieu d'une crise économique. Au beau milieu de nos vies. Je hurle :

— Qu'est-ce que tu as fait ?

— Comment ça, qu'est-ce que *j'ai* fait ?

— Pour qu'ils te virent ?

Il affiche un air horrifié.

— Merci pour ta compassion, Alice. Je n'ai rien fait du tout. Il n'a été question que de licenciement.

C'est ça, de licenciement parce que tu as pété un câble au boulot. Parce que tu n'as pas su la fermer quand il fallait, si tu veux mon avis.

— Appelle Frank Potter. Dis-lui que tu travailleras pour un salaire revu à la baisse. Dis-lui que tu es prêt à faire n'importe quoi.

— Je ne peux pas, Alice.

— La fierté est un luxe qu'on ne peut pas se permettre, William.

— La fierté n'a rien à voir là-dedans. Je n'ai pas ma place à KKM. Ça ne marche plus. C'est peut-être un mal pour un bien. Si ça se trouve, c'est le coup de pied dans le cul qu'il me fallait, qui va m'aider à ouvrir les yeux sur ma vie.

— Tu te fous de moi. On ne peut pas se permettre d'ouvrir les yeux non plus !

— Au contraire. On ne peut pas se permettre de les garder fermés.

— Est-ce que tu as lu Eckhart Tolle ? (Je pleure.)

— Bien sûr que non. Il y a longtemps, nous avons fait le pacte de ne pas vivre nos vies dans l'instant.

— On a passé un tas de pactes. Ouvre – on étouffe ici.

Nous sommes installés dans la voiture, garée dans l'allée. C'est le seul endroit où nous pouvons discuter en privé. Il démarre la voiture et descend la vitre. Mon CD de Susan Boyle se met à tourner et *I Dreamed a Dream In Time Gone By* s'échappe des haut-parleurs à plein volume.

— Bon Dieu ! s'écrie William en coupant net.

— C'est ma voiture. Tu n'as pas le droit de censurer ma musique.

Je remets le CD. *I Dreamed That Love Would Never Die.* Oh, ben d'accord ! Je l'éteins.

— Tu me tues avec cette soupe, grogne William.

J'ai envie de courir à mon ordinateur pour y faire de nouvelles projections budgétaires. Des projections jusqu'en 2040. Mais je sais ce qu'elles révéleront : avec toutes nos dépenses – y compris les chèques que l'on envoie à nos pères respectifs tous les mois pour augmenter un peu leur maigre pension –, dans six mois, nous serons dans le rouge vermillon.

— Tu as quarante-sept ans.

— Tu as quarante-quatre ans, rétorque-t-il. Où veux-tu en venir ?

— Il va falloir que tu te teignes les cheveux, dis-je en regardant ses tempes grisonnantes.

— Pourquoi ça ?

— Parce que retrouver un travail va être super difficile. Tu es trop vieux. Tu coûtes trop cher. Personne ne voudra t'embaucher. Pour la moitié de ton salaire, ils engagent des jeunes de vingt-huit ans sans enfants et sans emprunts qui utilisent Facebook et Twitter les yeux fermés.

— J'ai un profil Facebook, réplique-t-il. Je ne passe pas ma vie dessus, c'est tout.

— Non, tu y annonces simplement au monde entier que tu t'es fait virer.

— «Libre» peut être interprété de différentes façons. Écoute, Alice, je suis désolé que ça t'effraie mais il y a des moments dans la vie où il faut sauter le pas. Et quand tu n'as pas le courage de sauter, eh bien, il arrive que quelqu'un vienne te pousser par la fenêtre.

— Tu es en train de lire Eckhart Tolle ! Qu'est-ce que tu fais d'autre derrière mon dos ?

— Rien, répond-il d'un ton morne.

— Donc, tu étais malheureux au travail, c'est ça que tu es en train de me dire ? Et qu'est-ce que tu veux faire mainte-nant ? Quitter carrément la pub ?

— Non, j'ai juste besoin de changement.

— Quel genre de changement ?

— Je veux bosser sur des campagnes qui me tiennent à cœur. Je veux vendre des produits auxquels je crois.

— Tout ça c'est très bien. Qui ne le voudrait pas ? Mais dans la conjoncture actuelle, j'ai bien peur que ce ne soit qu'une chimère.

— Probablement. Mais qui a dit qu'on ne pouvait plus poursuivre des chimères ?

Je fonds en larmes.

— S'il te plaît, ne pleure pas.

— Pourquoi tu pleures ? demande Peter qui est apparu comme par enchantement à la portière.

— Rentre à la maison, Peter. C'est une conversation pri-vée, s'exclame William.

— Reste. Il le découvrira tôt ou tard. Ton père a été licencié.

— Licencié comme viré ?

— Non, licencié comme licencié. Il y a une différence, réplique William.

— Ça veut dire que tu seras plus souvent à la maison ? demande Peter.

— Oui.

— On peut le dire aux gens ?

— Quels gens ? je lui demande.

— Zoe.

— Zoe n'est pas « les gens ». Elle est de la famille.

— Non, elle fait partie des gens. Nous l'avons perdue au profit des autres depuis longtemps, affirme William. Écoute, tout ira bien. Je vais trouver un autre boulot. Fais-moi confiance. Va chercher ta sœur, dit-il à Peter. On va dîner dehors.

— On va fêter ton renvoi ?

— Licenciement. Et je préfère que nous le considérions comme un nouveau départ, pas une fin.

J'ouvre ma portière.

— Nous n'allons nulle part. Il faut manger les restes, sinon ils vont pourrir.

Cette nuit-là, je ne trouve pas le sommeil. Je me réveille à 3 heures du matin et pour le plaisir, décide de me peser. Et pourquoi pas, hein ? Qu'est-ce que j'ai d'autre à faire de toute façon ? cinquante-neuf kilos. J'ignore comment mais j'ai perdu trois kilos et demi ! Je suis sous le choc. Les femmes de mon âge ne perdent pas trois kilos et demi par magie. Je n'ai pas fait de régime, même si je paye toujours mon abonnement mensuel au programme en ligne Weight Watchers que je devrais vraiment résilier maintenant. Et en dehors de ma pitoyable tentative avec Caroline, je n'ai pas fait de sport depuis des semaines. Même si les autres occupants de ma maison s'entraînent comme des malades. Entre Zoe et ses sept cent cinquante abdos par jour, William et Caroline qui courent huit kilomètres, peut-être que je brûle des calories par procuration. Ou alors j'ai un cancer de l'estomac. Ou alors c'est la culpabilité. C'est ça. Je suis le régime de la culpabilité et je ne le savais même pas ! Quelle idée géniale pour un livre ! Les manuels de régimes se vendent à la pelle. Je me demande si quelqu'un d'autre y a déjà songé.

RECHERCHE GOOGLE : « culpabilité + régime »
Environ 9 850 000 résultats (0,17 seconde)

Mères qui travaillent... culpabilité
Je ressens une petite pointe de culpabilité chaque fois que la femme de ménage lave mes draps pendant que je suis en train de manger des plats hors de prix chez Flora...

Sushis sans culpabilité
Manger des sushis sans culpabilité peut se révéler compliqué...

Je suis bien une mère qui travaille mais je ne me suis jamais sentie coupable de travailler, et Zoe ne m'autorise pas à manger des sushis, du moins pas les sushis de poissons surexploités comme le poulpe, pourtant pas en détresse selon moi. Mais – hourra ! – je ne trouve pas sur Internet de livres sur le régime par la culpabilité.

Je partage cette info avec Jampo, assis à mes pieds :

— C'est une affaire qui roule !

Je m'écris une note pour me rappeler d'étudier le régime par la culpabilité plus en profondeur au matin ; je suis certaine qu'à ce moment-là, ça me paraîtra être l'idée la plus ridicule du siècle, mais on ne sait jamais.

Je me connecte à Facebook et vais faire un tour sur le mur de William. Il n'y a pas de nouvelle mise à jour, ce qui, bizarrement, me déçoit. Qu'est-ce que j'espérais qu'il publierait ?

**William Buckle**
Ma femme m'a forcé à écouter Susan Boyle mais comme je me suis fait virer, c'est bien fait pour moi.

**William Buckle**
Ma femme a l'air plus mince sans explication. Je la soupçonne d'ingérer des vers solitaires.

Ou plus certainement un truc du genre :

**William Buckle**
« Le passé n'a aucun pouvoir sur le moment présent. » Eckhart Tolle.

## 42

43. Après cette soirée pour fêter le Clio Award de William, s'ensuivirent trois semaines de torture. Trois semaines au cours desquelles William m'ignora avec splendeur. Nos rencontres sportives à l'heure du déjeuner cessèrent brutalement. S'il devait me parler, il évitait de croiser mon regard et s'adressait à moi en fixant mon front, ce qui était profondément perturbant et me faisait sortir des idioties du genre : « Selon notre groupe de discussion, ce que les gens (les femmes) attendent vraiment d'un papier toilette, c'est qu'il ne se déchire pas pendant que vous vous essuyez, compte tenu du fait que les hommes se lavent moins les mains que les femmes, et que lorsqu'ils se les lavent, la plupart du temps ils n'utilisent pas de savon. » Il s'était également remis à m'appeler Brown. Du coup, une seule conclusion s'imposait : il était (tout comme moi) soûl ce soir-là et n'avait aucun souvenir de l'incident du frôlement de doigts devant les toilettes. Ou alors, une fois dessoûlé, il avait eu honte de m'avoir reluquée toute la soirée et faisait son possible pour prétendre que ce n'était jamais arrivé.

Pendant ce temps, Helen et lui étaient collés à la glu. Au moins trois fois par jour, elle déboulait dans son bureau et fermait la porte derrière elle. Chaque soir, elle venait le chercher et ils partaient boire des cocktails Rob Roys à l'hôtel Copley, ou allaient assister à une soirée branchée à l'Isabella Gardner Museum.

Et un jour, alors que je venais d'accepter l'invitation d'une amie à un rendez-vous arrangé, j'ai reçu ce mail :

De : Williamb <williamb@peaveypatterson.com>
Objet : Tom Kha Gaï
Date : 4 août ; 10 h 01
À : Alicea <alicea@peaveypatterson.com>

Comme vous l'avez sans doute remarqué, je suis malade et coincé chez moi depuis deux jours. Je meurs d'envie de manger une soupe Tom Kha Gaï. Vous voulez bien m'en apporter une ? Prenez-la au *Roi et moi*, pas au *Roi de Siam*. Un jour, une souris s'est faufilée entre mes pieds pendant que je mangeais au *Roi de Siam*. Merci beaucoup. 54, Acorn Street, 2ᵉ étage, appartement 203.

De : Alicea <alicea@peaveypatterson.com>
Objet : Re : Tom Kha Gaï
Date : 4 août ; 10 h 05
À : Williamb <williamb@peaveypatterson.com>

C'est à *la Princesse de Bangkok* sur Beacon Hill que l'on trouve la meilleure Tom Kha Gaï. Le *Roi et moi* est bon deuxième. Je peux transférer votre envie de soupe à Helen qui est, à n'en pas douter, la véritable destinataire de votre demande.

De : Williamb <williamb@peaveypatterson.com>
Objet : Re : Tom Kha Gaï
Date : 4 août ; 10 h 06
À : Alicea <alicea@peaveypatterson.com>

Vous êtes la destinataire de ma demande.

178

De : Alicea <alicea@peaveypatterson.com>
Objet : Re : Tom Kha Gaï
Date : 4 août ; 10 h 10
À : Williamb <williamb@peaveypatterson.com>

Voyons voir si j'ai bien compris. Parce que vous avez une envie irrésistible de Tom Kha Gaï, je dois quitter le travail au milieu de la journée et traverser le pont pour vous livrer votre soupe à domicile ?

De : Williamb <williamb@peaveypatterson.com>
Objet : Re : Tom Kha Gaï
Date : 4 août ; 10 h 11
À : Alicea <alicea@peaveypatterson.com>

Oui.

De : Alicea <alicea@peaveypatterson.com>
Objet : Re : Tom Kha Gaï
Date : 4 août ; 11 h 23
À : Williamb <williamb@peaveypatterson.com>

Et pourquoi ferais-je ça ?

Il n'a pas répondu, c'était inutile. Le pourquoi était parfaitement clair pour l'un comme pour l'autre.

Quarante-cinq minutes plus tard, j'ai frappé chez lui.
— Entrez, a-t-il crié.
Du pied, j'ai poussé la porte, serrant contre moi un sac en papier contenant deux gobelets en plastique de soupe Tom Yung Goong. Il était assis sur le canapé, les cheveux humides, les pieds nus, vêtu d'un T-shirt blanc et d'un jean. Jamais je ne l'avais vu porter autre chose qu'un costume ou un short de course. Dans sa tenue décontractée,

il paraissait plus jeune et bizarrement, plus arrogant. S'était-il douché pour moi ?

— J'ai de la fièvre, a-t-il dit.

— Et moi, j'ai Tom.

— Tom ?

— Tom Yung Goong.

— Tom Kha Gaï n'a pas pu venir ?

— Arrêtez de vous plaindre. Ça reste une soupe thaï qui commence par Tom et j'ai parcouru presque un kilomètre à pied pour vous l'apporter. Où sont vos bols ? Alors que je passais à côté de lui pour me rendre à la cuisine, il m'a attrapée par le bras et m'a attirée à côté de lui sur le canapé. Tous les deux étonnés, nous nous sommes regardés avec intensité comme si nous assistions à un cours magistral.

— Je n'ai pas envie d'être malade, ai-je dit.

— J'ai rompu avec Helen.

Il a légèrement déplacé sa jambe et nos genoux se sont touchés. Était-ce intentionnel ? Ensuite, il a bougé sa cuisse et l'a pressée contre la mienne. Oui, c'était intentionnel.

— On ne dirait pas que vous avez rompu, ai-je répliqué. Elle vit pratiquement dans votre bureau.

— Nous avons dû négocier les termes de notre rupture.

— Quels termes ?

— Elle ne voulait pas rompre. Moi oui.

— On ne peut pas faire ça, ai-je dit tout en songeant : *Presse ta cuisse plus fort contre la mienne.*

— Pourquoi pas ?

— Vous êtes mon patron.

— Et...

— Et il y a une différence hiérarchique.

Il a éclaté de rire.

— C'est ça. Une différence hiérarchique entre nous. Vous êtes une pauvre créature faible et soumise. Qui marche sur la pointe des pieds au bureau.

— Oh, mon Dieu !

— Dites-moi d'arrêter et j'arrêterai.

— Arrêtez.

— Alice.

— Ne vous fichez pas de moi. Ne m'appelez pas Alice, sauf si vous le pensez. Qu'est-il arrivé à Brown ?

— C'était pour ma sécurité.

— Votre sécurité ?

— Loin de vous. Vous, Alice. Bon sang ! Vous !

Alors il s'est tourné et s'est penché pour m'embrasser et j'ai pu sentir la fièvre qui le tenaillait et j'ai pensé : *Non, non, non* jusqu'à ce que je me dise : *Oui, espèce d'enfoiré, oui.*

C'est à ce moment précis que la porte s'est ouverte et qu'Helen est entrée avec un sac plastique du *Roi de Siam* ; visiblement, elle n'était pas au courant des problèmes de rongeurs du restaurant. Ma surprise a été telle que j'ai poussé un petit cri et bondi à l'autre bout du canapé.

Helen a eu l'air tout aussi surprise.

— Espèce d'enfoiré ! a-t-elle crié.

J'étais perdue. Avais-je traité William d'enfoiré à voix haute ? M'avait-elle entendue ? J'ai demandé :

— Est-ce qu'elle parle de moi ?

— Non, de moi, a répondu William en se levant.

— Ton assistante m'a dit que tu étais malade. Je t'ai apporté du Pad Thaï, a expliqué Helen, le visage tordu par la colère.

— Tu m'as dit que vous aviez rompu, ai-je lancé à William. Il m'a dit que vous aviez rompu, ai-je dit en me tournant vers Helen.

— Hier ! Ça ne fait même pas vingt-quatre heures !

— Écoute, Helen… a commencé William.

— Espèce de garce.

— Est-ce qu'elle parle de moi ? ai-je demandé.

— Oui, là elle parle de toi, a soupiré William.

181

Jamais encore on ne m'avait traitée de garce.

— Ce n'est pas très gentil, Helen, a-t-il dit.

J'ai tenté de mon côté :

— Je suis désolée, Helen.

— La ferme ! Tu lui cours après comme une chienne en chaleur.

— Je t'ai dit que c'était arrivé comme ça. Aucun d'entre nous ne l'a cherché.

— C'est censé me consoler ? Nous étions presque fiancés ! Il y a un code entre femmes. On ne pique pas le mec d'une autre, espèce de salope, m'a-t-elle sifflé.

— Je crois que je ferais mieux d'y aller.

— Tu fais une grosse erreur, William. Tu la trouves très forte et sûre d'elle. Mais ça ne durera pas. C'est de la comédie. À la moindre difficulté, elle s'enfuira. Elle disparaîtra.

Je n'avais aucune idée de ce dont parlait Helen. S'enfuir et disparaître, c'était bon pour les drogués et les gens en pleine crise de la quarantaine – pas pour les femmes de vingt-trois ans. Mais plus tard, je repenserais à ce moment et me rendrais compte que les paroles d'Helen étaient étrangement prophétiques.

— Je t'en prie, assieds-toi et discutons, a proposé William.

Les yeux d'Helen se sont remplis de larmes. William s'est approché d'elle, a passé le bras autour de son épaule et l'a conduite au canapé. *Reviens ce soir*, m'a-t-il murmuré.

Je me suis glissée par la porte en silence.

44. S'épiler les sourcils. Se passer le fil dentaire. Se curer les dents. Payer les factures. Parler d'argent. Parler de sexe. Parler des enfants ayant des rapports sexuels.

45. En deuil.

46. Évidemment. Est-ce que ce n'est pas le cas de tout le monde ? Vous voulez des détails, je sais. Très bien, voici des exemples : quand je dis que j'ai changé les

draps (alors qu'en fait je ne change que les taies d'oreillers). Que ce n'est pas moi qui ai mis les couteaux des grandes occasions dans le lave-vaisselle alors qu'il faut les laver à la main, et d'ailleurs je n'ai pas besoin qu'on me dise que les couteaux des grandes occasions sont ceux avec le manche noir – je ne suis pas débile, juste pressée. Quand je dis ne pas avoir faim au moment du dîner (si je n'ai pas faim c'est parce que je me suis enfilé un paquet entier de cookies une heure avant que tout le monde ne rentre à la maison). Qu'il me faut cinq soirs pour boire une bouteille de vin (dans ce cas, pourquoi y a-t-il deux bouteilles vides dans la poubelle de verre ?). Que quelqu'un a défoncé mon rétro extérieur sur le parking de Lucky's – un crétin maladroit – et que ce n'est pas arrivé alors que je sortais du garage. À part ça, non, pas là où on pourrait s'y attendre. Nous n'avons jamais eu de problèmes de ce côté-là.

# 43

 **John Yossarian** a changé la photo de son profil

- Vous avez une ressemblance frappante avec un yéti, Chercheur 101.

Eh bien merci, Épouse 22. J'espérais que vous diriez ça.

- Cependant, on dirait que vous avez une oreille qui-ne-fait-pas-du-tout-yéti qui vous pend de la tête.

Ce n'est pas une oreille.

- En fait, ça ressemble plus à une oreille de lapin.

En fait, c'est un bonnet.

- Je change d'avis. Vous ressemblez étrangement à Donnie Darko. On ne vous l'a jamais dit ?

C'est exactement la raison pour laquelle je n'avais pas mis de photo au début.

• Peut-on parler du pantalon orange ?

Non, on ne peut pas.

• D'accord, alors parlons de la question n° 45. Je n'arrête pas d'y penser. Elle était très difficile.

Dites-m'en plus.

• Eh bien, au début, j'ai cru que ce serait facile. La réponse serait « en deuil », évidemment. Mais après réflexion, je me demande si « en stagnation » ne serait pas une meilleure réponse.

Ça vous intéressera de savoir que les sujets répondent souvent de la même façon que vous, en commençant par dire ce qui semble évident, puis s'efforçant de trouver une réponse plus nuancée. Pourquoi la stagnation ?

• Parce que d'une certaine manière, la stagnation est une cousine du deuil, sauf que plutôt que de mourir d'un coup, on meurt un petit peu tous les jours.
Hou ! hou !… Y a quelqu'un ?

Je suis là. Je réfléchissais, c'est tout. Ça me paraît sensé, surtout compte tenu de votre réponse à la question n° 3. *Une fois par semaine.* Et celle à la question n° 28 : *Une fois par an.*

• Vous avez mémorisé toutes mes réponses ?

Bien sûr que non. J'ai votre dossier sous les yeux. Voulez-vous que je change votre réponse par « en stagnation » ?

- Oui, s'il vous plaît. C'est plus sincère. Contrairement à la photo de votre profil.

Je n'en suis pas si sûr. D'après mon expérience, la vérité est souvent floue.
Épouse 22 ?

- Désolée, mon fils m'appelle. DYA.

# 44

**Alice Buckle**
Enfant malade.
Il y a 1 minute

**Caroline Kilborn**
Pieds en compote : 56 km dans la semaine !
Il y a 2 minutes

**Phil Archer**
Aimerait que sa fille RALENTISSE et lui envoie des textos de temps en temps.
Il y a 4 minutes

**École élémentaire John F. Kennedy**
Merci de garder également à l'esprit que les habits qui leur allaient l'année dernière pourraient être indécents cette année en raison de leur croissance.
Il y a 3 heures

**École élémentaire John F. Kennedy**
Parents : veuillez vous assurer que les parties intimes et les sous-vêtements de vos enfants ne sont pas

visibles lorsqu'ils quittent leur domicile. Cela est **votre** responsabilité.

Il y a 4 heures

**William Buckle**
« Parmi les périls infinis de la vie, se trouve la sécurité. » Goethe.

Il y a 1 jour

Parmi mes meilleurs souvenirs d'enfance, il y a les fois où j'étais malade. Je me traînais du lit au canapé, mon oreiller sous le bras. Ma mère me recouvrait d'une couverture afghane. D'abord, je regardais plusieurs épisodes de *Love, American Style* à la suite, puis le *Lucy Show*, le *Mary Tyler Moore Show* et enfin *Le Juste Prix*. Pour le déjeuner, ma mère m'apportait des toasts beurrés, du soda au gingembre dégazéifié et des quartiers de pomme. Entre deux émissions, je vomissais dans un seau que ma mère avait ingénieusement posé à côté du canapé au cas où je n'aurais pas le temps d'arriver aux toilettes.

Grâce à la médecine moderne, un rhume passe désormais en général en vingt-quatre heures, du coup, lorsque Peter se réveille avec de la fièvre, j'ai l'impression qu'on m'offre une journée de repos. Juste au moment où nous nous pelotonnons sur le canapé, William entre dans le salon en tenue de jogging.

— Je ne me sens pas très bien non plus, se plaint-il.

Je soupire.

— Tu ne peux pas être malade toi aussi. Pedro est malade.

— C'est sans doute pour ça que je suis malade.

— C'est peut-être toi qui m'as contaminé, réplique Peter.

Je pose la main sur le front de mon fils.

— Tu es brûlant.

William attrape mon autre main et la pose sur son front.

— 37,2 °C, 37,7 °C maxi, dis-je.

— Si papa est malade, est-ce que ça veut dire qu'on va devoir regarder la chaîne culinaire ? demande Peter.

— Le premier malade tient la télécommande.

— Je suis trop malade pour regarder la télé de toute façon, rétorque William. J'ai des vertiges. Je me demande si ce n'est pas une histoire d'oreille interne. Je vais faire une sieste. Réveillez-moi quand *La Comtesse aux pieds nus* commencera.

J'ai une vision du déroulement des prochains jours à ce rythme-là. William assis sur le canapé, moi réfléchissant à des raisons de quitter la maison sans lui, des raisons qui ont toutes un rapport avec les parties féminines. Besoin urgent de serviettes hygiéniques, rendez-vous pour un frottis vaginal, conférence sur les hormones bio-identiques.

— Est-ce que tu pourrais m'apporter des toasts dans une demi-heure ? demande William en montant les escaliers.

Me sentant coupable, je lui propose :

— Tu voudras du jus d'orange aussi ?

— Ce serait sympa, oui, répond la voix désincarnée.


*Sixième sens* est mon film préféré de tous les temps. Je n'aime pas les films d'horreur mais j'adore les thrillers psychologiques. J'adore les rebondissements et les coups de théâtre. Malheureusement, jusqu'à présent, personne chez moi ne voulait regarder ces films avec moi. Aussi, lorsque Peter était en CM1 et lisait la série des *Captain Underpants* pour la onzième fois, j'ai démarré un club de lecture mère-fils. En réalité, c'était plus le club d'une mère tentant d'inciter son fils à regarder des thrillers avec elle. D'abord, je lui ai lu *La Loterie* de Shirley Jackson.

— *La Loterie* parle des politiciens des petites villes, ai-je expliqué à William.

— C'est aussi à propos d'une mère qui plane totalement devant ses enfants, a-t-il répliqué.

— Laissons Peter décider, ai-je répondu. La lecture est une expérience très subjective.

Peter a lu la dernière phrase du livre à voix haute « et alors ils étaient sur elle ». Il a haussé les épaules et est retourné lire une nouvelle aventure de *Captain Underpants*. C'est là que j'ai su qu'il avait un vrai potentiel. En CM2, je lui ai fait lire *Ceux qui partent d'Omelas*, d'Ursula K. Le Guin, et en 6ᵉ, *Les braves gens ne courent pas les rues*, de Flannery O'Connor. À chaque nouvelle histoire, il s'endurcissait un peu plus et aujourd'hui, au printemps de sa douzième année, mon fils est enfin prêt pour *Sixième sens* !

Je commence à télécharger le film sur Netflix.

— Tu vas adorer. Le garçon file vraiment la frousse. Et il y a un incroyable retournement de situation à la fin, lui dis-je.

— Ce n'est pas un film d'horreur, hein ?

— Non, c'est ce qu'on appelle un thriller psychologique.

Une demi-heure plus tard, je lui dis :

— Alors, c'est cool, non ? Il voit des morts.

— Je ne suis pas sûr d'aimer ce film, grogne Peter.

— Attends. C'est encore mieux après.

Quarante-cinq minutes plus tard, Peter demande :

— Pourquoi il manque la moitié de son crâne à ce garçon ?

Vingt minutes plus tard :

— La mère empoisonne sa fille en mettant de l'encaustique dans sa soupe. Tu m'as dit que ce n'était pas un film d'horreur.

— Ce n'en est pas un. Promis. En plus, tu as lu *Les braves gens ne courent pas les rues*. Le désaxé y assassine les familles une à une. C'était bien pire que ça.

— C'est différent. C'est une nouvelle. Il n'y a pas d'images ni de musiques angoissantes. Je ne veux plus regarder ça.

— Tu as regardé jusque-là. Tu dois voir la fin. En plus, tu n'as pas encore vu le rebondissement. Ça remet tout en question.

Quinze minutes plus tard, après le grand coup de théâtre, provoquant de ma part des applaudissements à foison et des exclamations du genre : « Tu as vu, c'est incroyable, tu as compris ? Tu n'as pas compris, attends, je t'explique. Je vois des gens morts ? Bruce Willis est mort en fait ! Il l'est depuis le début du film ! »

— Je n'arrive pas à croire que tu m'aies forcé à regarder ce film. Je devrais te dénoncer.

— À qui ?

— À papa.

Mon club de lecture mère-fils ne démarre pas sous les meilleurs auspices.

— Je vais dormir sur le canapé, annonce William ce soir-là. Je suis peut-être contagieux. Je ne veux pas te refiler ma crève.

— C'est très attentionné de ta part.

William tousse. Et tousse encore.

— C'est peut-être un rhume mais ça pourrait être plus grave.

— Mieux vaut être prudent.

— Lequel es-tu en train de lire ? demande-t-il en désignant la pile de livres sur ma table de chevet.

— Tous.

— En même temps ?

Je hoche la tête.

— Ils me servent de somnifères. Je ne peux pas me permettre d'être somnambule.

Je lis une page et je m'endors. Quelques heures plus tard, je suis réveillée par Peter qui me secoue l'épaule.

— Je peux dormir avec toi, j'ai peur, renifle-t-il.

J'allume la lampe et murmure :

— Je vois des gens vivants.

— C'est pas drôle.

Il est au bord des larmes.

— Je sais, mon cœur. Je suis désolée.

Je relève les couvertures du côté de William, me sentant étonnamment triste qu'il ne soit pas là.

— Allez, grimpe.

# 45

 **John Yossarian** a changé sa photo de profil

**John Yossarian** est en couple et c'est compliqué.

**John Yossarian** a ajouté *Piña Coladas* à ses intérêts.

- Vous êtes toujours flou, Chercheur 101.

Je croyais que ça vous plairait. Je remplis les données de mon profil.

- *C'est compliqué* est un incontournable des relations amoureuses.

Facebook n'offre que certains choix. J'ai dû en faire un, Épouse 22.

- Si vous pouviez écrire votre propre statut Situation amoureuse, quel serait-il ? Je vous suggère de répondre

192

à cette question sans trop y réfléchir. J'ai découvert que les réponses à brûle-pourpoint étaient les plus honnêtes.

Marié, se posant des questions, plein d'espoir.

• Je savais que vous étiez marié ! Et je sais que tout ce que vous dites entre dans la catégorie « C'est compliqué ».

Et vous, si vous pouviez écrire votre statut, quel serait-il ?

• Mariée, se posant des questions.

Pas pleine d'espoir ?

• Eh bien, c'est ce qui est bizarre. Je suis pleine d'espoir, mais je ne suis pas sûre que cet espoir soit lié à mon mari. Pour le moment en tout cas.

À quoi est-il lié alors ?

• Je ne sais pas. C'est une sorte d'espoir libre.

Ah... un espoir libre.

• Vous n'allez pas me faire la morale afin que je redirige mon espoir vers mon mari ?

On ne peut pas diriger l'espoir. Il va là où il va.

• Exact. Mais c'est bien que vous ayez de l'espoir pour votre mariage.

Ce n'est pas exactement ce que j'ai dit.

- Qu'avez-vous dit ?

Je ne sais pas très bien.

- Comment ça ?

Je veux dire que j'espère avoir de l'espoir. À un moment donné dans l'avenir.

- Donc vous n'en avez pas en ce moment ?

C'est un peu dans le flou.

- Je vois. Dans le flou comme votre photo de profil.

J'espère avoir d'autres conversations de ce genre.

- Je croyais que vous n'aimiez pas chatter.

J'aime chatter avec *vous*. Et puis je m'y habitue. Mes pensées sortent plus vite... mais à quel prix ?

- Comment ça ?

Quand on va vite, on est désinhibé. Voyez la première phrase du commentaire précédent.

- Et ça vous inquiète.

Eh bien, oui.

- Avec la rapidité vient aussi la vérité.

Une certaine vérité.

- Vous ressentez toujours le besoin d'être précis, pas vrai, Chercheur 101 ?

C'est le propre même d'un enquêteur.

- Ça ne me plaît pas de vous imaginer en buveur de cocktails glacés à la noix de coco super sucrés.

Vous ratez quelque chose, Épouse 22.

# 46

— Ce ne serait pas Jude, là-bas ? je demande.

— Où ça ?

— Dans le rayon des produits capillaires ?

— Ça m'étonnerait, répond Zoe. Il ne s'occupe pas du tout de ses cheveux. C'est son côté auteur-interprète.

Zoe et moi nous trouvons au drugstore Rite Aid. Zoe a besoin de tympans et moi je cherche le parfum que je mettais quand j'étais ado. Mes échanges avec Chercheur 101 sont teintés d'une touche de flirt qui me donne l'impression d'avoir vingt ans de moins. Je fantasme sur lui et imagine à quoi il ressemble. Pour l'instant, il est un mélange de Tommy Lee Jones jeune et de Colin Firth, en d'autres termes, il est un Colin Firth impie au teint plus hâlé, aux cheveux légèrement plus bouclés.

— Excusez-moi, dis-je à une vendeuse qui réapprovisionne un rayon. Est-ce que vous avez un parfum qui s'appelle Love's Musky Jasmine ?

— Nous avons Love's Baby Soft, répond-elle. Allée numéro sept.

— Non, je ne veux pas Baby Soft. Je cherche Musky Jasmine.

Elle hausse les épaules.

— Nous avons Circus Fantasy.

— Quel est l'imbécile qui a appelé un parfum Circus Fantasy ? demande Zoe. Qui voudrait sentir la cacahuète et le crottin de cheval ?

— Britney Spears, répond la vendeuse.

— Tu ne devrais pas porter ce genre de parfum de synthèse, de toute façon, maman. C'est égoïste. Ça pollue l'atmosphère. Et les gens avec HCM, alors ? Tu as pensé à eux ?

— J'aime les trucs synthétiques, ça me rappelle le lycée. Mais apparemment, ils ne le fabriquent plus. C'est quoi, HCM ?

— Hypersensibilité chimique multiple.

Je lève les yeux au ciel.

— Quoi ? C'est une affection qui existe, affirme Zoe.

Je demande alors à la vendeuse :

— Et le shampoing « Wouah, tes cheveux sentent super bon », vous l'avez ?


Depuis quand les tampons sont-ils devenus si chers ? Heureusement, j'ai un bon de réduction. Je regarde le bout de papier, plisse les yeux, et le tends à Zoe.

— Je n'arrive pas à lire ça. Combien de boîtes faut-il que nous achetions ?

— Quatre.

— Il n'y en avait que deux dans le rayon, dis-je au caissier. Mais notre coupon est valable pour quatre.

— Alors il faut que vous en achetiez quatre, dit-il

— Je viens de vous dire qu'il n'y en avait que deux.

— Maman, c'est bon. On n'en prend que deux, murmure Zoe. Il y a la queue.

— C'est deux dollars de réduction par boîte. Ce n'est pas bon. Nous utilisons le coupon de réduction. Nous sommes une famille à coupons maintenant.

Je me tourne vers le caissier :

— Vous me faites un avoir ?

Il fait claquer son chewing-gum puis s'empare du micro.

— J'ai besoin d'un bon pour un avoir, dit-il. Tampax.

Il attrape la boîte de tampons et l'examine.

— Il y a des tailles sur ces trucs-là ? C'est marqué où ? Ah oui, c'est là. Tampax Super Plus. Quatre boîtes, annonce-t-il à l'ensemble du magasin.

— Deux, je murmure.

Zoe grogne d'embarras. Je pivote et remarque Jude dans la file des personnes derrière nous. C'était bien lui. Il lève la main d'un air gêné et me fait signe.

Après que le caissier a compté nos achats et m'a donné l'avoir, Zoe détale comme un lapin du magasin.

— Je parie que ta mère ne t'a jamais fait un coup pareil, me siffle-t-elle en marchant cinq mètres devant moi. Des sacs en plastique bon marché. On voit à travers. Tout le monde sait exactement ce que tu as acheté.

— Personne ne regarde.

Nous arrivons à la voiture et je songe que j'aurais donné n'importe quoi pour que ma mère m'humilie en achetant trop de boîtes de tampons quand j'avais l'âge de Zoe.

— Salut, Zo, dit Jude en nous rattrapant.

Elle l'ignore. Le visage de Jude se décompose et j'éprouve de la peine pour lui.

— Ce n'est pas le bon moment, Jude, dis-je.

— Ouvre la voiture, ordonne Zoe.

— J'ai appris pour le boulot de ton père, continue Jude. Je voulais te dire que je suis désolé.

Je vais tuer Nedra. Je lui ai fait jurer de ne dire à personne hormis Kate que William s'est fait licencier.

— Nous sommes pressées, Jude. Zoe et moi allons déjeuner, dis-je en jetant mon sac à main sur la banquette arrière.

— Oh... chouette. C'est un truc mère-fille alors.

— Oui, un truc mère-fille. (Je monte dans la voiture.)

Même si la fille ne veut rien avoir à faire avec la mère.

Une fois assise, je règle le rétroviseur et observe Jude retourner dans le magasin. Ses épaules saillent sous son

T-shirt de manière poignante. Il a toujours été anguleux. On dirait qu'il mesure un mètre quatre-vingt-deux. Oh, Jude...

— Je n'ai pas faim, lâche la fille.

— Tu auras faim quand nous y serons, rétorque la mère.

— On n'a pas les moyens de manger en ville, proteste la fille. Nous sommes une famille à coupons.

— Oui, rentrons à la maison manger des gâteaux secs, conclut la mère. Ou des miettes de pain.

Dix minutes plus tard, nous sommes installées sur une banquette du Rockridge Diner.

— Est-ce que ça t'ennuie ? Que Jude fasse comme si rien ne s'était passé ? Qu'il te suive ? Je peux prendre une gorgée de ton thé ?

Zoe me tend sa tasse.

— Ne souffle pas dessus. Je déteste ça quand tu souffles sur mon thé alors qu'il n'est plus chaud. Tu n'as pas le droit de nous juger Jude et moi.

— Gel capillaire et pince à épiler.

— Quoi ?

— C'est ce qu'il y avait dans son sac.

Zoe pousse un grognement.

— Sandwich jambon-fromage et sandwich beurre de cacahuètes et confiture, lance la serveuse en posant nos plats sur la table avec un sourire pour Zoe. On n'est jamais trop vieux pour un bon sandwich beurre de cacahuètes et confiture. Tu veux un verre de lait avec, ma puce ?

Zoe lève les yeux sur notre serveuse qui doit avoir la soixantaine bien tassée. Nous venons au Rockridge Diner depuis toujours et c'est toujours elle qui s'occupe de nous. Elle a connu Zoe à toutes les étapes de sa vie : en nourrisson qui carbure au lait, en bébé qui jette ses frites, en petite de maternelle qui joue aux Lego, en élève de CM2 qui lit *Harry Potter*, en collégienne renfrognée et maintenant en adolescente vêtue de fripes.

— Merci, Evie, ce serait chouette.

— Pas de problème, répond la serveuse en lui touchant l'épaule.
— Tu sais comment elle s'appelle ? (Evie s'est éclipsée derrière le comptoir.)
— Elle s'occupe de nous depuis des années.
— Mais elle ne nous a jamais dit son nom.
— Tu ne le lui as jamais demandé, réplique Zoe, les yeux soudain remplis de larmes.
— Tu pleures, Zoe ? Pourquoi est-ce que tu pleures ? C'est à cause de Jude ? C'est ridicule.
— Tais-toi, maman.
— Et d'un ! Tu as droit à un « Tais-toi » par mois et tu viens de l'utiliser. Je n'arrive pas à croire que tu pleures encore à cause de ce garçon. Ça me rend furieuse que tu pleures pour lui. Il t'a fait du mal.
— Arrête, maman ! aboie-t-elle. Tu crois tout savoir de moi, je le sais bien, mais devine quoi ? Tu te trompes.
Mon téléphone carillonne. Est-ce un nouveau message de Chercheur 101 ? J'essaye de dissimuler mon expression pleine d'espoir.
Zoe secoue la tête.
— Qu'est-ce qui ne va pas chez toi ?
— Tout va bien.
J'attrape mon portable dans mon sac et regarde rapidement l'écran. C'est une notification de Facebook m'avertissant que j'ai été identifiée dans une photo. Oh, mince alors ! Je porte sûrement une djellaba.
— Désolée.
J'éteins mon téléphone.
— Tu es tellement à cran, remarque Zoe. On dirait que tu caches quelque chose.
Elle fixe d'un air plaintif mon téléphone.
— Je ne cache rien du tout mais pourquoi je ne pourrais pas ? J'ai le droit d'avoir une vie privée. Je suis sûre que tu as aussi des secrets, dis-je en regardant avec tristesse son sandwich.

200

Deux bouchées, peut-être trois, je parie que c'est ce qu'elle en a mangé.

— Oui, mais moi j'ai quinze ans. Je suis censée avoir des secrets.

— Évidemment que tu as le droit d'avoir des secrets, Zoe, mais tout n'est pas obligé d'être un secret. Tu peux toujours me confier des choses, tu sais.

— Toi, tu n'es pas censée avoir des secrets. Tu es bien trop vieille. C'est dégoûtant.

Je soupire. Je ne vais rien tirer d'elle.

— Voilà ton lait, lance Evie en revenant à notre table.

— Merci, Evie, murmure Zoe, les yeux toujours humides.

— Tout va bien ? s'inquiète la serveuse.

Zoe me jette un regard noir.

— Evie, je vous dois des excuses. Je n'ai jamais pris la peine de vous demander votre prénom. J'aurais dû le faire. C'est affreusement malpoli de ma part et je suis vraiment désolée.

— Est-ce que vous voulez un verre de lait aussi, joli cœur ? me demande-t-elle avec douceur.

Je baisse les yeux sur mon assiette.

— Oui, s'il vous plaît.

## 47

**John Yossarian** a changé les infos suivantes : Citations.

« Éviter les mots inutiles » – E.B. White

• Juste un petit coucou, Chercheur 101.

Coucou.

• Déjeuner : sandwich jambon et fromage.

Sandwich jambon & fromage. Ne jamais utiliser « et » quand une esperluette peut faire l'affaire. 2ᵉ citation préférée : « Éviter les incises de dialogue avec adverbe » – Chercheur 101.

• Grand soleil, ici, dit-elle joyeusement.

Nuageux, ici.

• Je suis une mauvaise mère.

Non, vous ne l'êtes pas.

- Je suis une mère fatiguée.

  C'est compréhensible.

- Je suis une épouse fatiguée.

  Et moi un époux fatigué.

- Ah bon ?

  Quelques fois, dit-il, avec désinhibitionnisme.

- « Éviter les mots inventés » – Épouse 22.

# 48

47. De 19 à 27 ans : trois jours positifs par semaine (le positif étant une vie sexuelle active ; en fait, j'étais un peu une traînée). De 28 à 35 ans : deux jours négatifs par semaine (le négatif étant lié aux grossesses, aux bébés, au manque de sommeil = plus de libido). De 36 à 40 ans : sept jours positifs par semaine (le positif étant d'être prête à tout, les 40 ans se profilant, menaçants, et moi m'efforçant d'être ultraactive sexuellement pour ne pas avoir l'impression que ma vie sexuelle était terminée). De 41 à 44 ans : un jour négatif par mois (le négatif consistant à répondre au médecin « cinq jours par semaine », même si le médecin n'est pas dupe : elle répond cinq jours par semaine à faire quoi ? La chaise musicale ?)

48. C'est une question extrêmement agaçante. Je passe !

49. Shah Jahan et Mumtaz Mahal, Abigail et John Adams, Paul Newman et Joanne Woodward.

50. Ben Harper. Ed Harris (j'ai un faible pour les chauves au crâne bien arrondi). Christopher Plummer.

51. Marion Cotillard (mais pas dans *La Môme*. Dans ce film elle s'était rasé les cheveux pour se faire un front

plus grand), Halle Berry, Cate Blanchett (surtout dans le film sur la reine Elizabeth), Helen Mirren.

52. Fréquemment.

53. J'ai mis ma clé dans la serrure et ouvert la porte. William travaillait. Il a levé la main et m'a dit : « Ne bouge pas. » Il a pris son bloc-notes et s'est mis à lire :

PEAVEY PATTERSON, SÉANCE DE RÉFLEXION.

CLIENT : ALICE A.

DIRECTEUR CRÉATIF : WILLIAM B.

SUJET : CHOSES AU SUJET DESQUELLES
ALICE NE DEVRAIT JAMAIS S'INQUIÉTER.

1) Que ses cheveux soient trop longs (ils ne sont trop longs que lorsqu'ils arrivent à la cheville et entravent sa capacité à marcher).

2) D'oublier de mettre du rouge à lèvres (elle n'a pas besoin de rouge à lèvres – ses lèvres ont naturellement une adorable teinte framboise).

3) Que sa robe soit transparente (oui).

4) De mettre une culotte aujourd'hui (non).

— Espèce d'idiot ! Je me suis baladée toute la journée avec mes sous-vêtements visibles à travers ma robe ? Pourquoi personne ne m'a rien dit ?

— Je viens juste de te le dire.

— Tu aurais dû me le dire plus tôt. J'ai tellement honte.

— Inutile d'être gênée. C'était le temps fort de la journée. Viens là, a répliqué William.

— Non, ai-je répondu avec une moue.

D'un geste théâtral, il a balayé son bureau de tous ses papiers. Pour qui se prenait-il ? Mickey Rourke dans *9 semaines ½* ? Mince, j'adorais ce film. Après l'avoir vu, j'avais acheté un porte-jarretelles et des bas. Je les ai portés quelques jours, me sentant super sexy, jusqu'à ce que je rencontre un malheureux incident de jarretière.

Vous vous êtes déjà retrouvée avec votre bas qui se ratatine tout à coup au niveau de la cheville pendant que vous montez dans un bus ? C'est le moyen le plus rapide pour se sentir comme une vieille mémé.

— Alice.

— Quoi ?

— Viens là, tout de suite !

— Ça a toujours été mon fantasme de faire l'amour sur une table mais maintenant, je ne suis plus certain que je le conseillerais, a lancé William une demi-heure plus tard.

— Je confirme, Mister B.

— Qu'est-ce que tu as pensé de mon communiqué de vente ?

— Je ne suis pas sûre que la cliente apprécie.

— Pourquoi ?

— La cliente pense que c'est un peu trop évident. On peut continuer dans la chambre ?

Pour être couchés l'un à côté de l'autre sur la table, chacun de nous avait une jambe et un bras qui pendaient dans le vide.

— J'ai changé d'avis. J'aime bien la table.

— Eh bien, ai-je dit, c'est dur, je te l'accorde.

J'ai fait courir ma main de son torse à sa taille.

— C'est le propre d'une table, a-t-il répondu en recouvrant ma main de la sienne pour l'entraîner plus bas.

— Il faut toujours que tu prennes les commandes, hein ?

Il a étouffé un gémissement quand je l'ai touché.

— Je vais trouver un nouvel argument, Miss A. C'est promis.

— Ne lésinez pas. Cinq nouveaux arguments. La cliente voudra avoir le choix.

Par respect pour Helen, histoire de ne pas le lui envoyer en pleine face (mon idée), nous avons décidé qu'il valait mieux que notre relation reste secrète au bureau. Cette petite comédie était à la fois excitante et épuisante. William passait devant mon poste de travail au moins dix fois par jour et, comme je pouvais voir directement dans son bureau (et que chaque fois que je jetais un œil, il me regardait aussi), j'étais tout le temps excitée. Les nuits où je rentrais chez moi, je m'effondrais, exténuée d'avoir dû réprimer mon désir toute la journée. Puis je m'asseyais et pensais à son jean Levi's. Et à ses fesses dans ce Levi's. Et quand on se hasardait à l'extérieur, pour une balade au jardin public ou un match des Red Sox, ou encore pour le concert d'un groupe alternatif dans l'arrière-pays d'Allston, c'était comme si nous n'avions jamais fait ce genre de choses avant. Avec lui à mes côtés, Boston était une toute nouvelle ville.

Je suis certaine que nous étions extrêmement agaçants. Surtout pour les vieux couples qui ne marchaient pas main dans la main sur les trottoirs, qui souvent ne semblaient même pas se parler, à deux mètres de distance l'un de l'autre. J'étais incapable de comprendre que leur silence pouvait en fait être un silence confortable, durement gagné, un avantage qui vient après des années de relation. Je trouvais ça triste qu'ils n'aient rien à se dire.

Mais on ne faisait pas attention à eux. William m'embrassait fougueusement dans la rue, me faisait manger des morceaux de sa pizza et parfois, quand personne ne regardait, me pelotait. En dehors du bureau, nous étions toujours bras dessus, bras dessous ou les mains plongées dans les poches de l'autre. Je vois ces couples aujourd'hui, avec leur air suffisant, qui semblent n'avoir besoin de personne en dehors de leur partenaire et ça me fait de la peine. J'ai beaucoup de mal à croire que nous avons un jour formé l'un de ces couples, qui voient les gens comme nous et pensent : « Si vous êtes si malheureux, vous n'avez qu'à divorcer. »

# 49

**Lucy Pevensie**
N'est pas fan des loukoums.
Il y a 38 minutes

**John Yossarian**
A une crise de foie.
Il y a 39 minutes

- Désolée d'apprendre que vous êtes malade, Chercheur 101.

  C'est gentil. J'ai passé beaucoup de temps à l'infirmerie.

- J'imagine que vous y serez encore demain ?

  Oui, et le jour suivant, et le jour suivant, jusqu'à ce que cette fichue guerre soit terminée.

- Mais pas malade au point de...

  Je ne peux pas lire vos réponses, non. Jamais été aussi malade.

• Vous êtes en train de dire que vous aimez lire mes réponses, Chercheur 101 ?

Vos descriptions sont si colorées.

• Je ne peux pas m'en empêcher. J'ai été auteur de pièces de théâtre autrefois.

Vous êtes toujours auteur de pièces de théâtre.

• Non, je suis fade, ennuyeuse et absurde.

Et drôle aussi.

• Je suis quasi certaine que ma famille dirait le contraire.

À propos de la question n° 49, simple curiosité : êtes-vous déjà allée au Taj Mahal ?

• La semaine dernière. Grâce à Google Earth. Vous y êtes déjà allé ?

Non, mais ça fait partie de ma liste des choses à faire.

• Qu'y a-t-il d'autre sur votre liste ? Et je vous en prie, ne dites pas « voir la Joconde au Louvre ».

Faire un nœud à une queue de cerise avec ma langue.

• Je vous suggère de viser un peu plus haut.

Marcher sur un iceberg.

• Plus haut.

Sauver le mariage de quelqu'un.

209

- Trop haut. Bonne chance pour ça.

Écoutez, je me dois d'insister davantage pour que vous donniez une réponse à la question n° 48. Un tel refus indique en général que nous avons touché un point sensible.

- Vous parlez comme un Borg.

J'imagine que votre aversion est due à la façon dont la question était posée ?

- Franchement, je ne me rappelle pas comment elle était posée.

D'une façon des plus clichés.

- Maintenant je me rappelle.

Vous vous sentez insultée par une question clairement rédigée pour les gens en général. Vous retrouver parmi le commun des mortels est un affront pour vous.

- Maintenant, vous parlez comme un astrologue. Ou un directeur des ressources humaines.

Je peux peut-être reformuler la question n° 48 d'une manière que vous trouverez plus acceptable.

- Allez-y, Chercheur 101.

Racontez la dernière fois où vous vous êtes sentie aimée par votre mari.

- À la réflexion, je préfère la question d'origine.

## 50

**Alice Buckle**
Ballonnée.
Il y a 24 minutes

**Daniel Barbedian > Linda Barbedian**
Tu te rends compte que publier des messages sur Facebook, ce n'est pas pareil qu'envoyer des textos, maman ?
Il y a 34 minutes

**Bobby Barbedian > Daniel Barbedian**
Plus de chèque au courrier. Dis-le à ta mère.
Il y a 42 minutes

**Linda Barbedian > Daniel Barbedian**
Chèque au courrier. Ne le dis pas à ton père.
Il y a 48 minutes

**Bobby Barbedian > Daniel Barbedian**
Y en a marre de financer ta vie sociale. Trouve-toi un job.
Il y a 1 heure

**William Buckle**
Franchement, Ina Garten... Des raisins secs dorés dans du pain d'épice ?
Hier


— J'ai vu une souris, hier, annonce Caroline en sortant des légumes d'un sac en toile. Elle a filé sous le frigo. Je ne veux pas t'effrayer, Alice, mais c'est la deuxième fois cette semaine. Vous devriez peut-être prendre un chat.

— Nous n'avons pas besoin d'un chat. Nous avons Zoe. C'est une attrapeuse de souris professionnelle.

— Dommage qu'elle soit à l'école toute la journée, fait remarquer William.

— Eh bien, tu pourrais peut-être la remplacer. Je suis sûre que ça ne la dérangera pas.

— Cette blette est magnifique, déclare Caroline.

— Sauf qu'elle est pleine de petites bêtes, dis-je. Ce sont des mites ?

William tripote la blette.

— C'est de la terre, Alice, pas des mites.

William et Caroline reviennent tout juste d'une virée matinale au marché bio. Je leur demande :

— Est-ce que le groupe de bluegrass était là ?

— Non, mais un type jouait *It Had To Be You* sur une valise.

— C'est joli, dis-je en caressant les tiges magenta, mais j'ai peur que la couleur ne parte à la cuisson.

— On devrait peut-être les préparer en salade, propose Caroline.

William claque des doigts.

— Je sais ! Faisons les strangozzis aux blettes et sauce amande de Lidia. Le pain d'épice d'Ina sera parfait pour le dessert.

— Je vote pour la salade.

Si je suis obligée d'avaler encore un plat riche je vais « strangozzier » William. Il s'est trouvé un nouveau hobby, ou plutôt il a rallumé la flamme d'une ancienne passion – la cuisine. Depuis une semaine, tous les soirs, nous sommes attablés devant des repas sophistiqués que William et son second – Caroline, toujours sans-emploi – ont concoctés. Je ne sais pas très bien quoi en penser. Une part de moi est soulagée de ne pas avoir à faire les courses, à réfléchir aux menus, à cuisiner, mais une autre part se sent déracinée par cette brusque inversion des rôles entre William et moi.

— J'espère que nous avons de la semoule de blé durum, lance William.

— Lidia utilise moitié durum moitié farine, intervient Caroline.

Aucun des deux ne remarque que je quitte la cuisine pour aller travailler.

Il ne reste que trois semaines avant la fin des classes et ce sont les semaines les plus stressantes pour moi. Je suis en train de monter six pièces différentes – une pour chaque classe. Bon, chaque pièce ne dure que vingt minutes mais croyez-moi, cette représentation de vingt minutes nécessite des semaines d'auditions, de mise en scène, de création de costumes et de répétitions.

Quand j'entre dans la classe ce matin-là, Carisa Norman m'attend. Elle se met à pleurer dès qu'elle me voit. Je sais pourquoi elle pleure : parce que j'ai fait d'elle une oie. Les CE2 jouent *Le Petit Monde de Charlotte* ce trimestre. Je regarde son visage baigné de larmes et me demande pourquoi je ne lui ai pas donné le rôle de Charlotte. Elle aurait été parfaite. À la place, j'ai fait d'elle une des trois oies et, malheureusement, les oies n'ont pas de texte. Pour me faire pardonner, j'ai dit aux oies qu'elles pourraient cacarder quand elles voudraient. Je leur faisais confiance pour savoir quand le moment serait venu. Grave erreur parce que pour elles, le moment de cacarder, c'est tout au long de la pièce.

— Carisa, ma puce, qu'est-ce qui ne va pas ? Pourquoi tu n'es pas en récréation ?

Elle me tend un petit sac en plastique. On dirait qu'il est rempli d'origan. Je l'ouvre et le renifle. C'est de la marijuana.

— Carisa, où as-tu trouvé ça ?

Elle secoue la tête, bouleversée.

— Ma puce, il faut me le dire, dis-je en m'efforçant de dissimuler mon indignation.

Les enfants fument à l'école élémentaire maintenant ? Est-ce qu'ils dealent aussi ? J'essaie de la rassurer :

— Tu ne seras pas punie.

— Mes parents, répond-elle.

— Ceci appartient à tes parents ?

Il me semble que sa mère fait partie de l'Association des parents d'élèves. Ouh, là, là ! ça n'annonce rien de bon tout ça.

Elle hoche la tête.

— Vous allez le donner à la police ? C'est ce qu'un enfant qui trouve de la drogue est censé faire.

— Et comment sais-tu ça ?

— Les Experts Miami, répond-elle d'un ton solennel.

— Carisa, je veux que tu profites de la récréation et que tu ne penses plus à ça. Je m'en occupe.

Elle m'entoure de ses petits bras. Sa barrette est sur le point de tomber. Je la rattache, écartant ses cheveux de ses yeux.

— On éteint le bouton de l'inquiétude, d'accord ?

J'avais l'habitude de dire ça à mes enfants avant qu'ils s'endorment. Quand ai-je arrêté de le faire ? Je devrais peut-être rétablir ce rituel. J'aimerais que quelqu'un éteigne mon inquiétude.


Entre deux cours, je lutte en mon for intérieur pour déterminer quelle est la meilleure marche à suivre. Je devrais directement apporter l'herbe à la principale et lui raconter en détail ce qui s'est passé – que la douce Carisa Norman a balancé ses parents. Mais si je fais ça, il est possible que la

214

principale appelle la police. J'aimerais éviter cette issue, bien sûr, mais ne rien faire n'est pas une option non plus, étant donné l'état émotionnel instable de Carisa. S'il y a bien une chose que je sais à propos des CE2, c'est que la plupart d'entre eux sont incapables de dissimuler quoi que ce soit. Ils finissent toujours par avouer. Carisa ne peut pas oublier ce qu'elle sait.

À l'heure du déjeuner, je ferme à clé la porte de ma classe et recherche « marijuana médicale » sur Google. Les Norman possèdent peut-être une prescription. Mais dans ce cas, leur marijuana leur est très certainement fournie dans des flacons, pas dans des sacs congélation. Je devrais demander à un professionnel comment ils distribuent leur produit. Je clique sur « trouvez un dispensaire près de chez vous » et suis sur le point de choisir entre Nuage brumeux et La Croix verte quand mon portable sonne. C'est Nedra.

— Tu peux me rendre un service et aller chercher Jude à l'école aujourd'hui ? Cette satanée déposition s'éternise.

— Nedra. Pile au bon moment. Tu te rappelles cette conférence à l'école sur « Comment empêcher vos enfants de devenir des accros aux amphets » ? Tu as dit qu'il ne fallait pas dénoncer les enfants à leurs parents, qu'il fallait que j'apprenne à la fermer.

— Tout dépend du contexte. Il s'agit de sexe ?

— Oui, j'irai chercher Jude, et non, il ne s'agit pas de sexe.

— De MST ?

— Non.

— D'attitude dévergondée en général ?

— Non.

— De plagiat ?

— Non.

— De drogues ?

— Oui.

— De drogues dures ?

— L'herbe, c'est une drogue dure ?

215

— Que s'est-il passé ? soupire Nedra. Il s'agit de Zoe ou de Peter ?

— Ni l'un ni l'autre. C'est une élève de CE2. Elle a balancé ses parents et ma question c'est : est-ce que je dois la balancer à la police ?

Nedra marque une pause.

— Eh bien,, mon conseil c'est non, reste en dehors de ça. Mais fais aussi confiance à ton instinct, chérie. Tu te trompes rarement.

Nedra a tort. Mon instinct est comme ma mémoire. Ils ont tous les deux commencé à s'étioler après mes quarante ans.

Pourvu que je tombe sur le répondeur ! Pourvu que je tombe sur le répondeur !

— Allô ?

— Oh, bonjour. Madame Norman ?

— C'est moi. Que voulez-vous ?

Je bafouille.

— Comment allez-vous ? J'espère que je ne vous dérange pas. On dirait que vous êtes en voiture ? J'espère qu'il n'y a pas trop de circulation. Enfin, il y en a toujours. On est dans la baie après tout. Mais c'est un faible prix à payer pour toute cette abondance, hein ?

— Qui est à l'appareil ?

— Oh, pardon ! Alice Buckle, le professeur d'art dramatique de Carisa.

— Oui.

J'enseigne le théâtre depuis suffisamment longtemps pour savoir quand je m'adresse à une mère qui m'en veut d'avoir donné le rôle de l'oie à son enfant dans la pièce des CE2.

— Eh bien, on dirait que nous avons un problème.

— Oh ! Carisa a-t-elle des soucis pour apprendre son texte ?

Vous voyez ?

— Écoutez, Carisa est arrivée à l'école bouleversée aujourd'hui.

— Hum, hum.

La rudesse de son ton me prive de tous mes moyens.

— Vous l'autorisez à regarder *Les Experts Miami* ?

Oh, bon sang, Alice !

— C'est pour ça que vous m'appelez ? Elle a un grand frère. On ne peut pas me demander de vérifier tout ce qu'elle regarde.

— Ce n'est pas la raison de mon appel. Carisa a apporté à l'école un sac rempli d'herbe. Votre herbe.

Silence. Silence qui s'éternise. A-t-elle entendu ce que j'ai dit ? Est-ce qu'elle pleure ?

— Madame Norman ?

— C'est tout simplement impossible. Ma fille n'a pas apporté un sac d'herbe.

— Si. Je comprends que c'est une situation délicate, mais elle a bien apporté de la marijuana. Je l'ai entre les mains en ce moment même.

— Impossible, répète-t-elle.

C'est la version adulte de l'enfant qui se bouche les oreilles et chantonne pour ne pas entendre ce qu'on lui dit.

— Vous me traitez de menteuse ?

— Je dis que vous vous trompez.

— Vous savez, je vous rends service. Je pourrais perdre mon travail à cause de ça. J'aurais pu le donner à la principale, mais je ne l'ai pas fait à cause de Carisa. Et aussi parce que vous souffrez peut-être d'une maladie nécessitant un traitement à la marijuana médicale.

— Une maladie ?

Elle ne pige pas que j'essaie de lui offrir une porte de sortie ?

— Oui. Beaucoup de gens prennent de la marijuana pour des raisons médicales. Il n'y a pas de quoi être gênée. Ce sont souvent des affections mineures comme l'anxiété ou la dépression.

— Je ne suis ni anxieuse ni dépressive, madame Buckle. J'apprécie votre inquiétude, mais si vous continuez à me harceler, je devrai réagir en conséquence.

Mme Norman raccroche.

Après le travail, je roule jusqu'au McDonald's et jette le sac plein d'herbe dans la benne derrière le restaurant. Puis je repars comme une fugitive : je regarde comme une obsédée dans le rétro et roule à trente kilomètres à l'heure dans une zone à soixante en priant qu'il n'y ait pas de caméra de surveillance sur le parking du fast-food. Pourquoi tout le monde est-il si grossier ? Et à quand remonte la dernière fois où je me suis sentie vraiment aimée par mon mari ?

# 51

EKCE2 (Forum de l'École élémentaire Kentwood, CE2, classe d'art dramatique) Discussion n° 129
EKCE2 forumdesparents@yahoogroups.com

**Messages de cette discussion (5)**

1. Trouvez-vous qu'il soit juste qu'Alice Buckle n'ait pas donné de texte aux oies ?
Parents, mobilisez-vous !
Posté par : la reine des abeilles

2. Re : Trouvez-vous qu'il soit juste qu'Alice Buckle n'ait pas donné de texte aux oies ?
J'imagine que je vais m'attirer les foudres en disant cela mais je vais être franche et directe. Il faut être réaliste, chaque enfant de la pièce ne peut pas avoir du texte. C'est impossible. Pas avec trente gamins dans la classe. Certaines années, votre enfant aura de la chance et obtiendra un bon rôle. D'autres, non. Tout s'équilibre au final.
Posté par : maman fermière

3. Re : Trouvez-vous qu'il soit juste qu'Alice Buckle n'ait pas donné de texte aux oies ?

Non, ce n'est pas juste ! Et ça ne s'équilibre pas du tout. Alice Buckle est une hypocrite. Vous pensez qu'elle a déjà donné le rôle de l'oie à ses propres enfants ? Je ne crois pas, non, et je peux le prouver. J'ai en ma possession tous les programmes des pièces de théâtre depuis dix ans. Sa fille Zoe a joué le rôle de Mme Squash, de narrateur n° 1, de dompteur de lions avec un bras dans le plâtre et de l'abeille butineuse. Son fils Peter a été l'elfe grognon, le troll en léger surpoids, le bouffon bovin (tout le monde voulait ce rôle) et la noix. Ce n'est pas si difficile que ça de faire en sorte que chaque enfant ait une ligne de texte. Mme Buckle enseigne peut-être l'art dramatique depuis trop longtemps. Elle devrait peut-être penser à la retraite.

Posté par : Helicopmama

4. Re : Trouvez-vous qu'il soit juste qu'Alice Buckle n'ait pas donné de texte aux oies ?

Je suis d'accord avec Helicopmama. Ce n'est pas bien de la part de Mme Buckle. Ne devrait-elle pas garder une trace de ce que fait chaque classe ? Les pièces jouées et les rôles attribués à chaque enfant au fil des années ? Ainsi, elle pourrait être certaine de se montrer équitable. Si votre enfant a eu un rôle avec une seule ligne de texte l'année dernière, cette année, il devrait avoir le rôle principal. Et s'il n'a pas de texte... Ah, ne me lancez pas sur le sujet ! C'est tout simplement inacceptable. Ma fille a le cœur brisé. Brisé !

Posté par : Normandie orageuse

5. Re : Trouvez-vous qu'il soit juste qu'Alice Buckle n'ait pas donné de texte aux oies ?

Puis-je faire une remarque ? Je suis pratiquement sûre que le nombre de lignes de texte de votre enfant dans la pièce des CE2 n'aura pas de conséquence majeure sur son avenir. Absolument aucune. Et si, en fait, il s'avère que je me trompe et que ça en a, je vous demanderai de réfléchir à ceci : imaginez la possibilité qu'un petit rôle puisse être une bonne chose. Si ça se trouve, ces enfants qui n'ont eu qu'une seule phrase à déclamer (ou aucune, même) finiront avec une meilleure estime d'eux-mêmes. Pourquoi ? Parce qu'ils auront appris très tôt à gérer la déception et à tirer le meilleur parti de chaque situation et à ne pas baisser les bras ni à piquer une crise chaque fois que ça ne se passe pas comme ils vou-draient. Il y a bien des choses dans ce monde qui valent la peine d'avoir le cœur brisé. La pièce de théâtre des CE2 n'en est pas une.

Posté par : ViveDavidMamet182

52

54. Salut, maman, a-t-elle hurlé d'un ton joyeux quand nous nous sommes garés le long du trottoir. Il était presque minuit, et William et moi venions la chercher après le bal de fin d'année.

Elle a passé la tête par ma vitre ouverte et a gloussé.

— On peut ramener Ju ?

— Qui ça ? ai-je demandé.

— Ju !

— Jude, a traduit William. Bon sang, elle est bourrée.

William s'est empressé de remonter la vitre côté passager juste avant qu'elle ne vomisse sur la portière.

— Tu as ton téléphone ? a demandé William.

Nous savions que ce moment arriverait, nous avions préparé notre plan d'attaque et maintenant nous passions à l'action. Je suis sortie d'un bond de la voiture, mon iPhone à la main, et j'ai commencé à prendre des photos. J'ai pris quelques classiques : Zoe, appuyée contre la portière, sa crinoline au motif fleur de lys éclaboussée de vomi. Zoe, grimpant sur la banquette arrière, pieds nus, ses cheveux collés de sueur à sa nuque. Zoe dans la voiture, la tête vacillant sur l'appuie-tête, la bouche grande ouverte. Et la plus triste de toutes : son père la portant dans la maison.

Ce sont des amis qui nous avaient conseillé cela.

Lorsqu'elle serait ivre, et elle le serait forcément un jour, nous devions rassembler des preuves parce qu'elle serait trop soûle pour se rappeler les détails.

Ça peut paraître rude mais ça a marché. Le lendemain matin, quand nous lui avons montré les photos, elle a été si horrifiée qu'elle ne s'est, à ma connaissance, plus jamais soûlée.

55. Je m'étais complètement trompée sur William. Il n'était pas de sang bleu, né avec une cuillère en argent dans la bouche, il ne pensait pas que tout lui était dû, ne sortait pas d'une université de l'Ivy League. Il avait travaillé très dur pour obtenir tout ce qu'il avait, y compris sa bourse d'études à Yale.

— Une bière ? m'a proposé Hal, son père, en tenant la porte du frigo ouverte.

— Tu préfères une Bud light, une Bud light ou une Bud light ? a demandé William.

— Je prendrais bien une Bud light, ai-je répondu.

— Elle me plaît, a dit Hal. La dernière ne buvait que de l'eau. Sans glace.

Hal m'a décoché un grand sourire.

— Helen, elle n'avait plus une chance une fois que vous avez débarqué, pas vrai, la brindille ? Ça ne vous ennuie pas que je vous appelle la brindille ?

— Seulement si vous appelez Helen comme ça aussi.

— Helen n'avait pas la silhouette d'une brindille. Plutôt celle d'un palmier.

J'ai adoré Hal en une seconde.

— Je vois de qui William tient son charme naturel.

— William est beaucoup de choses : passionné, ambitieux, intelligent, arrogant, mais charmant, non.

— J'essaie d'arranger ça, ai-je rétorqué.

— Qu'est-ce que tu fais à dîner ? a demandé Hal.

— Du bœuf Strogonoff, a répondu William en déballant le sac de courses que nous avions apporté.

— Mon plat préféré. Je suis désolé que Fiona n'ait pas pu venir.

— Ne t'excuse pas pour maman. Ce n'est pas ta faute, a dit William.

— Elle voulait venir.

— C'est ça.

Les parents de William avaient divorcé quand il avait dix ans et sa mère, Fiona, s'était rapidement remariée avec un homme déjà père de deux enfants. Au début, Hal et Fiona s'étaient mis d'accord pour une garde partagée mais à douze ans, William vivait chez son père à plein-temps. William et sa mère n'étaient pas très proches et il la voyait de façon irrégulière, pour les fêtes ou les occasions spéciales. Encore une surprise : nous avions tous les deux perdu notre mère.

56. Je t'ai gardé un œuf.

57. Ne t'inquiète pas, je m'en occupe.

# 53

 **John Yossarian** a changé la photo de son profil

- Trop chou, Chercheur 101. Comment il s'appelle ?

Désolé, je ne peux divulguer cette information.

- OK. Pouvez-vous divulguer ce que vous aimez le plus chez lui ?

Sa façon de poser sa petite truffe froide contre ma main tous les matins à 6 heures. Une seule fois. Puis de s'asseoir au garde-à-vous au pied du lit et d'attendre patiemment que je me lève.

- C'est mignon. Quoi d'autre ?

Eh bien, en ce moment il essaie de passer son museau sous mon bras alors que je chatte avec vousqdff. Désolé, il est jaloux quand je suis à l'ordinateur.

- Vous avez de la chance. On dirait que c'est le chien idéal.

Il l'est.

- Je n'ai pas de chien idéal. En fait, notre chien est tellement fou que mon mari veut le donner.

Ça ne peut pas être aussi terrible que ça.

- Il a pissé sur son oreiller. J'ai peur de recevoir des invités.

Vous devriez l'emmener voir un dresseur.

- Le dressage ne changera pas mon chien.

Votre mari, vous devriez l'emmener voir un dresseur.

- Ha, ha !

Je ne plaisante pas. Aimer un animal n'est pas forcément naturel pour tout le monde. Certaines personnes doivent apprendre.

- Je ne suis pas d'accord. On ne devrait pas avoir à enseigner l'amour.

Dit celle à qui l'amour vient si naturellement.

- Qu'est-ce qui vous fait croire ça, Chercheur 101 ?

Je sais lire entre les lignes.

- Les lignes de mes réponses ?

Oui.

• Je ne suis pas sûre que l'amour vienne si facilement, mais je dirais que c'est mon défaut de fabrication.

Je dois y aller. J'enverrai le nouveau questionnaire dans quelques jours.

• Attendez ! Avant que vous partiez, je voulais vous demander quelque chose. Est-ce que tout va bien ? Ça fait des jours que vous n'êtes pas venu sur Facebook.

Tout va bien. Juste occupé.

• J'avais peur que vous ne soyez en colère.

Pourquoi serais-je en colère ?

• J'ai cru que je vous avais blessé d'une manière ou d'une autre.

En faisant quoi ?

• En ne répondant pas à la question n° 48 que vous avez reformulée.

Vous avez le droit de passer les réponses que vous voulez.

Donc, je ne vous ai pas blessé ?

• Vous n'avez rien fait pour me blesser. C'est plutôt le contraire, en fait. C'est bien ça le problème.

## 54

**Shonda Perkins**
30 jours de PX90 !
Il y a 12 minutes

**William Buckle**
Chien gratuit. Il faut aimer être mordu.
Il y a 1 jour

**Telex**
William Buckle et Helen Davies sont maintenant amis.
Il y a 2 jours


— Voilà le courrier ! annonce Peter en lâchant un célèbre magazine pour les plus de cinquante ans sur mon bureau.

Il regarde l'ordinateur par-dessus mon épaule.

— C'est quoi, toutes ces publications de papa ? Et qui c'est, Helen Davies ?

— Une ancienne collègue.

— Elle est aussi amie avec toi ?

Non, Helen Davies – Hélène de Troie – n'est pas amie avec moi. Elle est seulement amie avec mon mari. Ou lui avec elle. Ça change quelque chose de savoir qui a demandé à l'autre d'être son ami ? Oui, sûrement.

Je lance un regard furieux au couple grisonnant sur la couverture du magazine. Bon sang ! Non, je ne veux pas profiter d'une offre spéciale pour des gouttes contre la cataracte et je me fiche de tester ma vision au-dessus du volant parce que je n'ai pas cinquante ans et que j'ai encore six années devant moi avant d'avoir cinquante ans. Pourquoi continuent-ils à m'envoyer leur magazine ? Je croyais m'être occupée de ça. Le mois dernier, j'ai appelé l'association qui le diffuse et leur ai expliqué que la Alice Buckle qui venait juste de fêter son cinquantième anniversaire habitait à Charleston en Caroline du Sud, dans une adorable vieille maison avec terrasse panoramique.

— Et comment savez-vous ça ? m'avait-on demandé.

— Parce que j'ai regardé sur Google Earth, avais-je répondu. Cherchez Alice Buckle à Oakland en Californie sur Google Earth et vous verrez une femme dans son allée en train de lancer un magazine de l'association pour les vieux à son facteur.

Les ex qui refont surface, des revues pour profiter de sa retraite avant l'heure. Ce n'est pas la meilleure façon de commencer mon samedi. Je cherche sur Google le programme du club de gym. Il y a un cours de yoga dans vingt minutes. Si je me dépêche, je peux y aller.

— Et... Shavasana, tout le monde !

Enfin, on repose son corps. C'est la partie que je préfère au yoga. Je roule sur le dos. En général, à la fin du cours, je m'endors presque. Pas aujourd'hui. L'énergie picote même le bout de mes doigts. Je devrais aller courir avec Caroline, plutôt que de faire des salutations au soleil.

— Fermez les yeux, dit la prof en parcourant la salle.

Je fixe le plafond.

— Videz votre esprit.

Qu'est-ce qui m'arrive, bon sang ?

— Pour ceux d'entre vous qui veulent un mantra, essayez *Ong So Hung*.

Comment peut-elle dire une chose pareille sans éclater de rire ?

— Ça signifie « Créateur, je suis Toi ».

Je n'ai pas besoin de mantra. J'en ai déjà un que je répète à l'envi depuis vingt-quatre heures. *Vous n'avez rien fait pour me blesser. C'est plutôt le contraire, en fait. C'est bien ça le problème.*

— Alice, essayez de rester tranquille, me souffle la prof en s'arrêtant au bord de mon tapis.

Je ferme les yeux. Elle s'accroupit et pose la paume de sa main sur mon plexus solaire.

*C'est bien ça le problème ?* Cherchons, si vous le voulez bien, la signification de cette phrase pour la cinquantième fois. Le problème, c'est que je ne l'ai pas blessé. Le problème est qu'il aurait voulu que je le blesse. Le problème est qu'il aurait voulu que je le blesse parce que je fais plutôt le contraire. C'est quoi, le contraire de blesser ? Faire plaisir. Donner du plaisir. Le problème, c'est que je lui donne du plaisir. Trop de plaisir. Oh, mon Dieu !

— Respirez, Alice. Respirez.

Mes yeux s'ouvrent d'un coup.

Je suis en train d'enlever ma tenue de yoga dans les vestiaires quand une femme nue passe devant moi pour aller sous la douche. Je suis plutôt mal à l'aise avec la nudité. Bien sûr, je ne le serais sans doute pas si j'avais un corps splendide comme cette femme, parfaitement entretenu, manucuré, pédicuré, totalement épilé.

Je la regarde un moment, je ne peux m'en empêcher. Je n'ai encore jamais vu en vrai une femme avec une épilation brésilienne. C'est ça que les hommes aiment ? C'est ça qui leur donne du plaisir ?

Après mon cours de yoga, je retrouve Nedra pour le déjeuner. Au moment où elle mord dans son burrito, je lui demande :

— Est-ce que tu t'épiles le maillot ?

Nedra repose son burrito et pousse un soupir.

— C'est pas grave si tu ne le fais pas. Il y a peut-être des règles pileuses différentes pour les lesbiennes.

— Je m'épile, ma puce, répond Nedra.

— Beaucoup ?

— La totale.

Je lui crie :

— Tu te fais une épilation brésilienne ? Et tu ne m'as jamais dit que je devrais faire pareil ?

— Techniquement, on appelle ça une épilation Hollywood si tu enlèves tout. Tu veux le numéro de mon esthéticienne ? Demande Hilary, c'est la meilleure et elle est très rapide. Ça ne fait pas trop mal. Maintenant, on peut parler d'autre chose ? Un sujet qui conviendrait mieux à une conversation en public ?

— D'accord. C'est quoi, l'antonyme de blesser ?

Nedra me jette un regard soupçonneux.

— Tu as perdu du poids ?

— Pourquoi, est-ce que j'ai l'air plus mince ?

— Ton visage est plus fin. Est-ce que tu as fait du sport ?

— Je travaille trop pour faire du sport. L'école finit dans deux semaines. Je jongle entre six pièces de théâtre.

— En tout cas, tu as l'air en forme, fait remarquer Nedra. Et pour une fois, tu ne portes pas de gros pull. Je peux voir ton corps. J'aime bien le look débardeur et gilet. Ça te va bien. Tu as un cou très sexy, Alice.

— Un cou sexy ?

Je pense à Chercheur 101. Je me dis que je devrais montrer à Nedra le profil Facebook de Lucy Pevensie.

Nedra sort son téléphone portable.

— Je vais appeler Hilary et te prendre rendez-vous parce que je sais que tu ne le feras jamais de toi-même.

Elle compose le numéro, discute brièvement, murmure un « Merci, chérie » et referme son téléphone d'un geste sec.

231

— Il y a une annulation. Elle te prend dans une heure. C'est moi qui offre.

— Nedra dit que vous êtes rapide. Et ne faites pas mal.

— Je fais de mon mieux. Vous avez déjà pensé à décorer votre pubis ? Ou à le faire tatouer ? demande Hilary. Cette femme espère vraiment discuter avec moi de décoration alors qu'elle s'apprête à poser de la cire chaude sur mon pubis ? Elle remue le pot de cire avec un abaisse-langue.

— Regardons ça, d'accord ?

Elle soulève la culotte en papier et claque la langue.

— On dirait que quelqu'un n'a pas entretenu son épilation.

— Ça fait un moment, j'avoue.

— Combien ?

— Quarante-quatre ans.

Hilary ouvre des yeux grands comme des soucoupes.

— Waouh ! Une vierge de l'épilation ! On n'en voit pas beaucoup par ici. Même pas une petite épilation classique ?

— Euh... Ben, j'entretiens les choses. Je rase.

— Ça ne compte pas. Et si on commençait par une épilation brésilienne avec une bande de cinq centimètres ? C'est plutôt une épilation américaine, d'ailleurs. On va faire ça en délicatesse.

— Non, je veux une Hollywood. C'est ce que tout le monde fait aujourd'hui, pas vrai ?

— Beaucoup de jeunes le font. Mais la plupart des femmes de votre âge se contentent d'un petit élagage.

— Je veux la totale.

— Très bien.

Elle replie l'un des côtés du slip jetable et je ferme les yeux. La cire chaude goutte sur ma peau. Je me contracte, m'attendant à être brûlée mais bizarrement, c'est agréable. Ce n'est pas si mal. Hilary pose une bande de tissu et la tapote.

— Je vais compter jusqu'à trois, dit-elle.

J'attrape son poignet, brusquement en proie à la panique.

— Je ne suis pas prête.

Elle me lance un regard calme.

— Non, s'il vous plaît. D'accord, attendez. Laissez-moi juste une seconde. Je suis presque prête.

— Un, lance-t-elle en retirant la bande.

Je pousse un cri perçant.

— Et deux et trois alors ?

— Ça gâche la surprise, répond-elle en examinant la zone, les sourcils froncés. Vous n'utilisez pas de produits au rétinol, n'est-ce pas ?

Pas sur mon sexe, non.

— La première fois est la pire. Ça devient plus facile à chaque épilation.

Elle me tend un miroir.

— Inutile que je regarde, dis-je, les larmes aux yeux. Finissons-en.

— Vous êtes sûre ? Vous voulez faire une pause ?

— Non ! (Je hurle presque.)

Elle hausse un sourcil.

— Je suis désolée. Je voulais dire : je vous en prie, continuez avant que je pète les plombs et j'essaierai de ne pas pleurer.

— Vous pouvez pleurer, pas de problème. Vous ne seriez pas la première.

Je sors en virevoltant du salon de Hilary avec un bon de réduction de cinquante pour cent pour ma prochaine épilation et un avertissement de suivi de soin (n'utilisez pas de sels de bain pendant au moins vingt-quatre heures – pas de problème de ce côté-là, Hilary) ainsi qu'un petit secret sexy que je suis la seule à connaître. Je souris aux autres femmes que je croise, avec le sentiment d'avoir intégré la tribu des femmes bien soignées, des femmes qui prennent soin de ce qui se passe là en bas. Je me sens si bien (et soulagée de ne pas avoir à endurer cette douleur avant le mois prochain) que je m'arrête à la librairie pour feuilleter des magazines (je le fais rarement parce que je suis toujours pressée).

Michelle Williams fait la couverture de *Vogue*. Apparemment, d'après le magazine, MiWi est la nouvelle *It girl* ou fille branchée. Un article de deux pages raconte la soirée de MiWi à Austin. La voilà en train de faire trempette à Barton Springs. Là, elle est assise au bar du Fado, à siroter une bière. Et la voilà une heure plus tard en train d'essayer le jean le plus sexy et le plus moulant qui existe dans une boutique chic. Michelle n'était-elle pas la *It girl* il y a deux ans déjà ? Ils les recyclent ou quoi ? Tout ça n'est pas très juste. Ils devraient donner une chance aux autres filles branchées comme moi.

LA FOLLE SOIRÉE D'ALICE BUCKLE, *IT GIRL*
DU COUP DE TÉLÉPHONE DANS LE PARKING
AU MASSACRE D'UNE CHANSON DANS LA VOITURE
QUATRE HEURES AVEC ALBU UN VENDREDI SOIR.

18 h 01 : Elle répond au téléphone (acte qu'elle regrettera amèrement plus tard).

— Oui, bien sûr que j'ai envie d'aller voir un film qui parle d'une Française propriétaire d'une plantation de bananes au Congo et qui à la fin se fait découper à la machette par les hommes qu'elle employait, dit Alice Buckle, mère et épouse de quarante-quatre ans qui, malheureusement, ne possède toujours pas un corps à bikini, même si elle a récemment perdu trois kilos et demi (la vérité, c'est que cinquante-neuf kilos à quarante-quatre ans, ce n'est pas pareil que cinquante-neuf kilos à vingt-quatre ans). J'ai hâte qu'un type aux jambes super longues donne des coups de genou dans mon siège pendant tout le film.

18 h 45 : Vu : AlBu hyperventile.
Alice Buckle tourne en rond dans le petit parking à la recherche d'une place, marmonnant des « Écarte-toi de là, grosse vache » à tous ceux qui tournent aussi en rond dans le

petit parking à la recherche d'une place. « Et puis merde, je vais me garer en double file », hurle Alice. « Ça pourrait être pire », ricane-t-elle joyeusement en courant vers le cinéma. « Ça pourrait être l'avant-première de *Toy Story 8*. »

18 h 55 : AlBu poireaute dans la queue de dix-huit mètres de long du guichet.
« C'est l'avant-première de *Toy Story 8* », raconte Alice Buckle.

19 h 20 : Alice Buckle enjambe un groupe de personnes âgées en contorsionnant son corps qui n'est pas prêt à porter des bikinis pour atteindre le siège que sa meilleure amie Nedra lui a gardé.
— Tu viens de rater la meilleure scène : quand son fils est enrôlé dans l'armée Hutu, annonce Nedra.

19 h 25 : AlBu s'endort.

21 h 32 : Vu : AlBu se garant dans l'allée de son voisin qu'elle a prise pour la sienne.
La vision nocturne d'AlBu se détériore. Son humeur s'assombrit : elle s'inquiète de souffrir d'un début précoce de dégénérescence maculaire. Son humeur s'améliore après avoir écouté dans la voiture *Dance with Me* d'Orleans. « Ça me rappelle trop le lycée », chouine-t-elle avant de se mettre à pleurer pour de bon. « C'est injuste. Comment se fait-il que les Françaises soient si belles sans maquillage ? Peut-être que si toutes les Américaines arrêtaient de se maquiller, on paraîtrait toutes belles aussi. Au bout de quelques mois, bien sûr. »

22 h 51 : AlBu va se coucher sans s'être démaquillée.
« Cette soirée était magique, mais je dois être honnête, être une *It girl* est épuisant », reconnaît Alice en se fourrant au lit. « Tourne-toi, chéri, tu ronfles », dit-elle en tapotant son mari sur l'épaule. Il se retourne et lui lèche le visage d'un

coup de langue. « Jampo ! » s'écrie Alice en prenant son petit chien dans ses bras. « J'ai cru que c'était William ! » Difficile d'en vouloir au chien d'avoir viré son mari du lit quand c'est si drôle et mignon de le virer. Ils se pelotonnent l'un contre l'autre et au bout de quelques heures, Alice se réveille et découvre le joli cadeau que Jampo a laissé sur l'oreiller de son mari.

— Excusez-moi, mais est-ce que vous allez acheter ce magazine ? m'interrompt une jeune vendeuse.

— Oh, désolée. (Je referme le *Vogue* avant de lisser la couverture.) Vous voulez y jeter un coup d'œil ?

Elle désigne une pancarte écrite à la main. « Il est interdit de lire les magazines. Nous nous efforçons de les garder en parfait état pour les clients qui les achètent. »

— Sérieusement ? Alors comment on fait pour savoir si on veut vraiment l'acheter ?

— Il faut regarder la couverture. La couverture vous dit tout ce qu'il y a à l'intérieur.

Elle me lance un regard noir. Je repose le magazine sur le présentoir.

— C'est exactement pour ça que la vente des magazines est en chute libre, dis-je.

Ce soir-là, pendant que les enfants débarrassent, j'annonce à William que mon ordinateur a un problème de cookies et lui demande de m'aider. C'est un mensonge. Je suis parfaitement capable de supprimer toute seule mes cookies.

— Peter peut t'aider, dit-il.

— C'est facile, maman. Tu vas dans « Préférences »...

— J'ai déjà essayé. C'est plus compliqué que ça. William, je voudrais que tu regardes.

Je le suis dans mon bureau et ferme la porte.

— Ce n'est pas difficile, dit-il en approchant de ma table de travail. Tu cliques sur la pomme et tu vas...

Je déboutonne mon jean et le fait descendre à mes chevilles.

— ... dans les préférences, finit-il.

— William, dis-je en ôtant ma culotte.

Il se tourne et me fixe sans dire un mot.

— Ta da !

Une expression bizarre lui couvre le visage. Je ne saurais dire s'il est horrifié ou excité.

— J'ai fait ça pour toi.

— Non, répond-il.

— Pour qui d'autre, sinon ?

À quoi je pensais ? C'est en train de se retourner contre moi. Une soudaine épilation sexy du maillot est le signe incontesté que votre épouse vous trompe, non ? Je ne le trompe pas mais je flirte avec un homme qui n'est pas mon mari et qui vient d'avouer que je lui donne du plaisir, ce qui m'a fait plaisir et a eu pour conséquence de relancer ma libido et de m'inciter à m'épiler totalement le maillot pour la première fois de ma vie. Est-ce que ça compte ? Est-il possible qu'il soit au courant ?

William émet un son bizarre du fond de sa gorge.

— Tu l'as fait pour toi. Admets-le.

Je commence à trembler. Un tout petit peu.

— Viens ici, Alice.

J'hésite.

— Tout de suite, murmure-t-il.

Et alors, nous faisons l'amour comme nous ne l'avons pas fait depuis des mois.

## 55

58. La Planète des singes.

59. Pas beaucoup. Quasiment jamais. Je n'en vois pas vraiment l'intérêt. Nous devons vivre l'un avec l'autre, alors à quoi ça servirait et franchement, qui en a l'énergie ? Avant, au début, oui. Nous avons eu notre plus grosse dispute avant même d'être mariés parce que je voulais inviter Helen au mariage. Je lui ai dit que ce serait gentil, un geste de réconciliation. Elle ne viendrait sûrement pas de toute façon, mais l'inviter était la bonne chose à faire, étant donné que nous invitions presque tous nos collègues de Peavey Patterson. Quand il m'a rétorqué qu'il n'avait aucune intention d'inviter une femme qui m'avait traitée de traînée (et qui visiblement le détestait de tout son cœur), je lui ai rappelé que, techniquement, c'était moi « la maîtresse » quand elle m'avait insultée. Pouvions-nous sincèrement lui en vouloir de nous haïr ? Il était temps d'oublier et de pardonner. Il m'a alors dit que je pouvais me permettre de me montrer magnanime vu que j'avais gagné. Et ça m'a tellement mise en colère que j'ai retiré ma bague de fiançailles et l'ai jetée par la fenêtre.

La bague ne venait pas des magasins Zales, elle appartenait à ma mère, et se transmettait dans ma famille depuis que mon arrière-grand-mère l'avait rapportée d'Irlande. Elle ne valait pas grand-chose – c'était un tout petit diamant flanqué de deux minuscules émeraudes. La valeur inestimable de cette bague tenait à son histoire et au fait que mon père l'avait donnée à William pour qu'il me l'offre. L'anneau était gravé d'une inscription. Une phrase absolument adorable, certainement très gnangnan, que je ne me rappelle pas. Je ne me souviens que du mot « cœur ».

Le problème, c'est que nous étions dans la voiture quand j'ai flanqué la bague par la fenêtre. Nous venions de quitter la maison de mon père et nous roulions devant le parc de Brockton quand William a lancé son commentaire sur ma victoire. Je voulais juste lui faire peur. J'ai balancé la bague dans le parc et nous avons continué à rouler à toute allure, tous les deux sous le choc. Nous avons fait demi-tour et essayé de déterminer l'endroit où elle était tombée mais nous avons eu beau fouiller méticuleusement l'herbe, nous ne l'avons pas retrouvée. J'étais dévastée. Chacun blâmait secrètement l'autre. Lui m'en voulait d'avoir jeté la bague, bien sûr. Moi, je lui en voulais de ne pas avoir de pitié. La perte de cette bague nous a tous les deux beaucoup affectés. Perdre, ou dans mon cas jeter, une chose si précieuse avant même que nous ayons commencé notre vie à deux, était peut-être un mauvais présage.

Je ne pouvais pas dire la vérité à mon père, alors nous lui avons menti et avons prétendu que nous avions été cambriolés. On avait même répété ce que l'on dirait si mon père me demandait pourquoi je ne portais pas la bague à mon doigt. Je l'avais enlevée pour me faire un masque du visage parce que je ne voulais pas que la pâte verte s'incruste dans le filigrane délicat, auquel cas j'aurais dû le nettoyer au cure-dent ou au fil dentaire.

Depuis, j'ai appris qu'en matière de mensonge, mieux vaut ne pas s'étendre sur les détails. Ce sont les détails qui vous perdent.

60. Lo-li-ta. Le bout de la langue caressant deux fois le palais avant de venir frapper le haut des dents. Lo-li-ta.

61. De longs doigts fuselés. Des paumes larges. Des cuticules qu'on n'a jamais besoin de repousser. Chet Baker dans la radiocassette. Il coupait des poivrons pour la salade. J'ai regardé ses mains et je me suis dit qu'il serait le père de mes enfants.

62. J'ai écrit : « Ça n'arrivera JAMAIS. William et moi discutons de tout. Ça ne sera pas un problème pour nous. » Et non, ce n'est plus vrai aujourd'hui.

63. Dans le jardin de l'appartement du North End de mon cousin Henry, qui surplombe le port de Boston. C'était le soir. L'air sentait la mer et l'ail. Nos alliances étaient des plus simples, ce qui nous paraissait une bonne chose après la débâcle de la bague de fiançailles. Si mon père était contrarié par l'affaire de la bague, il n'en a rien dit. En fait, il n'a pas prononcé beaucoup de mots ce soir-là, tant il était submergé par l'émotion. Avant le début de la cérémonie, il me prenait par les épaules toutes les cinq minutes, me serrait fort et hochait la tête. Au moment fatidique, il m'a menée à l'autel, a levé mon voile et m'a embrassée sur la joue. « Vas-y, maintenant, ma chérie » a-t-il dit, et je me suis mise à pleurer. Mes larmes ont coulé pendant toute la cérémonie, ce qui, ça se comprend, a quelque peu perturbé William. « Tout va bien », n'arrêtait-il pas de répéter pendant que le prêtre faisait son bla-bla. Je lui répondais à chaque fois : « Je sais. » Je ne pleurais pas parce que je me mariais, mais parce que ma relation avec mon père se résumait à ces cinq mots parfaitement choisis. Il pouvait prononcer une phrase d'apparence si ordinaire précisément parce que notre vie ensemble avait été tout le contraire.

# 56

As-tu lu l'article qui conseille à tout le monde de manger du fromage, Alice ?
Pourquoi tu ignores mes textos, Alice ? Chérie ?

• Désolée, papa. Fin d'année scolaire. Trop occupée pour textoter, lire ou manger.

G peur ke tu manges pas ac de fromage. Femmes de ton âge ont besoin protéines + calcium. Espère ke T pas devenue végétarienne en Californie.

• Crois-moi, inutile de t'inquiéter pr ma conso de fromage.

Scoop : je crois que je suis amoureux !

• Quoi ??? De qui ???

Conchita.

• Conchita Martinez la voisine, Conchita la mère de Jeff avec qui je suis sortie et que j'ai largué en terminale ?

Oui. C'est elle. Elle se rappelle très bien de toi. Jeff, pas trop. Lui nourrir rancune tenace.

- Pourquoi parles-tu comme l'Indien dans *L'Aventure est à l'Ouest* ? Vous passez beaucoup de temps ensemble ?

Toutes les nuits. Chez elle ou chez moi. Plutôt chez moi, vu que Jeff habite tjs avec elle. Quel nul.

- Super contente pour toi, papa.

Content pr toi aussi. Mariage heureux depuis des années. Très fier de toi. Tout va bien pr nous ms fais-moi plaisir mange un bout de Brie auj. J'ai peur que tu t'évanouisses. Petite fleur fragile.

# 57

**John Yossarian**
Parler franchement est sous-estimé.
Il y a 23 minutes

• OK, j'ai peur d'être en train de devenir un problème pour vous, Chercheur 101.

Comment ça, Épouse 22 ?

• Je ne vous blesse pas assez.

Je ne peux pas vous contredire sur ce point.

• Bien. Je ferai de mon mieux pour vous blesser davantage à l'avenir car d'après le site antonyme.com, le contraire de blesser c'est donner du plaisir, et je ne voudrais pas vous donner du plaisir par inadvertance.

On ne peut être tenu pour responsable de la façon dont les gens nous perçoivent.

243

- Vous donner du plaisir n'a jamais été mon intention.

C'est là votre conception de parler franchement, Épouse 22 ?

- Vous savez, c'est étrange. La façon dont nos conversations se déroulent. Elles coulent comme une rivière. Nous sautons dedans et plongeons sous l'eau. Lorsque nous remontons à la surface, nous nous rendons compte que nous avons dérivé de plusieurs kilomètres mais c'est sans importance. On est toujours dans la même rivière. Je vous tape sur l'épaule. Vous vous retournez. Vous m'appelez. Je réponds.

Je suis navré que vous ayez perdu votre bague de fiançailles. C'est un événement très traumatisant. Avez-vous avoué la vérité à votre père ?

- Non, et je l'ai toujours regretté.

Pourquoi ne pas lui dire maintenant ?

- Il s'est passé trop de temps. Quel serait l'intérêt ? Ça ne ferait que le contrarier.

Saviez-vous qu'à en croire mondico.com, la définition de problème est « un état de difficulté qui nécessite d'être résolu ».

- Est-ce là votre conception de parler franchement, Chercheur 101 ?

Après avoir échangé avec vous au fil de toutes ces semaines, je peux vous affirmer, Épouse 22, que vous avez besoin de résolution.

- Je ne peux nier cette affirmation.

Je peux également dire (avec un peu moins de certitude de peur de vous faire fuir) que j'aimerais être celui qui vous apporte la solution.

# 58

64. Alors que j'étais enceinte de trois mois de Zoe, j'étais malade comme un chien mais réussissais plutôt bien à le cacher. En fait, j'avais perdu plus de deux kilos à cause des nausées matinales et du coup, personne au théâtre ne soupçonnait ma grossesse – en dehors bien sûr de Bunny qui, avec ses yeux aux rayons X, avait deviné mon secret à l'instant où elle m'avait vue. Nous ne nous étions rencontrées qu'une seule fois avant qu'elle ne me contacte avec cette incroyable nouvelle : *La Serveuse* avait remporté le concours. Elle m'a immédiatement fait savoir que même si le scénario avait gagné, il fallait le retravailler. Elle m'a demandé si j'étais disposée à faire un peu de réécriture. « Évidemment », lui ai-je répondu en imaginant qu'il s'agissait de changements mineurs.

Je suis arrivée à Blue Hill un après-midi de septembre. Les dernières semaines n'avaient pas été faciles, William ne voulait pas me laisser sortir dans mon état. Nous nous sommes disputés pendant le petit-déjeuner et je suis partie comme une furie en l'accusant de vouloir saboter ma carrière. Je me suis sentie très mal pendant tout le trajet, mais une fois sur le seuil du théâtre à embrasser la scène du regard, j'ai été envahie par l'excitation. Elle était là, étalée devant mes yeux : ma vie d'auteur de pièces de théâtre était sur le point de commencer. Le théâtre de Blue Hill sentait exactement comme un théâtre devait sentir, avec des notes prononcées de poussière et de papier et des notes plus faibles de pop-corn et de vin bon marché. J'ai serré mon texte contre ma poitrine et descendu l'allée pour rejoindre Bunny.

— Alice ! Vous êtes enceinte, s'est-elle écriée. Félicitations ! Vous avez faim ?

Elle a sorti un paquet de petits gâteaux.

— Comment le savez-vous ? Je ne suis enceinte que de douze semaines. Ça ne se voit même pas encore.

— Votre nez. Il est enflé.

— Ah bon ? ai-je dit en le touchant.

— Pas énormément. Juste un tout petit peu. Ça arrive à beaucoup de femmes mais elles ne le remarquent pas. Les membranes gonflent pendant la grossesse mais pas toutes en même temps.

— Écoutez, j'apprécierais que vous n'en parliez à personne.

L'odeur mielleuse des gâteaux de Bunny est venue chatouiller mes narines et j'ai dû me fermer la bouche de la main.

— Dans le hall, sur la droite, m'a indiqué Bunny tandis que je remontais l'allée pour aller vomir dans les toilettes.

Ces semaines de répétition étaient intenses. Jour après jour, je prenais place à côté de Bunny dans le théâtre plongé dans l'obscurité où elle jouait le rôle de mon mentor. Au début, la plupart des suggestions de Bunny visaient à m'encourager à dépasser les clichés. « Je n'y crois pas, Alice », disait-elle souvent à propos d'une scène. « Les gens ne parlent pas comme ça dans la vraie vie. » Tandis que les répétitions se poursuivaient, elle s'est montrée de plus en plus dure et pressante car il lui semblait évident que quelque chose ne fonctionnait pas. Elle me poussait à trouver la nuance et le compromis qui manquaient selon elle à mes personnages. Mais je n'étais pas d'accord. Je trouvais qu'il y avait suffisamment de profondeur, c'était juste qu'elle ne la voyait pas encore. Une semaine avant la première, le rôle principal nous a lâchés. La première répétition en costume a été un désastre, la deuxième à peine mieux et, finalement, à la toute dernière minute, j'ai enfin vu *La Serveuse* avec les yeux de Bunny et j'ai été horrifiée. La pièce n'était qu'une triste caricature. Vive et brillante à la surface, mais sans substance en dessous. Un décor sans personnages.

À ce moment-là, il était trop tard pour faire le moindre changement. Je devais laisser voguer ma pièce. Soit elle attrapait un bon vent, soit elle sombrait dans les abîmes.

La première s'est bien déroulée. Le théâtre était plein. J'ai prié pour qu'un miracle fasse que tout se passe bien ce soir-là et, à en juger par la foule enthousiaste, ça semblait être le cas. William est resté à mon côté toute la soirée. J'avais un petit bidon désormais, ce qui faisait ressortir son instinct protecteur. Sa main était en permanence posée dans le creux de mon dos. Le lendemain matin, il y avait une critique dithyrambique dans le *Portland Press Herald*. Tous les acteurs ont fêté ça en s'offrant une croisière sur un chalutier. Certains d'entre eux se sont soûlés. D'autres (moi en l'occurrence) ont vomi. Aucun d'entre nous ne soupçonnait que ce serait là le seul moment de gloire de *La Serveuse*. Mais qui peut deviner que la magie va brusquement s'arrêter quand tout scintille autour de soi ?

Je ne dirais pas que William était ravi que la pièce soit un flop mais il était heureux que je reste à la maison à me préparer à l'arrivée du bébé. Il n'a pas été jusqu'à me sortir le fameux « Je te l'avais dit », mais chaque fois que Bunny m'envoyait une nouvelle mauvaise critique par mail (elle n'était pas de ces metteurs en scène qui préfèrent ignorer les critiques, plutôt l'opposé en fait : elle croyait dur comme fer qu'une bonne dose de critiques vous immunisait), il faisait une grimace que je ne pouvais que prendre pour de l'embarras. D'une certaine manière, mon échec public était devenu le sien. Il n'a pas eu à me conseiller de ne pas écrire une nouvelle pièce de théâtre. J'en suis arrivée à cette conclusion toute seule. Je me suis convaincue que la grossesse se construisait en trois actes. Un début, un milieu, une fin. J'étais une pièce vivante, et pour l'instant, cela devait me suffire.

65. Je sais que le mot « colocataire » est tabou mais voilà : et si être colocataires était l'étape naturelle du milieu du mariage ? Et si ça devait être ainsi ? La seule façon de traverser la dure épreuve que représente le fait d'élever des enfants, d'essayer de mettre de l'argent de côté pour la retraite et enfin d'accepter que la retraite n'existe plus et que nous travaillerons jusqu'au jour de notre mort.

66. C'était il y a quinze minutes.

## 59

— Miam ! s'exclame Caroline.

— Ça fait du bien par où ça passe ! approuve William.

Je demande en baissant les yeux sur mon smoothie :

— C'est censé avoir un goût de terre ?

— Oh, Alice ! dit Caroline. Tu es toujours si franche.

— Elle exagère toujours tout, oui.

— Tu devrais venir courir avec nous.

— C'est vrai, ça. Pourquoi tu ne cours pas avec nous ? demande William avec un manque de sincérité flagrant.

— Parce qu'il faut bien que quelqu'un travaille.

— Tu vois, elle exagère toujours.

— D'accord... heu, je vais prendre une douche et me préparer. Je passe un deuxième entretien à Tipi cet après-midi. C'est pour un stage mais au moins j'aurai un pied dans la place, annonce Caroline.

Je lui demande :

— Attends ! C'est quoi, Tipi ?

— De la microfinance. C'est une entreprise incroyable, Alice. Elle n'existe que depuis un an mais ils ont déjà prêté plus de deux cents millions de dollars aux femmes du Tiers-Monde.

— As-tu informé Bunny que tu te rendais à un deuxième entretien ? Elle doit être aux anges !

— Non, je ne lui en ai pas parlé. Et crois-moi, elle ne sera pas ravie, déclare Caroline. Elle trouve que je gâche mon diplôme en informatique. Si je postulais chez Paypal, Facebook ou Google, là oui, elle sauterait au plafond.

— Ça ne ressemble pas à ta mère, ça.

Caroline hausse les épaules.

— C'est bien ma mère, pourtant. Mais pas le côté de ma mère que les gens voient en général. J'y vais !

Elle jette une fraise dans sa bouche et sort de la cuisine.

— Tant mieux pour elle, dis-je. Au moins, elle se démène pour trouver un job.

— Alors que moi, non, c'est ça ? s'emporte William. J'ai passé dix entretiens, figure-toi. Je n'en parle pas, c'est tout.

— Tu as passé dix entretiens ?

— Oui, et aucun n'a été productif. Personne n'a rappelé.

— Oh, William, bon sang ! Dix entretiens. Pourquoi tu ne me l'as pas dit ? J'aurais pu t'aider. C'est implacable, dehors, c'est la jungle. Je veux t'aider. Je peux t'aider. Laisse-moi t'aider, s'il te plaît.

— Je n'ai pas besoin d'aide.

— Dans ce cas, je veux t'apporter mon soutien. En coulisse. Je suis douée comme âme compatissante. La meilleure. En fait...

Il me coupe dans mon élan.

— Je n'ai pas besoin de ta compassion, Alice. J'ai besoin d'un projet. Et que tu me laisses tranquille pendant que je le cherche. Je trouverai une idée. J'en trouve toujours.

Je me traîne jusqu'à l'évier où je rince mon verre.

— Bien, dis-je lentement. Voilà mon projet à moi : j'ai envoyé une lettre à l'Association des parents d'élèves pour leur demander de me passer à plein-temps à la rentrée. Six pièces par semestre, ça devrait faire du plein-temps.

— Tu veux enseigner l'art dramatique à plein-temps ?

— Je veux être en mesure d'envoyer nos enfants à l'université.

William croise les bras sur son torse.

— Caroline a raison. Tu devrais te remettre à courir. Ça te ferait du bien.

— Tu as l'air de très bien te débrouiller tout seul avec Caroline.

— Je préférerais courir avec toi.

Il ment. Je me demande si Chercheur 101 court.

— Quoi ? demande-t-il.

— Comment ça, quoi ?

— Tu fais une drôle de tête.

Je range mon verre dans le lave-vaisselle que je referme en claquant la porte.

— C'est juste la tête que je fais quand je te laisse tranquille pour que tu trouves un projet.

« *Les oies d'Californie, on est inoubliables. Oisons, colonies, jars sur le dessus. Des plumes si blanches que vous voulez nous caresser. Coin-coin, coin-coin, coin-coin, coin-coin.* »

*Jars sur le dessus ? Vous voulez nous caresser ?* À quoi je pensais ? Dans les coulisses de l'auditorium de l'école élémentaire Kentwood, je révise le bien-fondé de mon idée de faire faire une parodie de *California Girls* de Katy Perry à mes oies en guise de final pour *Le Petit Monde de Charlotte*. Les perruques bleues que j'ai dénichées dans la boutique de costumes donnent aux oies un air aguicheur (tout comme leurs déhanchements et leurs ondulations) et, à en juger par les visages jaloux de Wilbur et de Charlotte, et du reste de la troupe, je suis sûre d'avoir poussé le bouchon trop loin dans ma tentative de compenser le fait que les oies n'avaient pas de texte. Ça avait semblé une idée géniale à 3 heures du matin alors que je traînais sur You Tube et que je m'étais convaincue que Katy Perry complètement nue, drapée seulement d'un nuage pour recouvrir ses fesses, représentait le summum du post-post-féminisme.

Je commence à songer à des excuses susceptibles d'expliquer mon départ précipité dès la fin de la pièce. Pour une raison que j'ignore, elles tournent toutes autour de problèmes dentaires. Je mangeais un caramel et ma couronne s'est détachée. Je mangeais un bagel et un morceau s'est empalé dans ma gencive.

J'entends les chuchotements et gazouillements des parents tandis que les oies terminent leur numéro en s'alignant comme les Rockettes, bras dessus, bras dessous, et envoient des baisers langoureux au public. Les oies finissent leur chanson, ajoutant un dernier mouvement de fesses insolent. Applaudissements mollassons et les oies quittent la scène en se pavanant. Oh, mon Dieu ! Helicopmama a raison. Je fais ça depuis trop longtemps. Alors, je vois que le garçon qui joue Wilbur tient un bouquet d'œillets. On me pousse sur la scène où on me fourre les fleurs dans les bras. Je pivote pour faire face au public, une foule de visages désapprobateurs. Sauf trois. Celui des mères des oies. L'une des femmes au sourire éclatant est Mme Norman qui semble m'avoir pardonné de l'avoir traitée de droguée.

— Bien, dis-je. *Le Petit Monde de Charlotte*. Un classique toujours apprécié. Notre Charlotte n'était-elle pas merveilleuse, cette année ? Vous pensez peut-être que cette histoire n'est pas appropriée étant donné que Charlotte meurt à la fin et tout, mais d'après mon expérience, le théâtre est l'endroit idéal pour aborder des problèmes délicats comme la mort. Et ce que l'on ressent. Quand on est mort.

C'est comme ça que je me sens. Je continue :

— Je voudrais vous remercier de la confiance que vous m'accordez pour m'occuper de vos enfants. Enseigner l'art dramatique n'est pas toujours facile. La vie est injuste. Nous ne sommes pas tous égaux. Certains doivent jouer les figurants et d'autres doivent tenir les premiers rôles. Je sais que nous vivons une époque où nous faisons comme si ce n'est pas le cas.

Les parents rangent appareils photos et caméscopes et commencent à partir.

— Nous essayons de protéger nos enfants de la déception, de voir des choses qu'ils ne sont pas prêts à voir. Mais soyons réalistes. Les choses horribles existent. Surtout sur Internet. L'autre jour encore, mon fils... Ce que je veux dire, c'est qu'on ne peut pas les laisser regarder un film en faisant avance rapide sur les scènes effrayantes. J'ai raison, non ? L'auditorium est à moitié vide à présent. Mme Norman me fait signe depuis le premier rang.

— Très bien. Merci à tous d'être venus et, heu, passez de bonnes vacances et à l'année prochaine !

— Quand est-ce que nous aurons le DVD ? demande Mme Norman. Nous sommes tellement fiers de Carisa. Qui aurait pensé qu'elle dansait aussi bien ? Je voudrais commander trois DVD.

— Le DVD ?

— L'enregistrement de la pièce. Vous l'avez fait filmer par un professionnel, n'est-ce pas ?

Elle plaisante ?

— Beaucoup de parents ont filmé. Je suis sûre que l'un d'entre eux sera ravi de vous faire une copie.

Elle secoue la tête d'un air grave.

— Carisa, prends ton sac à dos. Je te retrouve à l'entrée.

Nous regardons toutes les deux Carisa partir en se déhanchant.

— Ces perruques étaient une erreur, je suis désolée.

— De quoi parlez-vous ? Les oies ont été les stars du spectacle, assure Mme Norman. Les perruques étaient géniales. Et le choix de la chanson aussi.

— Vous ne pensez pas que c'était un peu trop... mature ?

Mme Norman hausse les épaules.

— Nous vivons dans un monde nouveau. À huit ans, les enfants sont des adolescentes maintenant. Les filles ont de la poitrine en CM1. La mienne me demande déjà de lui acheter un soutien-gorge. Ils en font en petite taille maintenant, vous savez. Tout petits, rembourrés. Trop mignons. Alors écoutez, je voulais m'excuser pour ce qu'il s'est passé la semaine dernière. Vous m'avez prise au dépourvu. Je voulais vous remercier. Je vous suis reconnaissante d'avoir fait ce que vous avez fait.

Enfin un peu de gratitude !

— Je vous en prie. Je suis sûre que n'importe quelle mère aurait agi de la même manière à ma place.

— Bien. Où et quand voulez-vous que je vous retrouve ?

Je me doute que nous ne devrions pas faire ça à l'école.

— Ici, c'est bon, je réponds. L'auditorium est vide. Personne ne peut nous entendre.

— Vous voulez faire ça maintenant ? Vous l'avez sur vous ? Dans votre sac ? (Elle montre du doigt mon sac à bandoulière.) Génial !

Elle tend la main avant de la retirer rapidement.

— Nous devrions peut-être aller dans les coulisses.

Cette femme pense que j'ai encore son herbe ?

— Heu, madame Norman, je n'ai plus votre... truc. Je m'en suis débarrassée. Le jour où je vous ai appelée, pour tout dire.

— Vous l'avez jetée ? Y en avait au moins pour mille dollars !

Je la regarde se tasser, s'indigner, gonfler ses joues, et je pense à Chercheur 101, qui me fait confiance pour parler franchement.

— Madame Norman, j'ai eu une journée très difficile. J'ai eu tort de faire chanter aux oies un remake de *California Girls*. Je vous présente mes excuses et j'espère de tout mon cœur que vous n'achèterez pas de soutien-gorge à Carisa. Elle est bien trop jeune et en plus elle n'a même pas encore de poitrine. Vous devriez peut-être avoir une conversation avec votre fille à propos du traumatisme qu'elle a subi en trouvant la planque de votre drogue illicite plutôt que de me demander de la récupérer. C'est une enfant adorable et elle est complètement perdue.

— De quel droit vous permettez-vous de me dire ça ? siffle Mme Norman.

255

— Parlez-lui. Dites-lui quelque chose. N'importe quoi. Elle ne l'oubliera jamais. Croyez-moi.

— Coin-coin, coin-coin, répond Mme Norman. Traduction : espèce de professeur de merde.

— Coin-coin, coin-coin. Traduction : Au revoir, espèce de mère junkie.

Dans la voiture, je mets la musique à fond pour me calmer mais *I Dream a Dream of Days Gone By* ne marche pas aujourd'hui. Arrivée à la maison, je suis encore remontée comme une pendule par les événements de la journée, alors je fais une chose qui, je le sais, ne va faire qu'augmenter ma nervosité. J'entre en douce dans la chambre de Zoe pour vérifier son stock de produits Hostess. Je fais ça toutes les semaines dans l'espoir d'obtenir des éclaircissements sur la façon dont ma fille peut consommer des milliers de calories par semaine sans prendre un gramme.

— Je ne pense pas qu'elle soit boulimique, dit Caroline en passant la tête dans la chambre. Tu le saurais si elle se faisait vomir.

— Oui, eh bien, il manque deux Yodels, dis-je.

— Tu les as comptés ?

— Et j'entends tout le temps l'eau couler quand elle est aux toilettes.

— Ça ne veut pas dire qu'elle se fait vomir. Elle n'aime sans doute pas qu'on l'entende faire pipi. Je l'ai observée. Elle n'est pas du genre à vomir. Je ne pense pas qu'elle se fasse des orgies de Yodels, vraiment, Alice. Elle n'a pas le profil.

Je prends Caroline dans mes bras. J'adore l'avoir ici avec moi. Elle est intelligente, drôle, courageuse, créative et gentille, exactement le genre de personne que je voudrais que Zoe devienne.

— Tu as déjà mangé un Yodel ?

Caroline secoue la tête. Évidemment que non. Je lui en jette un.

— Je le garde pour plus tard, répond-elle en fronçant les sourcils devant le paquet.

— Rends-le-moi. Je sais que tu ne vas pas le manger.

Elle plisse le nez.

— Tu as raison. Je ne le mangerai pas mais ma mère oui. Tu sais qu'elle adore les cochonneries. Papa et elle viennent me rendre visite. Les Yodels ne se périment pas, hein ?

— Bunny vient à Oakland ?

— On s'est parlé ce matin. Ils viennent juste de se décider.

— Où vont-ils séjourner ?

— Je crois qu'ils prévoient de louer une maison.

— Certainement pas ! C'est bien trop cher. Ils peuvent dormir chez nous. Tu pourras occuper la chambre de Zoe et ils prendront la chambre d'amis.

— Oh non, ils ne voudront pas s'imposer. Déjà que vous m'hébergez.

— Ils ne s'imposent pas du tout. Et puis, c'est un peu égoïste de ma part, mais j'ai envie de la voir.

— Il ne faudrait pas demander son avis à William ?

— William n'y verra pas d'inconvénient, c'est promis.

— D'accord. Si tu le dis. J'en parlerai à ma mère. Ça va lui plaire. Alice, j'ai pensé à une chose. Et si nous allions courir toutes les deux ? On pourrait faire ça en secret ? Y aller tranquillement. Courir à ton rythme. Et au bout d'un moment tu pourrais recourir avec William.

— Je ne crois pas que William veuille courir avec moi.

— Tu te trompes. Tu lui manques.

— C'est lui qui t'a dit ça ?

— Non, mais je le vois bien. Il parle de toi tout le temps quand on court.

— Il se plaint de moi, oui.

— Non ! Il parle de toi, de choses que tu as dites.

— Ah bon ?

Caroline hoche la tête.

— C'est sympa. Enfin, je crois.

257

En vérité, ça m'énerve. Pourquoi est-ce que William ne montre-t-il que je lui manque que derrière mon dos ? Je reprends le Yodel des mains de Caroline.

— Ta mère préfère les SnoBalls.

Je revois parfaitement Bunny assise au fond du théâtre de Blue Hill, en train de retirer la peau de guimauve du gâteau au chocolat tout en ordonnant à un acteur d'aller plus en profondeur. Il y a un truc entre le monde du théâtre et les glucides.

— Quand j'étais petite, ils étaient emballés dans de l'alu, dis-je. Emballés comme si c'était un cadeau. Un présent qu'on n'attendait pas.

À l'instar des Yodels, la visite de Bunny m'apparaît comme un cadeau du destin.

Trois jours plus tard, l'été arrive officiellement. Les enfants ont fini l'école, et moi aussi. À cause de l'état de nos finances, nous n'allons pas faire grand-chose pour les vacances (à part un peu de camping dans la sierra d'ici quelques semaines). Tout le monde sera tout le temps à la maison, sauf Caroline qui a obtenu un stage à mi-temps chez Tipi.

J'ai accepté son offre de courir avec elle et me voilà au milieu de la rue, à souffler comme un bœuf, pliée en deux comme une vieille, les mains sur les genoux, regrettant amèrement ma décision.

— Un kilomètre et demi en douze minutes, dit Caroline en regardant sa montre. C'est bien, Alice.

— Douze minutes ? C'est nul. Je peux marcher plus vite que ça. (Je halète.) Redis-moi pourquoi on fait ça.

— Parce qu'après on se sent bien.

— Et pendant, j'ai l'impression de mourir et je maudis le jour où j'ai accepté de t'accueillir chez moi.

— C'est ça. (Elle sautille.) Allez, continue de bouger. Tu ne veux pas que l'acide lactique s'amasse dans tes mollets.

— Non, pas d'acide lactique pour moi. Donne-moi juste une seconde pour reprendre mon souffle.

Caroline plisse les yeux et regarde distraitement au loin.

— Qu'est-ce qu'il y a ?

— Rien.

— Est-ce que tu guettes l'arrivée de tes parents ?

Caroline hausse les épaules.

— Tu as dit à Bunny pour Tipi ?

— Hum, hum.

Elle s'étire rapidement et repart en petites foulées. Je grommelle et lui emboîte le pas en chancelant. Elle fait demi-tour et revient.

— William m'a dit qu'avant tu courais un kilomètre et demi en neuf minutes. On va te ramener à ce niveau. Bouge les bras. Non, pas comme un poulet, Alice. Ramène-les sous les épaules.

Je la rejoins et, au bout de quelques minutes, elle regarde sa montre et fronce les sourcils.

— Ça t'ennuie si je sprinte sur les derniers cinq cents mètres ?

— Vas-y, fonce !

Dès qu'elle est hors de vue, je ralentis et sors mon portable. Je me connecte à Facebook.

**Kelly Cho**
Merci pour la pub, Alice !
Il y a 5 minutes

**Nedra Rao**
Contrat prénuptial, tout le monde, contrat prénuptial !
Il y a 10 minutes

**Bobby Barbedian**
Robert Bly dit que ce n'est pas grave si vos ailes poussent vers le bas.
Il y a 2 heures

**Pat de la Guardia**
Rêve de manger des lumpias de Tita. Grosse allusion.
Il y a 4 heures

**Phil Archer**
A lu la prédiction de son cookie : « La sensibilité dont vous faites preuve à l'égard des autres vous sera rendue. »
Il y a 5 heures

Barbant. Rien de bien émoustillant. Alors je vérifie la page de Lucy Pevensie.

**John Yossarian**
Aime les barmaids.
Il y a 5 heures

Je pousse un cri perçant.

60

**John Yossarian**
Pourquoi pas ?
Il y a 1 heure

• D'accord, je vais simplement vous poser la question. Est-ce que vous me draguez, Chercheur 101 ?

Je ne sais pas. Est-ce que VOUS me draguez ?

• Laissez-moi le rôle d'enquêteur pour une fois. Répondez à ma question.

Oui.

• Vous feriez mieux d'arrêter.

Vraiment ?

• Non.

# 61

DÎNER DE FÊTE SUÉDOIS
CHEZ NEDRA

*19 h 30 ; Dans la cuisine de Nedra.*
MOI : Voilà les boulettes de viande !
NEDRA (*retirant le papier d'alu et faisant la grimace*) : Elles sont faites maison ?
MOI : Et voilà la confiture d'airelles rouges qui va avec.
NEDRA : Je comprends maintenant pourquoi tu as choisi le thème suédois. Tu n'avais plus de bougies bon marché. Alice, tout l'intérêt de ces repas à thématique internationale, c'est de sortir de ses habitudes et d'essayer de nouveaux plats, pas de les acheter à Ikea.
WILLIAM (*lui tendant un plat mijoté*) : Le blabarspalt.
NEDRA (*retirant le papier d'alu, le visage rayonnant de plaisir*) : Tu as apporté quelque chose aussi ?
WILLIAM : C'est moi qui l'ai fait. C'est du palt avec des myrtilles. C'est une friandise suédoise traditionnelle.
NEDRA : William chéri, je suis impressionnée. Alice, pose la confiture d'airelles rouges sur la table, tu veux ? Le pot en polystyrène est une attention délicate, au fait.

*19 h 48 ; Toujours dans la cuisine.*

LINDA : Attendez que vos enfants entrent à l'université et emménagent en résidence universitaire, et vous verrez. C'est comme le mariage ou l'accouchement, personne n'avoue à quel point c'est difficile.

KATE : Allons, ça ne peut pas être si terrible que ça.

BOBBY : On vous a dit que nos deux suites sont terminées ?

LINDA : D'abord, il a fallu que je me lève à 5 heures du matin pour me connecter sur le site de la fac afin d'obtenir l'heure d'emménagement de Daniel. C'est la loi du premier arrivé, premier servi, et tout le monde veut la tranche horaire 7-9. Si tu n'as pas ce créneau, t'es foutu.

NEDRA : Pourquoi est-ce que Daniel ne s'est pas levé à 5 heures du matin ?

LINDA (*balayant d'un geste de la main l'idée qu'on puisse faire confiance à un ado de dix-huit ans pour programmer son réveil à la bonne heure*) : Je nous ai inscrits pour le créneau de 7-9. Nous sommes arrivés sur le campus à 6 h 45 et il y avait déjà des files interminables de parents et d'enfants devant les quatre ascenseurs qui desservent toute la résidence. À l'évidence il y avait un créneau 5-7 « Les-règles-ne-s'appliquent-pas-à-moi-parce-que-je-paye-40 000-$-à-l'année » dont on ne m'avait pas parlé.

BOBBY : Je dors comme un bébé. Linda aussi. Et notre vie sexuelle… Je ne vais pas entrer dans les détails mais disons simplement que c'est incroyablement excitant de se sentir comme des étrangers dans sa propre maison.

LINDA : Alors nous avons monté des valises de vingt kilos sur cinq étages jusqu'à la chambre de Daniel. Un exploit digne de Sisyphe compte tenu du fait que toutes les deux minutes on se faisait bousculer par d'heureux arrivés là assez tôt pour monter les affaires de leurs enfants par l'ascenseur et qui disaient des stupidités du genre : « Oh, vous êtes bien chargés ! Ah, les déménagements ! Vous n'êtes pas contents de vous débarrasser enfin de vos enfants ? » Et quand nous sommes arrivés dans la chambre de Daniel, l'horreur ! Son coloc était déjà là et avait presque fini d'emménager. Quand la mère du coloc nous a vus, elle ne nous a même pas dit bonjour. Elle déballait comme une furie et prenait autant de place qu'elle pouvait. Apparemment, le coloc souffre d'une maladie qui fait qu'il a une jambe plus courte que l'autre et du coup, on lui avait donné une autorisation spéciale pour emménager super, super tôt. La tranche de 3-5 heures.

MOI : William, pense à tout l'argent que nous allons économiser maintenant que les enfants ne vont plus à la fac et que nous évitons la journée d'emménagement en résidence universitaire.

BOBBY : Ma seule question c'est : pourquoi avons-nous attendu si longtemps ? Nous aurions pu être heureux comme ça il y a des années. Notre entrepreneur nous a appris que tous ceux qui font aménager des chambres doubles disent ça.

LINDA : Au moins, le coloc a eu la décence de paraître gêné par la quantité d'affaires qu'il avait apportées : un micro-onde, des plaques chauffantes, un frigo, un vélo. Nous avons laissé les valises de Daniel dans le couloir et leur avons dit que nous reviendrions plus tard.

BOBBY : Venez à la maison, je vous ferai visiter.

LINDA : Au moment où on quittait la chambre, le coloc a dit : « Tu sais quoi ? J'ai une sorbetière. » Mon cœur s'est serré. J'avais acheté une sorbetière à Daniel, moi aussi. J'ai lu sur un blog que c'est un des trucs à apporter à la fac pour être populaire. Maintenant, voilà qu'ils ont deux sorbetières dans dix mètres carrés, ce qui fait qu'ils en ont une de trop pour être cool et populaires. À la place, les gens vont se demander pourquoi ces deux gars dans la 507 ont deux sorbetières. Toutes ces années de subtile manipulation sociale, à faire en sorte qu'il soit invité à toutes les fêtes des enfants populaires, à faire des suggestions efficaces du genre : « Si ça ne te dit rien de "freaker" au bal, raconte que c'est contre ta religion ou que tes parents t'ont interdit de le faire...» C'est là que je me suis mise à pleurer.

MOI : C'est quoi, « freaker » ?

KATE : C'est du air-sexe. En gros, tu simules un rapport sexuel sur la piste de danse.

BOBBY : Je lui ai dit qu'elle aurait dû se retenir de pleurer et garder ses larmes pour le moment où tous les parents disent au revoir à leur enfant dans les couloirs – le lieu officiel pour les adieux – mais elle ne m'a pas écouté.

LINDA : J'ai pleuré à ce moment-là. J'ai pleuré quand on est revenus le soir et que la mère du coloc continuait à organiser et à redéplacer des bibelots. Je ne pouvais décemment pas hurler : « Putain, qu'est-ce que tu fous ? » à une mère dont le fils a la jambe gauche plus courte de huit centimètres que la droite, et j'ai encore pleuré à l'heure autorisée dans le couloir.

MOI : C'est bien, non, qu'aucun de nos enfants ne soit là ?

LINDA *(reniflant)* : Et je vais devoir recommencer tout ça en août avec Nick. Et alors les enfants seront partis. Notre nid est officiellement vide. Je ne sais pas si je vais le supporter.

BOBBY : Je parie qu'il existe des entreprises qui déménagent à notre place les enfants à la fac.

WILLIAM : Super idée, sous-traiter le travail.

NEDRA : Aucune mère ne voudrait qu'un étranger déménage son enfant à la fac, bande d'idiots.

MOI : J'adorerais en apprendre davantage sur vos chambres doubles. Vous avez des photos ? Ce truc rose, c'est du Gravlox ?

NEDRA : Du Gravlax. Lox, c'est juif.

MOI : Comment tu le sais ?

NEDRA : Toussurlesjuifs.com, bien sûr.

*20 h 30 ; Dans le patio en train de dîner.*

NEDRA : Croyez-le ou non, un bon divorce, ça existe.

MOI : Et comment ça se passe, un bon divorce ?

NEDRA : Tu gardes la maison. Je garde le chalet au lac Tahoe. On partage l'appart à Maui.

WILLIAM : En d'autres termes, l'argent.

NEDRA : Ça aide.

KATE : Tout comme le respect de l'autre. Et vouloir faire au mieux pour les enfants. Ne pas dissimuler ses biens.

WILLIAM : En d'autres termes, la confiance.

MOI (*évitant le regard de William*) : Alors Linda, dis-nous comment c'est, d'avoir deux chambres parentales ? Comment ça marche ?

LINDA : On regarde la télé dans sa chambre ou la mienne, on se câline un peu et quand on est prêts à dormir, chacun va dans sa chambre.

BOBBY : Les suites ne servent vraiment qu'à dormir.

LINDA : C'est très important le sommeil.

BOBBY : Le manque de sommeil entraîne une orgie de bouffe.

LINDA : Et des pertes de mémoire.

MOI : Et de la colère refoulée.

WILLIAM : Et pour le sexe ?

LINDA : Comment ça ?

NEDRA : Quand est-ce que vous couchez ensemble ?

LINDA : On couche ensemble comme d'habitude.

NEDRA : Ce qui veut dire ?

BOBBY : Tu es en train de nous demander la fréquence ?

NEDRA : Je me suis toujours demandé combien de fois par semaine les couples hétéros avaient des rapports.

WILLIAM : J'imagine que c'est en fonction de la durée de leur mariage.

NEDRA : On a vu mieux comme pub pour le mariage, William.

MOI : De quelle couleur avez-vous peint les murs, Linda ?

NEDRA : Un couple marié depuis dix ans, je dirais une fois toutes les deux semaines.

MOI : Et pour le sol ? Vous saviez que la moquette était de retour ?

LINDA : C'est plus que ça.

MOI : Bien, moi, je ne vais pas mentir.

LINDA : Tu me traites de menteuse ?

MOI : Je dis juste que tu dois étirer un peu la vérité.

WILLIAM : Passe-moi le blabarspalt.

MOI : Une fois par mois.

WILLIAM (*toussotant*)

*21 h 38 ; Dans la cuisine, rangeant les restes dans des tupperwares.*

NEDRA : J'ai le front qui brille. Je suis gavée, je suis bourrée. Lâche ton téléphone, Alice. Je ne veux pas qu'on me prenne en photo.

MOI : Tu me remercieras un jour.

NEDRA : Je t'interdis de mettre ça sur Facebook. J'ai beaucoup d'ennemis. Je préférerais qu'ils ne sachent pas où j'habite.

MOI : Du calme. Ce n'est pas comme si je donnais ton adresse.

NEDRA (*me prenant le portable des mains et pianotant sur le clavier*) : C'est exactement comme si tu donnais mon adresse. Si ton téléphone a un GPS, ta localisation géographique est encryptée dans ta photo avec la longitude et la latitude exactes de l'endroit où elle a été prise. La plupart des gens ignorent cela. Laisse-moi te dire que ça a joué en faveur de mes clients très souvent. Voilà. J'ai éteint l'application de localisation de ton appareil photo. Maintenant tu peux me photographier.

MOI : Oublie. Ça n'a plus rien de drôle maintenant.

NEDRA : Au fait, tu exagérais, pas vrai ? Vous faites l'amour plus d'une fois par mois ?

MOI (*poussant un soupir*) : Non, c'est la vérité. En tout cas ces derniers temps.

NEDRA : Tu as peut-être l'impression que ce n'est qu'une fois par mois mais je suis sûre qu'en fait c'est plus. Tu devrais tenir le compte. Si ça se trouve, il existe une application sur ton portable pour ça.

MOI : Tu connais l'application : « Pourquoi je suis une telle salope ? » C'est gratuit. Ça te dit quel jour tu as tes règles. Il existe une version pour les hommes. Elle coûte 3,99 $. Ça s'appelle : « Pourquoi ma copine est une telle salope ? » Et pour 4,99 $, tu peux avoir la version au-dessus : « Ne jamais demander à sa copine si elle va avoir ses règles. »

NEDRA : Et elle sert à quoi ?

MOI : Ça te coûte 4,99 $ chaque fois que tu es assez con pour demander à ta copine si elle va avoir ses règles.

NEDRA (*une expression d'horreur sur le visage*) : Qu'est-ce que tu fais ! Ne jette pas le blabarspalt !

*22 h 46 ; À travers la porte des toilettes.*

MOI : Y a quelqu'un ?

WILLIAM (*ouvrant la porte*) : Non.

MOI (*me balançant d'un pied sur l'autre pour essayer de contourner William et d'entrer dans la salle de bains*) : Choisis un côté, William. Gauche ou droite ?

WILLIAM : Alice ?

MOI (*essayant de passer*) : Quoi ? Je dois aller aux toilettes.

WILLIAM : Regarde-moi.

MOI : Quand j'aurai fait pipi.

WILLIAM : Non, regarde-moi maintenant. S'il te plaît.

MOI (*regardant par terre*) : D'accord, désolée. Je n'aurais pas dû dire à tout le monde que nous ne faisions l'amour qu'une fois par mois.

WILLIAM : Je m'en fiche de ça.

MOI : Tu ne devrais pas. C'est une information privée.

WILLIAM : Ça ne veut rien dire.

MOI : Pour moi, ça veut dire quelque chose. En plus, on le fait sans doute plus d'une fois par mois. On devrait tenir le compte.

WILLIAM : C'est une fois par mois ces derniers temps.

MOI : Tu vois que ça compte pour toi.

MOI : Pourquoi tu me regardes comme ça ? Dis quelque chose.

MOI : William, si tu ne bouges pas, je vais me faire pipi dessus. Maintenant, droite ou gauche ?

WILLIAM (*après une longue pause*) : J'ai adoré l'autre soir dans ton bureau.

MOI (*après une pause encore plus longue*) : Moi aussi.

*22 h 45 ; À errer dans le jardin.*

BOBBY : J'ai l'impression que l'idée des chambres doubles t'intéresse.

MOI : Ces lanternes sont magiques. On se croirait à Narnia, ici.

BOBBY : Je peux t'envoyer les coordonnées de mon entrepreneur par mail, si tu veux.

MOI : Si nous transformons notre chambre en deux chambres doubles, on aura chacun une chambre de la taille d'une cellule de prison.

BOBBY : Ça a changé nos vies. Sans mentir.

MOI (*posant la paume de ma main sur sa joue*) : Je suis contente pour vous, Bobby. Sincèrement. Mais je ne pense pas que des chambres séparées arrangeraient les choses entre nous.

BOBBY : Je le savais ! Vous avez des problèmes.

MOI : Tu crois qu'Aslan le Lion nous attend de l'autre côté de cette barrière ?

BOBBY : Désolé. Je ne voulais pas avoir l'air si enthousiaste à l'idée que vous ayez des problèmes.

MOI : Je n'ai pas de problèmes, Bobby. J'ai un flash de lucidité. Ça, ça me réveille (*m'allongeant dans l'herbe*).

BOBBY (*baissant les yeux sur moi*) : Ton éclair de lucidité ressemble étrangement à ton comportement après cinq verres de vin.

MOI (*avec un hoquet*) : Bobby B ! Il y a tellement d'étoiles ! Depuis quand est-ce qu'il y a autant d'étoiles ? Voilà ce qui se passe quand on oublie de regarder en l'air.

BOBBY : Personne ne m'a appelé Bobby B depuis des lustres.

MOI : Tu pleures, Bobby B ?

*23 h 16 ; En montant dans ma chambre.*

MOI : Il semblerait que je sois un peu bourrée.

WILLIAM : Prends mon bras.

MOI : J'imagine que le moment serait bien choisi pour faire l'amour.

WILLIAM : Tu es plus qu'un peu bourrée, Alice.

MOI *(marmonnant)* : Est-ce que je suis bourrée sexy ou pas sexy ?

WILLIAM *(m'escortant dans la chambre)* : Déshabille-toi.

MOI : Je ne crois pas en être capable là tout de suite. Toi, déshabille-moi. Je vais juste fermer les yeux et me reposer un peu pendant que tu profites de moi. Ça comptera quand même, pas vrai ? Dans notre moyenne mensuelle. Même si je m'endors pendant que nous le faisons. Avec un peu de chance, je ne vomirai pas.

WILLIAM *(déboutonnant mon chemisier et me l'enlevant)* : Assieds-toi, Alice.

MOI : Attends, je ne suis pas prête. Laisse-moi le temps de rentrer le ventre.

WILLIAM *(m'enfilant mon pyjama par la tête, me poussant sur le lit et me recouvrant avec les draps)* : J'ai déjà vu ton ventre. En plus, il fait complètement noir ici.

MOI : D'accord, s'il fait complètement noir, tu as le droit d'imaginer que je suis Angelina Jolie. Pax, Zahara ! Les enfants, mangez toute votre assiette de pâtes de blé ou sinon... Et sortez tous les six de notre lit... Tout de suite ! Hey ! Tu pourrais être Brad.

WILLIAM : Je ne suis pas du genre à jouer un rôle.

MOI *(me redressant d'un bond)* : J'ai oublié d'acheter des bougies à Ikea. Il va falloir que j'y retourne. Je déteste Ikea.

WILLIAM : Alice, bon sang ! Dors maintenant.

## 62

Le lendemain, je me réveille avec un horrible mal de tête. Le côté du lit de William est vide. Je vérifie son profil Facebook.

**William Buckle**
16 km.
Il y a 1 heure

Soit il est en chemin pour Paris, soit il est parti courir. Je soulève ma tête de l'oreiller et la pièce se met à tourner. Je suis encore soûle. Mauvaise mère. Je réfléchis aux choses embarrassantes que j'ai faites la veille au dîner et j'ai envie de rentrer sous terre. Est-ce que j'ai vraiment essayé de faire croire que j'avais cuisiné les boulettes de viande d'Ikea? Est-ce que j'ai vraiment escaladé la barrière chez Nedra à la recherche d'un portail pour le monde de Narnia? Est-ce que j'ai vraiment avoué à nos amis que nous ne faisions l'amour qu'une fois par mois?

Je me rendors. Deux heures plus tard, je me réveille et appelle Peter d'une voix faiblarde. Puis Caroline, puis Zoe. Je n'arrive pas à me résoudre à réclamer William. J'ai trop honte et je ne veux pas lui avouer que j'ai la gueule de bois. Au bout du compte, désespérée, j'appelle Jampo en hurlant et suis récompensée par le martèlement instantané de ses petites pattes. Il se précipite dans la chambre et saute sur le lit, haletant comme pour me dire que je suis la seule chose au monde qu'il aime, la seule qui compte pour lui, celle pour laquelle il vit. Ensuite, il se met à pisser d'excitation sur les draps.

— Mauvais garçon, mauvais garçon !

Je hurle mais ça ne sert à rien, il ne peut pas s'arrêter en pleine action. Alors je le regarde baver. Sa babine inférieure est collée à ses dents, ça lui donne un malencontreux sourire pathétique à la Elvis qu'on pourrait prendre pour de l'hostilité mais que je sais être de la honte.

— C'est pas grave, lui dis-je.

Quand il a fini son affaire, je me sors du lit, retire mes vêtements, enlève la couverture, les draps et l'alaise et établis dans ma tête la liste des choses que je dois faire aujourd'hui pour me sentir bien.

1. Boire de l'eau à température ambiante avec une tranche de citron.

2. Tricoter une écharpe. Une longue écharpe étroite. Non, une petite écharpe étroite. Non, un napperon, c'est-à-dire une très, très petite écharpe.

3. Aller faire prendre l'air à Jampo. Trente ou quarante-cinq minutes minimum, sans lunettes de soleil, peut-être avec un petit T-shirt à col en V pour absorber ma dose quotidienne optimale de Vitamine D par les rétines et par la peau délicate du haut de mes seins.

4. Planter de la citronnelle dans le jardin pour pouvoir boire des tisanes et la jouer bio et purifiée et élégante (à condition que primo, le plant de citronnelle que j'ai acheté il y a un mois et que j'ai oublié d'arroser et de rempoter ne soit pas mort et secundo, que je sois capable de me pencher sans vomir).

5. Faire la lessive.

6. Faire une sauce bolognaise, la laisser mijoter à feu doux toute la journée pour que la maison sente bon la cuisine lorsque la famille rentre.

7. Chanter ou, si trop nauséeuse pour chanter, regarder *La Mélodie du bonheur* et faire comme si j'étais Liesl.

8. Me rappeler ce que ça fait d'avoir seize ans, bientôt dix-sept.

C'est une liste de bonnes choses à faire, dommage que je n'en accomplisse pas une seule. À la place, je rédige une autre liste dans ma tête, cette fois de choses que je ne devrais absolument pas faire et entreprends d'accomplir chaque action avec brio.

1. Remplir le lave-vaisselle et oublier de le mettre en route.

2. Manger huit petites bouchées Reese au beurre de cacahuètes et me rassurer en me disant que ce ne sont que des bouchées.

3. En manger huit de plus.

4. Mettre des feuilles de laurier (car la citronnelle est bel et bien morte) dans de l'eau bouillante et me forcer à en boire une tasse entière.

5. Me sentir bien car j'ai ramassé ces feuilles de laurier pendant ma rando dans Tilden Park et les ai fait sécher au soleil (d'accord, dans le sèche-linge, mais je les aurais séchées au soleil si je ne les avais pas laissées dans la poche de ma polaire partie au lave-linge).

6. Me sentir super bien parce que je suis maintenant officiellement une butineuse.

7. Envisager une nouvelle carrière comme fournisseur de feuilles de laurier/butineuse pour les meilleurs restaurants de la baie. Fantasmer sur le fait d'être en photo dans le numéro spécial restaurants du *New Yorker*, un bandana rouge sur la tête et un panier en osier débordant de feuilles de laurier dans les bras.

8. Chercher dans Google « feuille de laurier » et découvrir que seules les feuilles de laurier européen sont comestibles et que, bien que le laurier de Californie ne soit pas toxique, il n'est pas conseillé d'en ingérer.

9. Me connecter et relire tous les messages échangés avec Chercheur 101 jusqu'à avoir lu entre toutes les lignes et assimilé chaque petite allusion de drague.

10. Exténuée, m'endormir sur une chaise longue au soleil, Jampo affalé à mes pieds.

— Tu sens l'alcool. Tu transpires l'alcool par tous les pores. J'ouvre doucement les paupières et surprends William en train de m'observer.

— La coutume veut qu'on prévienne d'une façon ou d'une autre une personne qui dort avant de la réveiller, dis-je.

— Une personne ne devrait pas dormir à 16 heures, rétorque William.

— Est-ce que c'est le bon moment pour vous annoncer que je veux changer d'école et m'inscrire à l'école chorale pour garçons à la rentrée ? demande Peter.

Zoe et lui nous rejoignent tranquillement sur la terrasse.

Je hausse un sourcil en direction de William et lui lance mon regard « Tu vois, je te l'avais dit que notre fils était gay ».

— Depuis quand tu aimes chanter ? demande William.

— Est-ce qu'on t'embête à l'école ? (Le cortisol court dans mes veines à l'idée que mon petit garçon soit maltraité.)

— Punaise, maman, tu pues, lâche Zoe en agitant une main dans ma direction.

— Oui, ton père me l'a déjà fait remarquer. Où étais-tu toute la journée ?

— Zoe et moi, on s'est promenés sur Telegraph Avenue, répond Peter.

— Telegraph Avenue ? Tous les deux ? Ensemble ?

Mes enfants échangent un bref regard. Zoe hausse les épaules.

— Et alors ?

— Alors ce n'est pas un quartier sûr, dis-je.

— Pourquoi ? À cause de tous les SDF ? interroge Zoe. Je te ferais savoir que notre génération est post-SDF.

— Ce qui veut dire ?

— Qu'ils ne nous font pas peur. Nous avons été élevés pour regarder les SDF droit dans les yeux.

— Et les aider à mendier, renchérit Peter.

Je me tourne vers William :

— Et toi, tu étais où pendant que nos enfants faisaient la manche sur Telegraph Avenue ?

— C'est pas ma faute. Je les ai déposés à Market Hall dans Rockridge. Ils ont pris le bus pour Berkeley.

— Pedro a chanté l'*Ode à la joie* en allemand et on a gagné vingt dollars ! raconte Zoe.

— Tu connais l'*Ode à la joie* ?

— Sur YouTube, il y a une vidéo intitulée « Apprenez à chanter Ludwig Beethoven en allemand », explique Peter.

— William, est-ce que je mets les pommes de terre à cuire ? demande Caroline depuis la cuisine.

— Je vais l'aider, dis-je en me hissant hors de ma chaise longue.

— Inutile. Reste là. Nous nous occupons de tout, réplique William avant de disparaître dans la maison.

Tandis que je les regarde tous s'activer dans la cuisine, une idée me frappe : le dimanche après-midi est le moment le plus solitaire de la semaine. Avec un soupir, j'ouvre mon ordinateur portable.

**John Yossarian** aime la Suède.
Il y a 3 heures

**Lucy Pevensie**
A besoin de son sirop magique mais ne sait plus où elle l'a mis.
Il y a 3 heures

Vous voilà. Avez-vous regardé sous le siège de votre voiture, Épouse 22 ?

- Non, mais j'ai regardé sous le siège du traîneau de la sorcière blanche.

À quoi sert le sirop ?

- À soigner des maladies.

Évidemment. Vous êtes malade ?

- J'ai la gueule de bois.

Je suis désolé d'apprendre ça.

- Êtes-vous de descendance suédoise ?

Je ne peux divulguer cette information.

- Dans ce cas, pouvez-vous me dire ce que vous aimez à propos de la Suède ?

Sa neutralité. C'est un endroit sûr pour attendre la fin d'une guerre, quand il y en a une, bien sûr.

- Êtes-vous en guerre ?

Peut-être.

- Comment peut-on être « peut-être » en guerre ? La guerre n'est-elle pas évidente ?

Pas toujours. Surtout quand on est en guerre avec soi-même.

- Quel genre de guerre une personne mène-t-elle contre elle-même ?

Une guerre dans laquelle un côté de la personne pense qu'il franchit une ligne et l'autre pense que la ligne ne demande qu'à être franchie.

• Chercheur 101 ? Vous pensez que je suis en demande ?

Pas du tout, Épouse 22.

• Alors vous me comparez à une ligne ?

Peut-être.

• Une ligne que vous êtes sur le point de franchir ?

Dites-moi d'arrêter.
Épouse 22 ?

• Vous êtes suédois.

Qu'est-ce qui vous fait croire ça ?

• Votre façon de parler, des fois.

Je ne suis pas suédois.

• D'accord, vous êtes canadien.

C'est mieux.

• Vous avez grandi dans un ranch de l'Alberta du Sud. Vous avez appris à monter à cheval à trois ans. Vous avez été scolarisé à la maison avec vos quatre frères et sœurs. L'après-midi vous chassiez les vaches avec les enfants hutterites de la réserve voisine.

Mes amis hutterites me manquent.

• Vous étiez l'aîné donc on attendait beaucoup de vous, en particulier de diriger le ranch une fois adulte. Mais vous avez préféré aller à l'université à New York et vous n'êtes rentré qu'une fois par an pour aider au marquage des bêtes. Un événement auquel vous faisiez assister toutes vos petites amies pour les impressionner et leur foutre la trouille. Et aussi pour qu'elles voient la super allure que vous avez en jambières de cuir.

J'ai toujours ces jambières.

• Votre épouse est tombée amoureuse de vous quand elle vous a vu monter à cheval.

Vous êtes médium ?

• Vous êtes mariés depuis longtemps. Il se peut que ça ne l'intéresse plus de vous voir monter à cheval, même si j'ai du mal à croire qu'on puisse s'en lasser.

Ce n'est pas moi qui vous contredirai.

• Vous n'êtes pas un cul-terreux, un joueur, un golfeur, un empoté, ni du genre à corriger les autres quand ils se trompent de mot, ni une personne qui déteste les chiens.

Toujours d'accord là-dessus.

• N'arrêtez pas.

Arrêter quoi, Épouse 22 ?

• De franchir ma ligne.

## 63

67. Vouloir que les gens qu'on aime soient heureux. Regarder les SDF dans les yeux. Ne pas désirer ce qu'on n'a pas. Ce qu'on ne *peut* pas avoir. Ce qu'on ne *devrait* pas avoir. Ne pas envoyer de textos au volant. Contrôler son appétit. Vouloir être où on est.

68. Une fois les nausées matinales terminées, j'ai adoré être enceinte de Zoe. Ça a profondément changé la dynamique entre William et moi. Je me laissais être vulnérable et il se permettait de jouer les protecteurs. Chaque jour, cette voix stupéfaite, primitive, collante à l'intérieur de moi me murmurait : « C'est ainsi que ça doit être. C'est ainsi que tu dois vivre. C'est le but de ta vie. » William se montrait galant. Il m'ouvrait les portes et les bocaux de sauce spaghetti. Il mettait le chauffage dans la voiture avant que j'y monte et me tenait par l'épaule quand nous nous frayions un chemin sur des trottoirs pluvieux. Nous étions un tout, nous trois, les trois éléments d'une trinité avant même la naissance de Zoe. Ça m'aurait plu de rester enceinte pendant des années.

Et puis Zoe est née. Un bébé baveux, qui souffrait de coliques et se montrait agressif et malheureux. William s'échappait vers le calme et la normalité du bureau tous les jours. Je restais à la maison, en congé maternité, et divisais la journée en quarts d'heure : tétée, rôt, s'allonger sur le canapé avec le bébé qui hurle, essayer d'endormir le bébé qui hurle en chantant. C'est à ce moment-là que j'ai cruellement ressenti l'absence de ma mère. Jamais elle ne m'aurait laissée traverser seule la folie de ces premiers mois. Ni une ni deux, elle aurait emménagé avec nous et m'aurait enseigné les choses qu'une mère apprend à sa fille : comment donner le bain, comment soigner les croûtes de lait, combien de temps il est raisonnable d'en vouloir à son mari parce qu'il a mal attaché le bébé dans le transat et qu'il a glissé.

Et puis surtout, ma mère m'aurait mise au parfum sur le temps qui passe. Elle m'aurait dit : « C'est paradoxal, chérie. La première moitié de ta vie, chaque minute te semble une année, la seconde moitié, chaque année te paraît une minute. » Elle m'aurait assuré que c'était normal et qu'il ne servait à rien d'essayer de lutter. Que c'était le prix à payer pour avoir le privilège de vieillir.

Ma mère n'a jamais eu ce privilège.

Onze mois plus tard, je me suis réveillée un matin et le calme était revenu. J'ai pris mon bébé dans son berceau, elle a poussé le plus adorable des gémissements, comme un petit cri de dauphin, et je suis instantanément tombée amoureuse.

69. Chère Zoe,

Voici l'histoire du début de ta vie. Il ne peut se résumer en une seule phrase. Je t'ai aimée, puis j'ai eu très peur et alors je t'ai aimée encore plus que je n'aurais cru possible d'aimer une autre personne. Je crois que nous ne sommes pas si différentes, même si je suis sûre que c'est ton sentiment en ce moment.

Ce que tu ne sais ou ne te rappelles peut-être pas :

1) Tu as toujours été douée pour lancer des modes. À deux ans, tu t'es levée sur les genoux du Père Noël et

t'es mise à brailler *Do-Ré-Mi*, la chanson de *La Mélodie du bonheur*, devant la centaine de personnes énervées qui faisaient la queue depuis plus d'une heure. Tout le monde s'est mis à chanter avec toi. Tu lançais des *flash-mobs* avant même que les gens sachent ce qu'est un *flash-mob*.

2) Les premières vacances que nous avons prises, votre père et moi, sans vous les enfants, étaient au Costa Rica. Tu sais comme la plupart des filles ont une période poney. Eh bien, toi, tu as eu une période primate. Tu t'étais convaincue que j'allais te rapporter un singe capucin. À notre retour, quand je t'ai offert ton cadeau – un chimpanzé en peluche nommé Milo –, tu m'as remerciée, as filé dans ta chambre, ouvert la fenêtre et lancé la peluche dans les branches du séquoia du jardin où à ce jour il vit encore. De temps en temps, quand il y a une tempête et que l'arbre se balance à droite et à gauche, j'aperçois le visage de Milo, sa bouche rouge délavé qui me sourit tristement.

3) Souvent, je regrette de ne pas être davantage comme toi.

Zoe, mon bébé, je suis dans ma période je-suis-de-ton-côté-même-si-tu-peux-à-peine-me-regarder-dans-les-yeux-en-ce-moment. C'est difficile, mais je me débrouille. Les cafés au lait de soja aident à faire passer le temps, tout comme regarder *Autant en emporte le vent*.

Ta maman qui t'aime.

# 64

 **John Yossarian** a changé la photo de son profil

• Vous aimez marcher en rond, Chercheur 101 ?

Marcher en rond peut se révéler très utile parfois.

• Peut-être. Tant que c'est volontaire.

J'essaye d'imaginer à quoi vous ressemblez, Épouse 22.

• Je ne peux divulguer cette information, cependant, je peux vous dire que je ne suis pas huttérite.

Vous avez les cheveux châtains.

• Ah bon ?

Oui, vous diriez plutôt qu'ils sont de la couleur d'une souris marron parce que vous avez tendance à vous sous-estimer, mais les femmes vous envient vos cheveux.

• C'est donc pour ça qu'on me lance tous ces regards noirs.

Les yeux, marron aussi, peut-être noisette.

• Ou bleus. Ou verts.

Vous êtes jolie, et c'est un compliment. Jolie, c'est ce qu'il y a entre belle et normale et d'après mon expérience, jolie, c'est ce qu'il y a de mieux.

• Je crois que je préférerais être belle.

Belle sous-entend une personne au caractère et aux mœurs difficiles.

• Je crois que je préférerais être normale.

Normale ? Qu'est-ce que je pourrais dire ? Tant de choses dans la vie sont aléatoires.

• Donc vous pensez à moi quand vous ne discutez pas sur Internet ?

Oui.

• Dans votre vie normale ? Dans votre vie civile ?

Il m'arrive souvent, alors que je suis en train de faire quelque chose de banal, comme vider le lave-vaisselle ou écouter de la musique, de repenser à une chose que vous avez dite et d'avoir une expression amusée sur le

283

visage. Alors ma femme me demande ce qu'il y a de si drôle.

- Qu'est-ce que vous lui répondez ?

  Que j'ai rencontré une femme sur Internet.

- Vous ne faites pas ça ?

  Non, mais bientôt, il le faudra.

## 65

**Kelly Cho**
L'amour s'occupe de tout.
Il y a 5 minutes

**Caroline Kilborn**
A trop mangé.
Il y a 32 minutes

**Phil Archer**
Fait le ménage.
Il y a 52 minutes

**William Buckle**
Abritez-moi.
Il y a 3 heures

— Tu pourrais arrêter de surfer sur Facebook, Alice ?
Juste pendant une fichue minute ? s'emporte Nedra.
Je mets mon téléphone sur vibreur et le glisse dans mon
sac à main.
— Donc, comme je te le disais mais je vais te le répéter, j'ai
une grande nouvelle. Je vais demander à Kate de m'épouser.

Nedra et moi flânons dans une bijouterie de College Avenue.

— Et que penses-tu des pierres de lune ? ajoute-t-elle.

— Oh, Seigneur !

— Tu as entendu ce que je viens de dire ?

— J'ai entendu.

— Et tout ce que tu trouves à répondre c'est « Oh, Seigneur » ? Est-ce que je pourrais voir celle-ci, s'il vous plaît ? (Nedra désigne une pierre de lune ovale sertie dans un anneau d'or à dix-huit carats.)

La vendeuse lui tend la bague et Nedra la glisse à son doigt.

— Fais-moi voir, dis-je en lui attrapant le bras. Je ne comprends pas. Y a un truc avec les lesbiennes et les pierres de lune ? Un truc saphique qui m'échappe ?

— Pour l'amour de Dieu, s'exclame Nedra, pourquoi est-ce que je me suis adressée à toi ? Tu n'as aucun goût en matière de bijoux. En fait, tu n'en portes jamais, mais tu devrais, chérie. Ça t'égaierait un peu.

Elle examine mon visage avec inquiétude.

— Tu souffres toujours d'insomnies ?

— Je préfère l'allure naturelle sans maquillage à la française.

— Navrée de te l'apprendre mais l'allure sans maquillage à la française ne marche qu'en France. La lumière est différente là-bas. Plus douce. La lumière américaine est crue.

— Pourquoi veux-tu te marier maintenant ? Vous êtes ensemble depuis treize ans. Tu n'as jamais voulu te marier avant. Qu'est-ce qui a changé ?

Nedra hausse les épaules.

— Je ne sais pas trop. On s'est levées un matin et officialiser notre relation semblait la bonne chose à faire. C'est très étrange. Je ne sais pas si c'est l'âge ou quoi, les cinquante ans qui approchent, mais tout à coup, j'ai envie de tradition.

— Les cinquante ans n'approchent pas. Tu n'auras cinquante ans que dans neuf ans. En plus, les choses vont bien entre Kate et toi. Si vous vous mariez, vous serez foutues, comme tous les autres.

— Tu veux dire que tu refuses d'être ma demoiselle d'honneur ?

— Tu fais la totale ? Avec demoiselles d'honneur et tout ?

— William et toi êtes foutus ? Depuis quand ?

— On n'est pas foutus. On est juste... distants. C'est super stressant ces derniers temps. Avec son licenciement.

— Mmm. Je peux essayer celle-ci ? demande Nedra à la vendeuse avec un geste en direction d'un diamant marquise. Elle le passe à son doigt, tend le bras et admire sa main.

— Ça fait un peu Cendrillon mais j'aime bien. La question, c'est de savoir si Kate aimera. Alice, tu es plutôt de mauvaise humeur aujourd'hui. Oublions cette conversation. Voilà ce que je te propose : je vais t'appeler demain. Tu diras : « Bonjour, Nedra, quoi de neuf ? » Je te répondrai : « Grande nouvelle, j'ai demandé à Kate de m'épouser ! » Tu diras : « Mon Dieu, il était temps ! Quand est-ce qu'on va faire les boutiques pour trouver ta robe ? Est-ce que je pourrai t'accompagner à la dégustation des gâteaux ? »

Nedra rend la bague à la vendeuse.

— Trop voyante. Il me faut quelque chose de plus discret. Je suis avocate spécialisée dans le divorce.

— Oui, et ça la foutrait mal que sa femme porte une bague de fiançailles avec un diamant à deux carats, dis-je. Achetée avec l'argent de tes clients qui ont divorcé.

Nedra me fusille du regard.

— Désolée.

— Écoute, Alice, c'est très simple. J'ai trouvé la personne avec laquelle je veux passer le reste de ma vie. Et elle a réussi le test extraordinaire.

— C'est quoi, le test extraordinaire ?

— La première fois que j'ai rencontré Kate, elle était extraordinaire. Dix ans plus tard, elle est toujours la femme la plus extraordinaire que je connaisse. À part toi, bien sûr. Ce n'est pas ce que tu ressens pour William ?

Je veux ressentir ça pour William. Nedra poursuit :

— Eh bien, pourquoi est-ce que je ne devrais pas avoir ce que tu as ?

— Tu devrais l'avoir. Évidemment. C'est juste que tout change si vite dans ta vie. Je n'arrive pas à suivre. Et maintenant, tu vas te marier.

— Alice, murmure Nedra en passant un bras autour de mes épaules. Ça ne changera rien entre nous. Nous serons toujours meilleures amies. Je hais les gens mariés qui disent des trucs ridicules du genre : « J'épouse mon meilleur ami. » C'est le chemin le plus sûr pour un mariage sans sexe. Ça ne m'arrivera pas. Je vais épouser l'amour de ma vie.

Je glapis :

— Je suis tellement heureuse pour toi. C'est une super nouvelle.

Nedra fronce les sourcils.

— Les choses vont s'arranger avec William. Tu traverses juste une période difficile. Tu vas surmonter ça. Je te promets que de bonnes choses t'attendent. Je peux te poser une question ? Pourquoi ne veux-tu pas être ma demoiselle d'honneur ? C'est le mot demoiselle qui te gêne ?

Non, je n'ai aucun problème avec le mot demoiselle. C'est le mot honneur qui m'embête. J'ai dit au revoir à l'honneur lors de mes deux dernières conversations avec Chercheur 101.

— Puis-je voir la bague avec l'émeraude ? interroge Nedra.

— C'est un bijou adorable. L'émeraude est le symbole de l'espoir et de la foi, déclare la vendeuse en lui tendant la bague.

— Ah ! Elle est sacrément belle. Tiens, Alice, essaie-la.

Elle me la passe au doigt.

— Elle est splendide sur vous, commente la vendeuse.

— Qu'en penses-tu ? me demande Nedra.

J'en pense que la pierre verte a l'air d'avoir été transportée par dirigeable du Pays d'Oz à Oakland et que c'est le symbole parfait de la vie pleine d'étincelles de Nedra.

— L'extraordinaire Kate va l'adorer, dis-je avec un reniflement.

— Mais toi, tu l'aimes ?

— Quelle importance que je l'aime ?

Nedra me retire la bague du doigt et la rend à la vendeuse avec un soupir.

Regarder ma meilleure amie lire mes mails privés et conversations sur Facebook n'est en général pas une activité à laquelle je prends du plaisir. Mais depuis une demi-heure, c'est exactement ce que je fais. Je me suis enfin confiée à Nedra à propos de Chercheur 101, et à en juger par l'expression de mépris qui s'étale sur son visage, je commence à penser que c'était une très mauvaise idée.

Nedra fait glisser mon téléphone portable sur la table.

— Je n'arrive pas à y croire.

— Quoi ?

— Qu'est-ce que tu fous, Alice ?

— C'est plus fort que moi. Tu as lu les messages. Nos conversations sont comme une drogue. Je suis accro.

— Il est spirituel, je te l'accorde. Mais tu es mariée ! Comme dans : « Je t'aimerai toi et rien que toi jusqu'à la fin de mes jours. »

— Je sais, je suis une épouse affreuse. C'est pour ça que je me suis confiée à toi. Dis-moi ce que je dois faire.

— Eh bien, c'est très simple. Tu dois rompre tout lien avec lui. Il ne s'est encore rien passé. Tu n'as franchi aucune ligne, à part dans ta tête. Arrête de discuter avec lui.

Je m'écrie avec horreur :

— Je ne peux pas. Il va s'inquiéter. Il pensera qu'il m'est arrivé quelque chose.

— Il t'est arrivé quelque chose. Tu as retrouvé tes esprits. Alice. Tout de suite. Aujourd'hui.

— Je ne pense pas en être capable. Abandonner l'enquête sans donner d'explication.

— Il le faut. Tu sais que je ne suis pas prude. Je pense qu'un peu de drague ne fait pas de mal à un mariage, tant que tu rediriges cette énergie sexuelle dans ta relation. Mais tu as dépassé le stade de la drague depuis longtemps.

Elle reprend mon téléphone et fait défiler mes messages.

— « Une guerre dans laquelle un côté de la personne pense qu'il franchit une ligne et l'autre pense que la ligne ne demande qu'à être franchie. » Alice, cela n'a plus rien d'innocent.

L'entendre lire les mots de Chercheur 101 à voix haute me fait frissonner. Un agréable frisson. Et même si je sais que Nedra a raison à cent pour cent, je sais aussi que je suis incapable de le laisser partir. En tout cas, pas pour l'instant. Pas sans un vrai au revoir. Ou sans avoir découvert ses intentions, si tant est qu'il en ait.

— Tu as raison, je mens. Tu as absolument raison.

— Bien, conclut Nedra en s'adoucissant. Donc tu vas arrêter de discuter avec lui ? Tu vas laisser tomber le sondage ?

— Oui. (Mes yeux sont remplis de larmes.)

— Oh, Alice. Ça n'est pas si terrible.

Je lui explique, entre deux sanglots :

— C'est juste que je me sentais seule. Je ne me rendais pas compte à quel point je me sentais seule avant de commencer à discuter avec lui. Il m'écoute. Il me pose des questions. Des questions importantes, et ce que j'ai à dire lui tient à cœur.

Par-dessus la table de la cuisine, Nedra me prend la main.

— Chérie, voilà les faits. Oui, William est parfois un imbécile. Oui, il a des défauts. Oui, vous traversez une période de disette en ce moment. Mais ça, fait-elle en agitant mon téléphone, ce n'est pas réel. Tu le sais, n'est-ce pas ?

Je hoche la tête.

— Tu veux que je vous recommande un conseiller conjugal ? J'en connais une formidable. Elle a même aidé certains de mes clients à se remettre ensemble.

— Tu envoies tes clients voir un conseiller conjugal ?

— Quand je crois que le mariage mérite d'être sauvé, oui.

Plus tard, dans l'après-midi, assise dans les gradins à faire semblant de regarder Zoe jouer au volley-ball (de temps en temps, je crie « Allez, les Troyens ! » et elle lève vers moi un regard plein de mépris), je pense à William et à moi. Une partie de la faute pour mon incartade émotionnelle doit lui être attribuée. C'est à cause de son manque de communication. Je veux être avec une personne qui m'écoute. Qui me dise : « Raconte-moi tout, du début à la fin, sans rien oublier. »

— Bonjour, Alice, a lancé Jude en se laissant tomber à côté de moi. Zo joue bien.

Je l'observe en train de contempler Zoe et ne peux m'empêcher d'être jalouse. Ça fait si longtemps qu'on ne m'a pas regardée comme ça. Je me rappelle cette sensation quand j'étais ado. La certitude absolue que le garçon n'avait aucun contrôle sur son regard, alors que moi oui, par le simple fait d'exister. Inutile de prononcer une parole. Un regard tel que celui-ci se passait de mots. Sa signification était évidente. « Je ne peux pas m'empêcher de te regarder. J'aimerais en être capable mais ça m'est impossible. »

— Il faut que tu arrêtes de la suivre, Jude.

— Tic Tac ? propose-t-il en faisant sauter trois bonbons à la menthe dans la paume de sa main. Je ne peux pas m'en empêcher.

Est-ce que je ne viens pas de déclarer la même chose à sa mère il n'y a pas une heure ?

— Jude, chéri, je te connais depuis que tu es haut comme trois pommes, alors crois-moi quand je dis que c'est avec amour que je te donne ce conseil : tourne la page !

— J'aimerais en être capable.

Zoe lève les yeux vers les gradins et ouvre grande la bouche quand elle nous aperçoit tous les deux ensemble.

Je saute sur mes pieds et crie :

— Allez, les Troyens ! Allez, Zoe ! Joli smash !

291

— C'était une passe, pas un smash, rectifie Jude.

— Jolie passe, Zoe !

Jude émet un petit ricanement.

— Elle va me tuer.

— Ouais, répond Jude tandis que Zoe, gênée, pique un fard.

Ce soir-là, je déclare à William :

— J'ai une nouvelle à t'annoncer.

— Attends, je finis les oignons. Tu as préparé les carottes, Caroline ?

— J'ai oublié, répond Caroline en fonçant vers le frigo. Je les coupe en julienne ou en dés ?

— En dés. Alice, s'il te plaît, écarte-toi. Je ne peux pas atteindre l'évier.

— J'ai une nouvelle ! À propos de Kate et Nedra.

— Rien n'égale l'odeur des oignons caramélisés, susurre William en collant la poêle sous le nez de Caroline.

— Humm, confirme celle-ci.

Je repense à la façon dont Jude regarde Zoe. Avec une telle envie, un tel désir. C'est ainsi que mon mari regarde ses oignons frits.

— Quelle quantité d'estragon ? demande William.

— Deux cuillerées à café, une seule ? J'ai oublié. Si ça se trouve, ce n'est même pas de l'estragon. C'est peut-être bien de la marjolaine. Regarde sur Epicurious.

Avec un soupir, j'attrape mon ordinateur portable. William me jette un regard.

— Ne t'en va pas. Je veux connaître ta nouvelle. Il faut juste que je vérifie la recette.

D'un geste théâtral, je lève les deux pouces en l'air et pars dans le salon.

Je me connecte sur le profil Facebook de Lucy Pevensie. Chercheur 101 est connecté. Je regarde William. Les sourcils froncés, il est occupé à scruter le cadran de son iPhone.

— C'est de l'estragon ou de la marjolaine ? redemande Caroline.

— Attends. Je ne trouve pas la recette sur Epicurious. Est-ce que c'était sur un autre site ?

Avec rapidité, je tape dans la fenêtre de chat :

• Que se passe-t-il ?

Il ne faut que quelques secondes à Chercheur 101 pour répondre.

En dehors du fait que nos cerveaux sont inondés de phényléthylamine ?

Un frisson me traverse. La voix de Chercheur 101 ressemble incroyablement à celle de George Clooney. Dans ma tête en tout cas.

J'écris :

• Devons-nous mettre un terme à ceci ?

Non.

• Dois-je demander à ce que mon dossier soit transféré à un autre enquêteur ?

Absolument pas.

• Vous avez déjà flirté comme ça avec d'autres de vos sujets ?

Je n'ai jamais flirté avec personne d'autre en dehors de ma femme.

Bon sang ! Je sens une soudaine chaleur envahir mon bas-ventre et je croise les jambes comme pour la dissimuler, comme si on pouvait la voir.

— Tu as trouvé ? demande Caroline.

— Oui, deux cuillerées à café d'estragon, répond William en agitant son téléphone. Tu avais raison.

Je reste assise sur le canapé, à essayer de convaincre mon cœur de reprendre un rythme normal. Je respire par la bouche. C'est à ça que ressemble une crise de panique ? Depuis l'autre bout de la pièce, William m'observe.

— Alors, cette nouvelle, Alice ?

— Nedra et Kate vont se marier.

— Ah oui ?

— Ça n'a pas l'air de te surprendre.

Il se tait un instant et sourit.

— Ce qui me surprend, c'est qu'elles aient mis si longtemps à se décider.

70. Parfois, quand je suis seule et quelque part où personne ne me connaît, je parle avec un accent britannique. 71. M'inquiéter. Demander à Peter quand il a passé le fil dentaire entre ses dents pour la dernière fois. Lutter contre l'envie de repousser les cheveux de Zoe de ses yeux pour voir son merveilleux visage. 72. L'émerveillement que j'éprouverais à retrouver ses traits à lui dans le visage de mes enfants.

 **John Yossarian** a changé la photo de son profil

• C'est le vingtième anniversaire de notre mariage demain.

Et comment vous sentez-vous par rapport à ça, Épouse 22 ?

• Partagée.

Je suis désolé. Je n'ai pas voulu tout ça.

• *Ça*, c'est moi ?

Je me souviens de mon départ pour la fac. C'était dans une grande ville, je ne dirai pas laquelle. Mais je me souviens qu'après avoir dit au revoir à mes parents, j'ai marché dans les rues avec un sentiment grisant parce que personne ne me connaissait. Pour la première fois de ma vie, j'étais complètement détaché de tous ceux que j'aimais.

- Je me rappelle ce sentiment, moi aussi. J'ai trouvé ce détachement terrifiant.

Vous vous rendez compte que les générations futures ne connaîtront jamais ça. Nous sommes joignables chaque minute de chaque jour.

- Où voulez-vous en venir ?

Le fait que vous soyez joignable est très addictif, Épouse 22.

- C'est votre main sur votre nouvelle photo de profil ?

Oui.

- Pourquoi mettre une photo de votre main ?

Parce que je voudrais que vous l'imaginiez posée sur votre nuque.

— Il faut qu'on commande des raviolis chinois, dit Peter.

— On prend toujours des raviolis chinois. Essayons les rouleaux de laitue, propose Zoe. Les végétariens.

Elle s'adresse à moi et William :

— Vous êtes sûrs que ça ne vous dérange pas qu'on vienne dîner avec vous pour votre anniversaire ? Ce n'est pas très romantique.

— Alice et moi avons eu vingt ans pour être romantiques. En plus, c'est sympa de sortir et de fêter ça. Tu savais que la tradition veut qu'on offre de la porcelaine de Chine pour les vingt ans de mariage ? C'est pour ça que j'ai réservé chez P.F. Chang.

Il tapote le menu du doigt et ajoute :

— Agneau épicé Cheng-du.

De la porcelaine, c'est ça. Ce matin, j'ai offert à William une assiette, que j'avais commandée en décembre, sur laquelle est incrustée une photo de nous, prise il y a vingt ans devant Fenway Park. Il se tient derrière moi, son bras autour de mon cou. J'en ai le souffle coupé de voir comme on paraît jeunes sur cette photo. Je ne suis pas sûre qu'il aime mon cadeau. Avec l'assiette, il y avait également un chevalet pour la poser mais il l'a remis dans la boîte.

William regarde autour de lui avec raideur.

— Où est le serveur ? J'ai besoin d'un verre.

— Alors, vingt ans, lance Zoe. Ça fait quoi ?

— Qu'est-ce que c'est que cette question, Zoe ? dis-je.

— Le genre de question qu'on est censé poser à un anniversaire de mariage. Une question sérieuse. Une question bilan.

À quoi pensions-nous en leur proposant de nous accompagner à notre dîner d'anniversaire ? S'il n'y avait que William et moi, nous parlerions de sujets sans risques comme nos crédits ou la porte du garage qui coince. Au lieu de ça, nous allons être interrogés sur nos sentiments et notre union.

— Ça fait quoi, dans quel sens ? demande William. Tu dois être plus spécifique, Zoe. Je déteste la façon dont ta génération pose des questions aussi vagues. Vous vous attendez à ce que les autres fassent tout le boulot. À commencer par clarifier les questions que vous posez.

— Merde, papa, intervient Peter. Elle voulait juste être sympa.

— Peter Buckle, ceci est notre dîner d'anniversaire de mariage. J'apprécierais que tu ne dises pas « merde », signalé-je.

— Et qu'est-ce que j'ai le droit de dire, alors ?

— Mince, zut, ou banane, pourquoi pas ?

— Banane, papa. Elle voulait juste être sympa. C'est bon, là ? T'es banane ou quoi ?

William, à l'autre bout de la table, me regarde et hoche la tête. Pendant un instant, je nous sens unis. Et du coup, je suis encore plus à l'agonie quand je pense à Chercheur 101 me demandant d'imaginer sa main sur ma nuque.

— Et si j'emmenais Peter et Zoe à la pizzeria ? propose Caroline. On pourrait se retrouver après. Qu'est-ce que tu as envie de manger, Zoe ?

Caroline me regarde et hausse un sourcil. Elle et moi sommes encore en plein débat quant au possible trouble alimentaire de ma fille.

— Des rouleaux végétariens, répond Zoe en jetant un regard interrogateur à William.

— C'est bon. Je veux que tout le monde reste ici, dis-je. Et votre père aussi. N'est-ce pas, William ?

— Alice, tu veux ton cadeau maintenant ou plus tard ? demande-t-il.

— Je croyais que le restaurant chinois était mon cadeau.

— Ce n'est que la première étape. Zoe ?

Ma fille fourrage dans son sac à main et en sort un petit paquet rectangulaire enveloppé de papier vert foncé.

— Tu savais que l'émeraude est la couleur officielle des vingt ans de mariage ? demande William.

L'émeraude ? Je me revois dans la bijouterie avec Nedra en train d'essayer la bague. Oh, Seigneur ! William lui a-t-il demandé de l'aider à choisir un bijou pour nos vingt ans de mariage ? Une bague en émeraude comme celle qui appartenait à ma mère et que j'ai jetée par la vitre ouverte de la voiture une semaine avant notre mariage ?

Zoe me tend le paquet.

— Ouvre-le.

Je regarde William, sous le choc. En général, il fait des cadeaux de dernière minute, comme des pots de confitures originales ou des bons pour une pédicure. L'année dernière, il m'a offert un album de timbres.

— Maintenant ? Ça ne serait pas mieux d'attendre qu'on soit rentrés à la maison ? Les cadeaux d'anniversaire de mariage sont privés, non ?

— Ouvre-le, maman, c'est tout, insiste Peter. On sait tous ce que c'est.

— Ah bon ? Tu leur as dit ?

— On m'a un peu aidé pour celui-ci, avoue-t-il.

Je secoue le paquet et commence à m'inquiéter :

— On a un budget serré. J'espère que tu n'as pas fait des folies.

En réalité, j'espère très fort qu'il en a fait. Je déchire le papier avec excitation et découvre une boîte blanche en carton sur laquelle est écrit « Kindle ».

— Waouh !

— C'est cool, non ? s'exclame Peter en me prenant la boîte des mains. Regarde, ça s'ouvre comme un livre ! Et papa a téléchargé des livres pour toi.

— Je l'ai commandé il y a un mois, intervient William.

Par là, il veut me signifier qu'il y a réfléchi et que ce n'est pas un cadeau de dernière minute.

— Il t'a mis *Le Fléau*. Tu as dit que c'était ton livre préféré au lycée. Et puis aussi la saga *Twilight* – apparemment plein de mères aiment ces livres, moi je les trouve écœurants, mais bon... lâche Zoe en me jetant un regard suspicieux que seules les filles de quinze ans sont capables d'adresser à leur mère.

Je hoche la tête d'un air innocent tout en m'efforçant de paraître ravie.

— Le dernier Miranda July, *Tu es celle qui sait quelque chose que je savais mais que j'ai oublié*, dit Zoe. Ou un truc du genre. Tu vas adorer. Elle est géniale.

— Et *Orgueil et Préjugés*, ajoute Peter.

— Waouh, dis-je. Ça alors, waouh ! Je n'ai jamais lu *Orgueil et Préjugés*. Je ne m'y attendais pas du tout.

Je range avec précaution le Kindle dans sa boîte.

— Tu es déçue, remarque William.

— Non, pas du tout ! Je ne veux pas l'abîmer, c'est tout. C'est un cadeau merveilleux.

Je balaye la table du regard. Tout paraît bancal. Qui est cet homme ? Je le reconnais à peine. Son visage est aminci à cause de ses nombreux footings, sa mâchoire est carrée. Il ne s'est pas rasé depuis plusieurs jours et arbore une petite barbe. Si je ne le connaissais pas, je le trouverais super sexy. Par-dessus la table, j'attrape le bras de William et le tapote maladroitement.

— Ça veut dire qu'elle l'adore, traduit Peter.

Je baisse les yeux sur la carte.

— Oui, je l'adore. Vraiment.

— Tant mieux, conclut William.

301

— J'avais douze ans quand j'ai commencé à travailler, déclare Caroline. Après l'école, je balayais le théâtre pendant les répétitions de maman.

— Écoutez bien ça, les enfants, dis-je en me resservant du poulet Kung Pao. Elle avait douze ans. C'est comme ça que ça se passe dans le Maine. Les enfants doivent apporter leur contribution. Vous devez trouver un boulot. Tondre des pelouses, distribuer les journaux, faire du babysitting.

— On va bien, tempère William.

— Pour tout dire, pas vraiment, je réplique. Passe-moi le Chow mein, s'il te plaît.

— Est-ce que je devrais avoir peur et m'inquiéter ? demande Peter. J'ai cinquante-trois dollars sur mon compte épargne. C'est l'argent de mes anniversaires. Vous pouvez les prendre.

— Personne ne va donner l'argent de ses anniversaires, le rassure William. Il va juste falloir qu'on soit plus économes.

Je jette un regard coupable sur mon Kindle.

— À partir de demain, ajoute William avant de lever son verre. À nos vingt ans de mariage !

Tout le monde lève son verre sauf moi. J'ai déjà sifflé mon mojito asiatique à la poire.

— Je n'ai que de l'eau.

— Trinque avec de l'eau, alors, fait William.

— Ça ne porte pas malheur de trinquer à l'eau ?

— Seulement pour les gardes-côtes.

Je lève mon verre d'eau et prononce les mots qu'on attend.

— À vingt ans de plus !

Zoe examine l'expression contradictoire de mon visage.

— Tu viens de répondre à ma question sur ce que ça fait d'être mariés depuis vingt ans.

Elle se tourne vers son père :

— Et sans que j'aie eu besoin de clarifier.

Une heure plus tard, de retour à la maison, William s'affale dans le fauteuil avec un soupir, la télécommande dans la main. Au bout de deux secondes, il saute sur ses pieds.

— Alice ! hurle-t-il, une main sur ses fesses.

Je regarde le fauteuil. Il y a une énorme tache sur le coussin. Oh, Jampo !

— J'ai renversé un verre d'eau cet après-midi.

William renifle ses doigts.

— C'est de la pisse.

Jampo déboule dans le salon et saute sur mes genoux. Il enfouit sa tête sous mon bras.

— Il ne peut pas s'en empêcher. Ce n'est qu'un chiot.

— Il a deux ans ! hurle William.

— Vingt-quatre mois. Aucun enfant ne fait sur le pot à vingt-quatre mois. Il ne l'a pas fait exprès.

— Sûrement que si, réplique William. D'abord mon oreiller, maintenant mon fauteuil. Il sait que ce sont mes endroits.

— Tu es ridicule.

Jampo sort la tête de mon aisselle et grogne en direction de William. Je lui murmure :

— Méchant garçon.

Il grogne plus fort. J'ai l'impression d'être dans un dessin animé. Impossible de me retenir. J'éclate de rire. William me regarde avec une expression choquée.

— Je n'arrive pas à croire que tu te marres.

— Désolée. Je suis désolée. Vraiment, dis-je entre deux rires.

Il me fixe sans ciller. Je prends Jampo dans mes bras.

— Je crois que je vais aller me coucher.

— Tu l'emmènes avec toi ?

— Jusqu'à ce que tu viennes te coucher, après je le virerai. Promis.

Je sors mon Kindle que j'agite dans sa direction.

— Qu'est-ce que tu vas lire en premier ? s'enquiert William.

— *Le Fléau.* Je n'en reviens pas que tu te sois souvenu que je l'adorais. Je me demande si c'est aussi bien que dans mes souvenirs.

— Tu vas être déçue. Je te suggère de ne pas trop espérer.

— Pourquoi ça ?

— Tu n'as plus dix-sept ans. Ce qui semblait génial à l'époque ne l'est plus aujourd'hui.

— Je ne suis pas d'accord. Si c'était captivant à l'époque, ça sera captivant aujourd'hui. C'est comme ça qu'on sait que c'est un classique. Une chose à garder.

William hausse les épaules.

— Ce chien a ruiné mon fauteuil.

— Ce n'est que du pipi.

— Ça a imbibé tout le coussin et l'armature en dessous.

Je soupire.

— Bon anniversaire, William.

— Vingt ans. Ce n'est pas rien, Alice.

William repousse la mèche de cheveux devant ses yeux, un geste que je ne connais que trop bien, et l'espace d'un instant, je revois le jeune homme qu'il était, le jour où je l'ai rencontré, pendant mon entretien d'embauche. Tout se mélange : le passé, le présent et le futur. Je serre Jampo si fort qu'il se met à couiner. J'ai envie de dire quelque chose à William. Une chose qui lui fera savoir qu'il doit me retenir et m'empêcher de tomber.

— Dépêche-toi de monter.

— D'accord, répond-il en reprenant la télécommande.

Il passera toute la nuit sur le canapé.

## 69

**John Yossarian** aime *Cluedo*.

**Lucy Pevensie** a remplacé sa ville actuelle par *Chambre Damis*.

Comment était votre anniversaire de mariage, Épouse 22 ?

• Déroutant.

Est-ce ma faute ?

• Oui.

Que puis-je faire ?

• Dites-moi comment vous vous appelez.

Je ne peux pas.

• Je vous imagine avec un prénom un peu rétro, du style Charles, ou James. Ou alors un peu plus moderne comme Walker.

Vous êtes consciente que tout change quand on connaît le prénom de l'autre. Il est facile de se dévoiler sincèrement auprès d'étrangers. Il est bien plus ardu de révéler ces vérités à ceux que nous connaissons.

- Dites-moi comment vous vous appelez.

   Pas encore.

- Quand alors ?

   Bientôt. C'est promis.

## 70

73. C'était différent pour Peter. Après l'accouchement, une fois que j'ai été lavée et reposée, ils me l'ont apporté. C'était le milieu de la nuit, William était rentré à la maison avec Zoe.

J'ai écarté la couverture qui l'emmaillotait. Il était de ces bébés qui ressemblent à un vieil homme grognon ; par là je veux dire que c'était le plus beau bébé que j'avais jamais vu (même si la taille de son front m'inquiétait un peu).

— Je hais déjà sa future femme, ai-je annoncé à l'infirmière.

74. Béatitude. Épuisement. Fête pour célébrer le retour à la maison. Trop fatiguée pour faire le ménage. Pour faire l'amour. Pour accueillir comme il se doit William quand il rentre du travail. Zoe qui essaye d'étouffer Peter. Peter qui adore Zoe même si elle invente tous les jours de nouvelles façons de le faire tomber. Plus de quarante couches par semaine. Une enfant de trois ans est-elle assez âgée pour changer la couche de son petit frère ? Les après-midi sur le canapé. Peter dormant sur mon ventre. Zoe regardant pendant quatre heures des programmes télé qui ne sont pas de son âge. Me disputer

avec mon mari pour déterminer si Oprah est un programme approprié pour une enfant. Les vêtements couverts de vomi de bébé. La famille à trois membres de 6 heures à 19 heures. La famille à quatre de 19 à 22 heures. La famille à deux (Peter et moi) de 22 heures à 6 heures le lendemain matin. « Pas d'inquiétude assurent tous les livres sur le sujet. L'éloignement entre votre mari et vous n'est que temporaire. Quand votre enfant aura quatre mois, qu'il fera ses nuits, qu'il mangera des aliments solides, qu'il aura un an, passera le cap des deux ans, entrera en maternelle, apprendra à lire, fera plus souvent pipi sur le pot que dans sa culotte, qu'il aura guéri de l'urticaire qu'il avait partout même sur le prépuce, qu'il saura nager le dos crawlé, qu'il aura reçu son vaccin contre le tétanos, qu'il arrêtera de mordre les filles, qu'il sera capable d'enfiler tout seul ses chaussettes, qu'il ne mentira plus quand vous lui demandez s'il s'est brossé les dents, qu'il n'aura plus besoin de berceuses pour s'endormir, qu'il ira à l'école primaire, entrera dans la puberté, révélera fièrement qu'il est homosexuel – alors, William et vous pourrez retrouver une vie normale. Alors la distance entre vous disparaîtra miraculeusement. »

75. Cher Peter,

En vérité, cela m'a contrariée d'apprendre que tu étais un garçon. Surtout parce que je n'avais aucune idée de la façon dont on doit élever un garçon. J'ai cru que ce serait beaucoup plus difficile que d'élever une fille parce que je savais tout sur les filles, notamment parce que j'en étais une. En fait, j'en suis toujours une. La fille à l'intérieur de moi vit toujours. Je crois que tu la vois de temps en temps. C'est elle qui comprend le petit plaisir coupable qu'on éprouve à se curer le nez. Fais-le en privé, c'est tout, et pense à te laver les mains après.

Certaines choses que tu ne sais pas ou ne te rappelles peut-être pas :

1) À deux ans, tu as eu une terrible infection de l'oreille et tu n'arrêtais pas de pleurer. J'étais si bouleversée de te voir souffrir que j'ai grimpé dans ton berceau et t'ai serré dans mes bras jusqu'à ce que tu t'endormes. Tu as dormi dix heures d'affilée. Tu ne t'es même pas réveillé quand le berceau s'est cassé.

2) À trois ans, tu ne voulais que deux choses pour Noël : une patate et une carotte.

3) Une chose amusante que tu m'as dite quand un soir je t'ai servi des raviolis au beurre (nous n'avions plus de sauce tomate) : « Je ne peux pas manger ça. Les raviolis n'ont pas de cœur. »

4) Une question à laquelle j'ai été incapable de répondre, un jour où tu m'aidais à remplir la machine à laver : « Où j'étais quand tu étais une petite fille ? »

5) Une chose que tu as dite et qui m'a fendu le cœur : « Même quand je mourrai je serai toujours ton petit garçon. »


C'est une joie incroyable que d'être ta mère. Tu es mon étoile la plus drôle, la plus chère, la plus brillante.

Ta maman qui t'aime.

76. Première partie de question : je ne sais pas. Seconde partie de question : dans une certaine mesure.

71

— Oh, chérie, c'est chouette, non ? On devrait faire ça plus souvent, déclare Nedra.

Nedra m'emmène au magasin M.A.C. à Berkeley pour acheter du maquillage. C'est elle qui régale. Elle m'a dit qu'elle avait essayé de s'habituer à mon look sans maquillage à la française mais au bout de quelques semaines, comme je ne ressemblais toujours pas à Marion Cotillard (à Marie Curie, peut-être), elle a décidé qu'il était temps d'agir. Je ne prends pas la peine de prévenir Nedra que je ne porterai son maquillage que pendant deux jours, peut-être trois, et qu'après je l'oublierai. Elle le sait déjà, mais elle s'en fiche. La véritable raison de cette virée, c'est d'essayer de me culpabiliser afin que j'accepte d'être sa demoiselle d'honneur. Je suis sûre que le moment va arriver où je serai forcée d'essayer des robes.

L'heure de pointe est juste passée et les rues grouillent encore de monde. Tandis qu'on attend au carrefour de University et de San Pablo, je remarque sur le terre-plein central deux enfants tenant un bout de carton sur lequel quelque chose est gribouillé.

— C'est tellement triste. (J'essaie de déchiffrer les mots, en vain, car ils sont trop loin.) Tu arrives à lire ça, Nedra ?

Elle plisse les yeux.

— J'aimerais bien que tu te décides à acheter des lunettes. J'en ai marre de te servir d'interprète. *Notre père a perdu son emploi. Aidez-nous, s'il vous plaît. Nous chantons gratuitement ce que vous voulez.* Oh, mon Dieu, Alice, pas de panique, ajoute-t-elle tandis que nous nous approchons et que les deux enfants se métamorphosent en Zoe et Peter.

Je prends une brève inspiration et descends ma vitre. Peter est en train de chanter *Goldrush* de Neal Young. Le conducteur d'une Toyota, trois voitures devant nous, lui tend un billet de cinq dollars.

— Tu as une jolie voix, fiston, l'entends-je lui dire. Désolé pour ton père.

En dépit de ma confusion, le son de la voix angélique de Peter me donne envie de pleurer. Il a une très jolie voix. Il ne tient ça ni de William ni de moi.

Je sors la tête par la fenêtre de la voiture.

— Qu'est-ce que vous fichez, bon sang ?

Ils me dévisagent, complètement scotchés.

— Laissez-les tranquilles, m'dame. Feriez mieux de leur filer vingt dollars, braille la femme dans la voiture derrière moi. Vous avez les moyens apparemment.

Je suis assise côté passager dans la Lexus de Nedra.

— Ce n'est pas ma voiture, madame ! je lui hurle à mon tour. Pour votre gouverne, moi je conduis une Ford !

— Tu nous as dit de trouver un boulot, crie Zoe.

— Comme du babysitting !

— C'est la crise, au cas où tu ne serais pas au courant. Le taux de chômage atteint les douze pour cent. Il n'y a plus de travail. Il faut en inventer, poursuit Zoe.

— Elle n'a pas tort, intervient Nedra.

— L'endroit est génial, ajoute Peter. On s'est déjà fait plus de cent dollars.

On s'arrête à côté d'eux. Le feu passe au vert et l'air s'emplit de coups de klaxon furieux. Je passe la main par la vitre et fais signe aux autres conducteurs de nous doubler.

— Vous vous êtes fait cent dollars ? Vous allez donner cet argent à la soupe populaire. J'ai honte, c'est pas croyable. (Je siffle entre mes dents.)

Et je suis également terrifiée – un fou aurait pu les embarquer dans sa voiture. Malgré leur attitude d'adultes, Peter et Zoe n'en sont pas moins deux enfants naïfs surprotégés. Une petite remise à niveau en matière de précautions à prendre face aux étrangers s'impose.

— Vous êtes de sacrés petits entrepreneurs, tous les deux ! s'exclame Nedra. Je ne vous en aurais pas cru capables.

— Montez dans la voiture, dis-je. Tout de suite !

Zoe jette un œil à sa montre. Elle porte une robe vintage Pucci et des ballerines.

— On finit notre service à midi.

— Quoi ? Vous avez des horaires pour mendier ?

— C'est important d'être structuré et de suivre des horaires fixes, confirme Peter. Je l'ai lu dans un livre de papa : *100 façons de vous motiver : changez votre vie pour toujours.*

— Grimpez, les enfants, intervient Nedra. Faites ce que dit votre mère ou je serai obligée de contempler son visage pâle et marbré pour toujours, et ce sera votre faute.

Peter et Zoe montent à l'arrière.

— Vous ne sentez pas comme des SDF, remarque Nedra.

— Ce n'est pas leur faute si les SDF sentent mauvais, s'insurge Peter. Ce n'est pas comme s'ils pouvaient frapper chez les gens et leur demander de prendre une douche.

— C'est très compatissant de ta part, reconnaît Nedra.

Zoe cogne son poing contre celui de son frère :

— On s'est bien marrés, Pedro !

Je savais que le jour viendrait où je perdrais Peter au profit de Zoe, où ils se confieraient l'un à l'autre et partageraient leurs secrets, mais je n'imaginais pas que ça arriverait si vite et encore moins de cette manière. Je m'adresse à Nedra :

— On peut rentrer à la maison ?

Elle continue de rouler sur San Pablo.

— Est-ce que quelqu'un m'entend ?

Nedra tourne à gauche et se gare quelques minutes plus tard sur la 4e Rue. Elle se retourne.

— Dégagez, les mômes. On se retrouve ici à 13 heures.

— Tu as l'air fatiguée, maman, lance Peter en passant la tête à l'avant.

— C'est vrai ça. C'est quoi, ces cernes ? demande Zoe.

— Je m'en occupe, les enfants, dit Nedra. Filez maintenant.


— Oh, c'est bon, tu ne les as pas non plus chopés en train de fumer du crack, me sermonne Nedra tandis que nous entrons dans le magasin.

— Tu es de leur côté. Pourquoi est-ce que c'est toi qui as le rôle cool ?

— Alice, qu'est-ce qui ne va pas ?

Je secoue la tête.

— Quoi ? répète-t-elle.

— Tout, dis-je. Tu ne peux pas comprendre. Tu es fiancée. Tu es heureuse. Tu roules en direction de Bonheurville.

— Je déteste quand les gens inventent des mots. Et toi aussi, tu as encore du bonheur qui t'attend.

— Et si tu te trompais ? Et si mes meilleurs jours étaient derrière moi ?

— Ne me dis pas que c'est au sujet de ce sondage ridicule sur le mariage ? Tu as arrêté de correspondre avec l'enquêteur, n'est-ce pas ?

J'attrape un tube de gloss couleur aubergine.

— Alors, de quoi s'agit-il ? demande-t-elle en remettant le gloss à sa place. Ce n'est pas ta couleur.

— Je crois que Zoe souffre d'un trouble du comportement alimentaire.

Nedra roule de gros yeux.

313

— Alice, c'est le même cinéma tous les étés quand l'école est finie. Tu deviens parano. Tu deviens morose. Tu es le genre de personne qui a besoin d'être occupée.

Je hoche la tête et me laisse mener vers le stand de maquillage.

— Une crème hydratante légèrement teintée, mais pas trop. Un peu de mascara et une touche de blush. Et après ça, on ira faire un petit tour rapide au rayon des robes, déclare Nedra.

Ce soir-là, Peter grimpe dans mon lit.

— Pauvre maman, dit-il en me prenant dans les bras. Tu as eu une journée difficile. Voir tes enfants mendier dans la rue.

— Tu n'es pas trop vieux pour les câlins ?

Je le repousse, désireuse de le punir un peu.

— Jamais, répond-il en me serrant plus fort.

— Combien tu pèses ?

— Quarante-cinq kilos.

— Combien tu mesures ?

— Un mètre cinquante-cinq.

— Tu as le droit de câliner encore pendant trois kilos ou deux centimètres, selon ce que tu prends en premier.

— Pourquoi trois kilos et deux centimètres ?

— Parce que après ça, ce sera inapproprié.

Peter reste silencieux un moment.

— Oh, répond-il doucement, me tapotant le bras de la même manière qu'il le faisait bébé.

Petit, il faisait preuve de tellement d'empathie à mon égard que c'en était épuisant. Si la moindre expression d'inquiétude traversait mon visage, il courait vers moi. « C'est bon, maman. Ça va aller, me disait-il avec sérieux. Tu veux que je te chante une chanson ? »

— Moi aussi, ça me manquera, mon cœur, lui dis-je. Mais le moment sera venu.

— Est-ce qu'on pourra toujours regarder des films tous les deux sur le canapé ?

— Bien sûr. Je sais déjà ce qu'on va regarder. *La Malédiction*. Tu vas adorer quand tous les animaux deviennent fous au zoo.

Nous restons silencieux un moment. Quelque chose est sur le point de prendre fin. Je pose la main sur mon cœur comme si je pouvais empêcher son contenu de se répandre.

## 72

 **Lucy Pevensie** a ajouté une photo de profil

Jolie robe, Épouse 22.

- Vous trouvez ? Je vais la porter pour mon couronne-ment. La rumeur circule qu'ici, on va bientôt me sacrer Reine Lucy la Vaillante.

Serai-je invité à votre couronnement ?

- Ça dépend.

De quoi ?

- Est-ce que vous avez une tenue digne d'un couronne-ment ? Par exemple, une cape de velours, de préférence bleu roi ?

J'ai une cape en velours, mais elle est cramoisie. Est-ce que ça fera l'affaire ?

• J'imagine que oui. Ma meilleure amie voudrait que je sois sa demoiselle d'honneur.

Ah. Donc c'est une robe de demoiselle d'honneur.

• Eh bien, c'est ce qu'elle aimerait me voir porter. Enfin, pas cette robe exactement, mais quelque chose de ressemblant.

Est-ce que vous n'exagérerez pas un peu ?

• Vous vous êtes déjà dit que le mariage était un paradoxe, comme dans *Catch 22* ? Tout ce que vous avez aimé au début chez votre conjoint – son côté obscur, sa mélancolie, son manque de communication, son silence –, ces choses que vous trouviez si charmantes sont exactement celles qui vous rendent complètement dingue vingt ans plus tard ?

D'autres sujets m'ont déjà fait part de sentiments similaires.

• Vous avez déjà ressenti ça ?

Je ne peux divulguer cette information.

• Je vous en prie. Divulguez quelque chose, Chercheur 101. N'importe quoi.

Je n'arrête pas de penser à vous, Épouse 22

73

77. Une dictature qui change tous les jours de dicta-teur. Je ne suis pas sûre que la démocratie soit possible.

78. Eh bien, beaucoup de gens au XXIe siècle croient à l'idée d'un unique amour véritable et quand ils pensent l'avoir trouvé, ça conduit souvent au mariage. Cela peut vous paraître une institution idiote. Votre espèce est peut-être si évoluée que votre partenaire diffère selon les étapes de votre vie : premier amour, mariage, reproduc-tion, éducation des enfants, foyer déserté, et lentement, mais avec un peu de chance sans douleur, mort. Si c'est le cas, peut-être que l'unique amour véritable n'entre pas en compte. Mais j'en doute. Vous appelez sûrement ça autrement.

79. Il me semble que c'est chacun son tour . dans les coulisses, puis parmi les figurants, ensuite en premier rôle et enfin, nous finissons tous dans le public, à regar-der dans le noir, spectateur sans visage parmi tant d'autres.

80. Des jours, des semaines et des mois de regards, de désir sans retour.

81. Vivre dans une maison tout en haut d'une mon-tagne, avec un édredon sur le lit et des fleurs fraîche-

ment coupées sur la table tous les jours. Je porterais une longue robe blanche en dentelle et des bottes à semelles compensées. Il jouerait de la guitare. Nous aurions un jardin, un chien et quatre adorables bambins qui construiraient des tours pendant que je préparerais une poule au pot.

82. On en a besoin, comme de l'air pour respirer.

83. Avoir de la compagnie. Les enfants. Je n'imagine pas la vie sans eux.

84. Je peux imaginer la vie sans eux.

85. Vous connaissez la réponse à cette question.

86. Oui.

87. Évidemment !

88. Dans une certaine mesure, oui. Dans une autre, non.

89. Me tromper. Me mentir. M'oublier.

90. Cher William,

Te rappelles-tu la fois où nous sommes allés camper dans les White Mountains ? Nous avons fait le plus gros de la rando le premier jour. Nous avions prévu de camper à mi-chemin, de nous lever de bonne heure et de grimper au sommet du Tuckerman Ravine. Mais tu as trop bu et le lendemain matin, tu avais une gueule de bois de la mort, le genre qui ne peut passer qu'en dormant. Du coup, tu es retourné te glisser dans le sac de couchage et j'ai gravi sans toi le Tuckerman.

Tu ne t'es réveillé qu'en fin d'après-midi. Tu as regardé ta montre et tout de suite compris que quelque chose clochait. La randonnée aurait dû me prendre deux heures grand maximum, mais j'étais partie depuis presque six heures et tu savais très bien pourquoi : je m'étais écartée de la piste. Je sortais tout le temps des chemins balisés. Toi, en revanche, tu suivais toujours les pistes et, sans toi à mes côtés, je m'étais égarée.

C'était il y a longtemps. Avant Internet et les téléphones portables. Il allait falloir attendre encore plusieurs années avant de cliquer, surfer, naviguer et poster. Alors tu es parti à ma recherche à l'ancienne. Tu as soufflé dans ton sifflet de randonnée, m'as appelée et tu t'es mis à courir. Au crépuscule, quand tu as fini par me retrouver, en larmes au pied d'un pin, tu m'as fait une promesse que je n'oublierai jamais. *Quel que soit l'endroit où j'étais, la distance qui nous séparait, la durée de mon absence, tu viendrais toujours me chercher pour me ramener à la maison.* C'était la chose la plus romantique qu'un homme m'ait jamais dite. Voilà pourquoi il m'est d'autant plus difficile d'admettre que vingt ans plus tard, nous sommes de nouveau séparés. Nous sommes à la dérive. Une dérive excessive, absurde. Comme si nous avions toute la journée devant nous jusqu'à la fin des temps pour gravir le sommet du Tuckerman.

Si cela ressemble à une lettre d'adieu, j'en suis désolée. Je ne suis pas sûre qu'il s'agisse d'un adieu. C'est plutôt un avertissement. Tu devrais sans doute regarder ta montre à présent. Tu devrais sans doute te dire : « Alice est partie depuis longtemps. » Tu devrais sans doute venir me chercher.

AB.

## 74

Le bruit des piquets de tente en fer qui s'entrechoquent sur le parquet me réveille.

— Où est votre mère ? hurle William depuis le rez-de-chaussée.

Tout ce que je veux, c'est rester au lit. Cependant, grâce à moi, le dodo va devoir attendre car nous allons camper dans la Sierra. J'ai réservé il y a des mois. Ça me paraissait très idyllique à l'époque : dormir à la belle étoile, entourés de sapins et de pins à sucre. Se retrouver en famille. Caroline et Jampo auront la maison pour eux pendant quelques jours.

— Bon sang ! braille William, il n'y a vraiment personne ici capable de plier une tente comme il faut ?

Je sors du lit. On repassera pour le côté idyllique.

Une heure plus tard, nous sommes sur la route et les retrouvailles en famille donnent à peu près ceci : William écoute le dernier livre de John Le Carré sur son iPhone (ce qui, en passant, est aussi ce que j'écoute sur le lecteur CD de la voiture mais William prétend qu'il ne peut pas se concentrer s'il n'écoute pas en privé). Peter joue à Angry Birds sur son téléphone et crie de temps à autre « Banane » et « Zut », tandis que Zoe envoie frénétiquement des textos – Dieu seul sait à qui. Ça dure pendant environ deux heures et demie, jusqu'à ce qu'on atteigne une zone dépourvue d'antennes et que les téléphones ne captent plus. Alors, c'est comme s'ils se réveillaient d'un rêve.

— Waouh, des arbres ! s'exclame Peter.

— C'est là que les gens ont bouffé leurs copains ? demande Zoe en scrutant le lac en contrebas.

— Tu parles de l'Expédition Donner ? demande William.

— L'aile ou la cuisse, Zoe ? se moque Peter.

— Très drôle, Pedro. Combien de temps on va camper de toute façon ?

— J'ai réservé pour trois nuits, dis-je. Et ce n'est pas comme si on partait travailler. C'est du camping. Personne n'a quoi que ce soit à faire. Nous y allons pour nous amuser et nous reposer.

— Oui, je me suis vachement reposé ce matin, Alice, ironise William en regardant par la vitre.

Il est aussi peu enthousiaste que les enfants.

— Ça veut dire qu'on ne captera pas ? s'inquiète Zoe.

— Non, on sera dans une zone morte. Papa a dit qu'il y aurait du Wi-Fi au camping, répond Peter.

— Heu... il se trompe, désolée. Il n'y a pas de Wi-Fi.

J'ai appris ça hier en confirmant notre réservation. Après cette nouvelle, je suis allée dans ma chambre et me suis offert le luxe d'une gentille crise de panique privée de moyenne envergure à l'idée d'être sans contact avec Chercheur 101 pendant soixante-douze heures. Maintenant, j'y suis résignée.

Des cris et des hoquets de surprise et de choc émanent de la banquette arrière.

— Alice, tu ne m'as pas prévenu, grommelle William.

— Non, je ne l'ai dit à personne parce que sinon vous ne seriez pas venus.

— Je n'arrive pas à croire que toi, tu vas débrancher, me lance Zoe.

— Eh bien, attends de voir.

Je passe le bras devant William et fourre mon portable dans la boîte à gants.

— Donnez vos téléphones, les enfants. Toi aussi, William.

— Et s'il y a une urgence ? demande William.

— J'ai un kit de premiers secours.

— Une urgence d'un autre genre.

— Comme quoi ?

— Comme devoir contacter quelqu'un, répond-il.

— C'est ça l'intérêt. Être en contact les uns avec les autres. IRL.

— IRL ? interroge William.

— *In Real Life*. Dans la vraie vie.

— Ça me débecte que tu connaisses cet acronyme, lâche Zoe.

Quinze minutes plus tard, apparemment incapables de faire quoi que ce soit – rêvasser, discuter ou avoir une idée sans l'aide de leur appareil –, les enfants s'endorment à l'arrière. Ils ne se réveillent pas avant l'entrée dans le camping.


— Maintenant, on fait quoi ? s'enquiert Peter une fois qu'on a fini de monter la tente.

— On fait quoi ? Voilà ce qu'on fait, dis-je en ouvrant grands les bras. On oublie tout ! On profite des bois, des arbres, de la rivière.

— Des ours, ajoute Zoe. J'ai mes règles. Je reste dans ma tente. Le sang, c'est comme de l'herbe aux chats pour eux.

— Dégoûtant, commente Peter.

— C'est des racontars de bonne femme, déclare William.

— Non, c'est vrai. Ils peuvent le sentir à des kilomètres, réplique Zoe.

— Je crois que je vais vomir, dit Peter.

Je mets fin à ce sujet :

— Et si on jouait aux cartes ?

Zoe lève un doigt et attend quelques secondes.

— Il y a trop de vent.

— Aux mimes, alors ?

— Quoi ? Non ! Il ne fait pas encore nuit. Des gens pourraient nous voir.

— Bien. Et si on allait chercher du petit bois ?

— Tu as l'air en colère, maman, fait remarquer Peter.

— Je ne suis pas en colère, je réfléchis.

— C'est bizarre mais la tête que tu fais quand tu réfléchis ressemble à celle que tu fais quand tu es en colère.

— Je vais faire une sieste, déclare Zoe.

— Moi aussi, dit Peter. Toute cette nature me donne envie de dormir.

— Je suis un peu fatigué aussi, ajoute William.

— Faites ce que vous voulez. Je descends à la rivière.

— Prends une boussole, recommande William.

— C'est à quinze mètres d'ici.

— Où ça ? demande Peter.

— Derrière les arbres. Là, tu vois ? Là où il y a des gens qui se baignent.

— C'est une rivière, ça ? fait Zoe. On dirait plutôt un ruisseau.

Nous entendons alors une femme crier :

— Tucker ! Je ne veux pas que tu fasses le mort dans l'eau !

— Et où je suis censé le faire, alors ? réplique le gamin.

Peter reprend :

— On a fait toute cette route pour que tu puisses nager dans un ruisseau avec des centaines d'autres personnes ? On aurait pu aller à la piscine municipale.

Je souffle, vexée, en partant à pas lourds :

— Vous êtes pathétiques !

— Tu reviens quand, Alice ? crie William dans mon dos.

— Jamais !

Deux heures et un bon coup de soleil plus tard, le cœur léger, j'attrape mes chaussures et retourne vers la tente. Je suis épuisée, mais c'est une bonne fatigue, de celles qui vous submergent après une baignade dans une rivière glacée un après-midi de juillet. Je marche à pas lents pour ne pas rompre le charme. De temps en temps, j'ai l'impression de sortir de mon corps et de vivre simultanément mes incarnations passées : à dix ans, à vingt ans, à trente ans et à quarante et quelques années. Elles sont toutes là, vivantes, à regarder à travers mes yeux en même temps. Sous mes pieds nus, les aiguilles de pin qui tapissent le chemin crissent. L'odeur des grillades sur le barbecue fait gargouiller mon estomac. J'entends le son faiblard d'une radio – *Hello, It's Me* de Todd Rundgreen est diffusé.

Ça me perturbe de ne pas avoir mon téléphone sur moi. Et encore plus de ne pas être en constante tension, dans l'attente d'un message : un mail ou une publication de Chercheur 101. À la place, je ressens le vide. Pas un vide nostalgique mais un vide délicieux qui s'effacera, je le sais, au moment où je poserai un pied dans notre campement.

Pourtant, ce n'est pas ce qu'il se passe. À mon arrivée, je trouve ma famille assise autour de la table de pique-nique en train de parler. Parler. Aucun téléphone, ni jeu, ni même un livre en vue.

— Mamounette ! s'écrie Peter. Tu vas bien ?

Il ne m'a pas appelée mamounette depuis plus d'un an, peut-être deux.

— Tu t'es baignée, remarque William en voyant mes cheveux mouillés. En short ?

— Sans moi ? ajoute Zoe.

— Je ne savais pas que tu voulais te baigner. Tu as passé une demi-heure à te sécher les cheveux ce matin.

— Si tu m'avais demandé, je serais venue avec toi, grommelle Zoe.

— On pourra aller nager après le dîner. Il fera encore jour.

— Allons nous promener, lance Peter.

— Maintenant ? Je pensais aller me reposer un peu.

— Nous t'attendions, dit William.

— Ah bon ?

Ils échangent tous les trois des regards entendus.

— Bien. Génial. Je me change et on y va.

— On ne fait pas assez de bruit, explique Zoe. Les ours n'attaquent que lorsqu'ils sont pris par surprise. Ou qu'ils nous sentent. Hou-hou ! Hou-hou ! Monsieur l'ours !

Nous marchons depuis trois quarts d'heure. Quarante-cinq minutes d'attaques de moustiques, de bourdonnements de taons, de jérémiades d'enfants, de balade sans un souffle d'air.

— Je croyais qu'on faisait une boucle. On devrait pas être rentrés déjà ? demande Peter. Et pourquoi personne n'a apporté de bouteille d'eau ? Qui part en randonnée sans bouteille d'eau ?

— Pars devant, Pedro, dis-je. En éclaireur. J'ai l'impression de reconnaître l'endroit. Je suis sûre qu'on arrive bientôt. Je crois que j'entends la rivière.

Mensonge. Je n'entends rien du tout à part le bourdonnement des insectes. Pedro part en courant. William lui crie :

— Pas trop loin devant quand même ! Je veux que tu restes à portée de voix. C'est la règle.

— Je t'en supplie. Ne m'inflige pas ça, se lamente Zoe.

Et Peter de se lancer dans une interprétation de *Raise Your Glass*, de Pink.

— *Right, right, turn off the lights, we're gonna loose our minds tonight*, l'entendons-nous chantonner au loin.

Sa sœur lève les yeux au ciel.

— C'est toujours mieux que « Hou-hou, monsieur l'ours », lui dis-je.

— *What's the dealio ?*

— Tu crois qu'on est bientôt arrivés ? demande William.

— *Party crasher, penny snatcher.*

— Oh, mon Dieu ! Tu crois qu'un *penny snatcher* est un tu-sais-quoi ? je demande.

— Comment ça ? fait William.

326

— Tu sais. Un truc dans lequel tu mets un « penny ». Une banque. Une fente. Un euphémisme pour...

Il me dévisage, perplexe. Je murmure :

— Un porte-monnaie ?

— Oh, bon sang, maman ! Un vagin, dis-le ! s'écrie Zoe.

— *Call me up if you want gangsta...*

Soudain, la voix de Peter s'éteint. Nous marchons encore pendant cinq minutes.

— Y a rien de plus ridicule qu'un petit Blanc de douze ans qui dit le mot « gangsta », fait Zoe.

— Zoe, chut !

— Quoi ?

Comme un seul homme, nous nous arrêtons et tendons l'oreille.

— Je n'entends rien, dit Zoe.

— Exactement.

William met ses mains en coupe devant sa bouche et hurle :

— On t'a dit de rester à portée de voix. Chante !

Silence.

— Peter !

Rien.

William part en courant, Zoe et moi sur les talons. Au détour d'un virage, nous découvrons Peter figé sur place, pétrifié à moins de deux mètres d'un cerf à queue noire. Et ce n'est pas un petit cerf ordinaire. Non, c'est un monstre, un énorme mâle qui doit bien peser dans les quatre-vingt-dix kilos, avec des bois longs comme des baguettes de pain. Peter et la bête semblent au beau milieu d'un combat acharné, c'est à celui qui fera baisser les yeux à l'autre.

— Recule-toi doucement, murmure William.

Je demande dans un souffle :

— Ça charge, un cerf ?

— Doucement, répète-t-il.

L'animal s'ébroue et avance de quelques pas vers mon fils. Un petit cri de stupeur m'échappe. Peter semble ensorcelé :

327

un demi-sourire étire ses lèvres. Tout à coup, je comprends la scène à laquelle je suis en train d'assister. C'est un rite de passage. De ceux que Peter a passés des centaines de fois dans ses jeux vidéo quand il se battait contre des créatures surnaturelles de toutes sortes : des ogres, des sorciers ou des mammouths poilus. Mais un garçon du XXI$^e$ siècle rencontre rarement une telle opportunité dans la vraie vie – se retrouver face à face avec un animal sauvage, soutenir son regard. Peter tend la main comme pour toucher les bois du cerf et ce mouvement soudain semble réveiller l'animal qui file au galop dans les buissons.

— C'était incroyable, lâche Peter, en se tournant vers nous, les yeux brillants. Vous avez vu comme il me fixait ?

— Tu n'as pas eu peur ? murmure Zoe.

— Il sentait l'herbe. Et les pierres.

William me regarde et secoue la tête avec émerveillement.

Sur le chemin du retour, nous avançons en file indienne. Peter ouvre la marche, suivi par Zoe, puis moi et enfin William. De temps en temps, le soleil perce à travers les branches. Des rayons magenta, orange vif. Je lève le visage pour profiter de la chaleur. La lumière est comme une bénédiction.

— Merci de nous avoir amenés ici, dit doucement William. On en avait besoin.

Et alors, il me prend la main.

## 75

Je me réveille en sursaut au milieu de la nuit au son du cri de Zoe. William et moi nous redressons comme des ressorts et échangeons un regard perplexe.

— C'est un conte de vieilles bonnes femmes, dit-il. Pas vrai ?

Durant les quelques secondes que nous mettons à nous extirper de nos sacs de couchage et à ouvrir la fermeture de la tente, nous entendons trois autres sons, tout aussi déconcertants. Peter qui hurle, des pas qui martèlent la terre et Peter qui crie à nouveau. Je m'exclame :

— Oh, mon Dieu, oh, mon Dieu. Dépêche-toi, sors de là !

— Passe-moi la lampe électrique, braille William.

— Pour quoi faire ?

— Pour assommer l'ours, tiens ! À ton avis, je vais faire quoi avec ?

— Fais du bruit. Crie. Remue les bras dans tous les sens, dis-je, mais William est déjà parti.

Je prends quelques inspirations pour me donner du courage et me glisse hors de la tente. Et voilà ce que je découvre : Zoe, pieds nus, en chemise de nuit, en train de brandir une guitare en guise de batte de base-ball ; Jude, à genoux, la tête penchée comme s'il attendait l'exécution ; Peter étalé par terre, William à ses côtés.

— Il va bien, me prévient William.

Quelques voisins campeurs alertés par le vacarme sont plantés autour de notre emplacement. Ils ont tous à la main des lampes électriques. On dirait des mineurs, sauf qu'ils sont en pyjamas.

— Tout va bien, leur crie William. Retournez dans vos tentes. Nous contrôlons la situation.

— Que s'est-il passé ?

— Je suis désolé, Alice, dit Jude.

Zoe abaisse la guitare, le visage adouci.

— Est-ce que tu pleures, Jude ?

Je demande :

— Où est l'ours ? Il s'est enfui ?

— C'était pas un ours, gémit Peter.

— C'était Jude, déclare Zoe.

— Jude a attaqué Peter ?

— Je voulais faire une surprise à Zoe, intervient Jude. Je lui ai écrit une chanson.

Je me précipite aux pieds de mon fils. Son T-shirt est remonté et je vois une petite entaille sur son ventre. Je me couvre la bouche pour retenir un cri.

— Pedro m'a entendue hurler et a essayé de me sauver, dit Zoe. Avec son pic de barbecue.

— Il courait avec, continue Jude. Il a glissé.

— Et il s'est empalé.

— Va te faire voir, grommelle Peter. Je suis tombé sur mon épée pour toi.

— Ça ne saigne presque pas. C'est inquiétant, dit William en projetant le faisceau de sa lampe sur la blessure.

— C'est quoi, ce truc jaune qui sort ? Du pus ?

— Je crois que c'est de la graisse, répond William.

Peter pousse un cri aigu.

— C'est bon, tout va bien. Pas de quoi paniquer, dis-je en m'efforçant de faire comme s'il était tout à fait normal que de la graisse s'échappe d'une blessure. Tout le monde a de la graisse.

William murmure à mon oreille :

— Ça veut dire que la blessure est profonde, Alice. Il va lui falloir des points de suture. Nous devons l'emmener aux urgences.

— Je viens de voir ce film avec John Cusack, *Un monde pour nous*, et ça m'a inspiré, explique Jude.

— Ah oui, la chanson *In Your Eyes*. J'adore Peter Gabriel, grogne Peter. Ta chanson a intérêt à valoir le coup.

— Tu m'as écrit une chanson ? minaude Zoe.

— C'est ta voiture, Jude ? demande William en montrant la Toyota garée devant notre emplacement.

Jude hoche la tête. William aide Peter à se relever.

— Allons-y, c'est toi qui conduis. Peter pourra s'allonger sur la banquette arrière. Alice et Zoe, suivez-nous dans notre voiture.


— Tu conduis comme une tarée. Tu n'es pas obligée de leur coller aux fesses, aboie Zoe.

— Tu savais que Jude allait venir ?

— Non ! Bien sûr que non !

— À qui tu envoyais des textos pendant le trajet, alors ? Zoe croise les bras et tourne la tête vers la vitre.

— Qu'est-ce qui se passe entre vous deux ?

— Rien.

— Et c'est pour « rien » qu'il fait six cent cinquante bornes au milieu de la nuit pour te jouer la sérénade ?

J'ai beau être furieuse après Jude – il ne pouvait pas faire son apparition-surprise en plein jour ? –, je trouve son geste terriblement romantique. J'adore *Un monde pour nous*. Surtout la scène culte où John Cusack est debout sur le capot de sa voiture à brandir son énorme radiocassette dans son imper aux immenses épaulettes – *I see the doorway of a thousand churches in your eyes*[1]. Onze petits mots qui résument

---

1. Je vois l'entrée d'un millier d'églises dans tes yeux.

parfaitement ce que c'était d'être un ado dans les années 1980.

— Ce n'est pas ma faute s'il n'arrête pas de me suivre.

— Il t'a écrit une chanson, Zoe.

— Ça non plus, c'est pas ma faute.

— J'ai bien vu la façon dont tu le regardes. De toute évidence, tu as encore des sentiments pour lui. Ah, enfin ! (Nous quittons le chemin de terre pour la route goudronnée et Jude appuie sur le champignon.)

— Je n'ai pas envie de parler de ça, dit Zoe en se couvrant le visage du bras.

Nous roulons sur une route désertée, passons devant des champs et des prairies. La lune a l'air d'être posée sur une barrière. Dix minutes plus tard, je ne tiens plus :

— Bon sang, il est où, cet hôpital ?

Finalement, sur ma droite, j'aperçois des bâtiments illuminés. Le parking est pratiquement désert. Je remercie silencieusement le ciel qu'on se trouve au milieu de nulle part. Si nous étions à l'hôpital des enfants d'Oakland, nous aurions cinq heures d'attente.

J'avais oublié les points de suture. En fait, j'avais oublié l'injection de lidocaïne qui précède les points de suture.

— Vous voulez peut-être fermer les yeux, suggère le médecin des urgences, la seringue à la main.

Chaque fois que nous visionnons des films avec un peu de sexe dedans, Peter me demande s'il doit regarder ailleurs. Selon le contenu du film, s'il s'agit de quelques roulades tout habillés sur le lit, de simples baisers ou de câlins chastes, je le laisse zieuter. Si j'ai le moindre doute sur l'apparition d'un sein, je lui demande de tourner la tête. Je sais bien qu'il a déjà vu des seins sur Internet mais il ne les a pas vus avec sa mère assise à côté de lui sur le canapé. Je ne sais pas qui de nous deux serait le plus mal à l'aise si ça arrivait. Il n'est pas prêt. Il n'est pas préparé à se voir piquer avec de la lidocaïne non plus.

— Regarde ailleurs, dis-je à Peter.

— En fait, c'est à vous que je m'adressais, dit le médecin.

— Les seringues ne me dérangent pas.

Peter me serre la main comme un forcené.

— Je vais me changer les idées, maintenant. En discutant de tout et de rien avec toi.

Il plonge son regard au plus profond du mien, mais mes yeux sont attirés malgré moi par la seringue.

— Maman, je dois te dire quelque chose et ça va peut-être te faire un choc.

J'observe le médecin piquer tout autour de la blessure.

— Hum, hum.

— Je suis hétéro.

— C'est bien, mon cœur.

Le médecin injecte l'anesthésiant à *l'intérieur* de la blessure.

— Tu t'en sors comme un chef, Peter, déclare-t-il. On a presque terminé. Madame Buckle, vous vous sentez bien ?

J'ai la tête qui tourne. Je m'accroche au montant du lit.

— Ça arrive tout le temps, déclare le médecin à William. On dit aux parents de ne pas regarder, mais ils ne peuvent pas s'empêcher de le faire. L'autre jour, il y a un papa qui s'est évanoui quand j'ai recousu la lèvre de sa fille. Il est tombé de toute sa hauteur. Un grand type. Quatre-vingt-dix kilos. Il s'est cassé trois dents.

À ce moment, William m'entraîne par le bras.

— Allons-y, Alice.

— Maman, tu as entendu ce que j'ai dit ?

— Oui, mon cœur, tu es hétéro.

William me force à me lever. Je lui confie :

— Ton fils est hétéro. Tu veux bien arrêter de trembler ? Tu me donnes la nausée.

— Je ne tremble pas. C'est toi.

— Il y a un brancard dans le couloir, indique le médecin.

Ce sont les derniers mots que j'entends avant de m'évanouir.

## 76

Le lendemain, après six heures de voiture pour rentrer à la maison (dont deux passées dans les bouchons), je monte dans ma chambre, exténuée.

Zoe et Peter m'emboîtent le pas. Peter se jette sur le lit à côté de moi, tapote l'oreiller et attrape la télécommande.

— Vidéos à la demande ? propose-t-il.

Zoe me couve d'un regard inquiet. Impossible de me rappeler la dernière fois où elle m'a regardée avec douceur.

— Qu'est-ce qu'il y a ?

— Tu t'es peut-être évanouie parce que tu es malade, dit-elle.

— Merci de t'inquiéter, mais je me suis évanouie parce que j'ai vu le médecin enfoncer une aiguille dans une blessure ouverte dans le ventre de ton frère.

— Six points, annonce fièrement celui-ci en relevant son T-shirt pour exhiber son pansement.

— Tu n'en rajoutes pas un peu ? Le médecin a dit que tu irais mieux aujourd'hui, fait Zoe.

— Six points, répète Peter.

— Je sais, Pedro, tu as été très courageux.

— Alors, on regarde *Quand Barry rencontre Wally* ou quoi ? s'exclame-t-il.

Après que Peter m'a avoué qu'il n'avait aucune envie de regarder *La Malédiction*, j'ai mis un terme au club mère-fils-de-thrillers-qui-foutent-les-jetons. Peter et moi sommes désormais les deux membres exclusifs du club mère-fils de comédies romantiques et je lui ai promis de commencer par un cycle Nora Ephron. D'abord, nous regarderons le classique *Quand Harry rencontre Sally*, puis *Nuits blanches à Seattle* et enfin *Vous avez un message*. Je ne pense pas que ces films lui causeront des cauchemars, en dehors de l'horrible prise de conscience que très souvent hommes et femmes ne se comprennent absolument pas.

— Je déteste les comédies romantiques, dit Zoe. C'est tellement prévisible.

— C'est ta façon de dire que tu veux entrer dans le club ? demande Peter.

— Dans tes rêves, gangsta, lâche-t-elle en quittant la chambre.

— Est-ce que je dois regarder ailleurs ? demande Peter au bout d'une minute de film, alors que Billy Crystal embrasse sa copine à côté de la voiture de Meg Ryan.

» Est-ce que je dois regarder ailleurs ? redemande-t-il pendant le fameux orgasme simulé de Meg Ryan. Ou juste me boucher les oreilles, peut-être.

» Est-ce que je dois regarder ailleurs, demande-t-il quand...

— Oh, bon sang, Pedro ! Les gens font l'amour, OK ? Les gens aiment le sexe. Les gens parlent de sexe. Les gens simulent le sexe. Les femmes ont des vagins et les hommes ont des pénis. Blablabla. (J'agite la main.)

— J'ai décidé que je ne voulais plus m'appeler Pedro.

Je coupe le son.

— Ah bon ? On s'était habitués.

— J'ai plus envie, c'est tout.

— D'accord. Comment veux-tu qu'on t'appelle alors ?

Je vous en prie, Seigneur, faites que ce ne soit pas Pedro 3000 ni Docteur P. Dro, ni Archibald.

— Je pensais à... Peter.

— Peter ?

— Mmm.

— Eh bien, c'est un prénom adorable. J'aime bien Peter. Dois-je annoncer la nouvelle à ton père ou tu t'en charges ?

Peter rétablit le son de la télé.

Billy Crystal : Il y a deux races de femmes : grand train de vie et petit train de vie.

Meg Ryan : Je suis quoi, moi ?

Billy Crystal : T'es de la pire race. Grand train bien sûr, mais tu crois que tu es petit train.

Peter coupe le son de la télé.

— Pourquoi pensais-tu que j'étais gay ?

— Je ne pensais pas que tu étais gay.

Il me décoche un regard sceptique.

— D'accord, je pensais que ça pouvait être une possibilité.

— Pourquoi, maman ?

— Eh bien, tu dégageais... quelque chose.

— Comme quoi ?

— Par exemple, tu as changé ton nom pour Pedro.

— C'est vrai. Il y a tellement de Pedro gay. Quoi d'autre ?

— Tu détestais Eric Haber. Avec un peu trop de vigueur.

— C'est parce qu'il aimait Briana aussi. C'était mon adversaire. Mais lui et Pippa Klein sortent ensemble maintenant, alors, ça va entre nous.

— Heu... Tes cheveux tournent dans le sens contraire des aiguilles d'une montre.

Peter secoue la tête.

— Tu es toquée.

— Et parce que tu utilises des mots comme toqué.

— Parce que toi tu dis des mots comme toqué, maman ! Je suis hétéro.

— Je sais, Peter.

— Waouh, ça fait longtemps qu'on ne m'avait pas appelé Peter.

— Ça fait du bien, non ?

— J'ai pas oublié que c'était de l'argot pour pénis.

— Je sais bien. Mais du coup, ça a un petit côté coquin, non ? dis-je en le pinçant.

— Aïe !

Je soupire.

— Mon fils gay qui ne me quittera jamais pour une autre femme va me manquer. Je sais bien que c'est homophobe de penser que tu resterais anormalement attaché à mes basques si tu étais gay. Gay ou hétéro, tu finiras par me quitter.

— Si ça peut te rassurer, tu peux toujours penser à moi en privé comme à ton fils gay. En plus, quel hétéro de douze ans voudrait regarder *Quand Harry rencontre Sally* avec sa mère ?

Il remet le son et glousse.

— C'est exactement ce dont je parlais quand j'ai dit que tu dégageais quelque chose.

— Quoi ? De la précocité ? De l'intelligence ? De l'humour ? Les hétéros aussi peuvent avoir tout ça. Tu es une hétérophobe.

Une fois le film terminé (nous laissant tous les deux déchirés par l'émotion), Peter part chercher quelque chose à grignoter et je me connecte à Facebook. Pas de nouvelles de Chercheur 101, ce qui n'est pas franchement une surprise. Je l'avais prévenu que je serais injoignable pendant quelques jours. En revanche, mon mur ne manque pas de nouvelles publications.

**Pat La Guardia > Alice Buckle**
Fausses contractions – Pour l'instant !
Il y a 30 minutes

**Shonda Perkins > Alice Buckle**
Nouveaux échantillons : mascara waterproof et gloss.
Il y a 32 minutes

**Tita De La Reyes > Alice Buckle**
50 lumpias attendent preneur.
Il y a 34 minutes

**Weight Watchers**
Rejoignez le programme ! Les deux premiers mois vous sont offerts !
Il y a 4 heures

**Alice Buckle** apparaît dans une photo de Helen Davies.
Il y a 4 heures

Après seulement quelques minutes en ligne, je me sens mal. D'abord, parce que les Mumble Bumbles, Pat, Tita et Shonda, me harcèlent par écran interposé. Si je n'accepte pas très vite leur invitation de petit-déjeuner à l'Egg Shop, elles vont venir sonner à ma porte, me jeter dans la voiture et m'y conduire de force. Ensuite, parce que me replonger dans le passé a souvent cet effet-là sur moi. Helen a publié plusieurs photos de l'époque Peavey Patterson. Celle dont je ne peux détacher mon regard a été prise le soir où William a gagné son Clio Award. Elle les montre, Helen et lui, assis à la table, les têtes penchées l'une vers l'autre, comme s'ils étaient en grande conversation. Et dans le fond, installée à une autre table, il y a moi, qui les dévisage avec avidité, comme une folle. Helen a publié cette photo embarrassante exprès.

Helen m'a ajouté à sa liste d'amis après avoir contacté William, dans un seul but à mon avis : me faire savoir que perdre William n'a pas ruiné sa vie. Elle a épousé un homme du nom de Parminder, et son mari et elle ont lancé une nouvelle agence de pub, qui, selon son profil de LinkedIn,

338

possède des bureaux à Boston, New York et San Francisco, et a amassé plus de dix millions de bénéfices l'année dernière. Elle est tout le temps sur Facebook et me fait passer pour une vieille réac. Ses formes voluptueuses ont fondu – elle joue au golf, danse le tango, affiche une silhouette svelte et cinquante-cinq petits kilos. Elle poste tout le temps des photos. Voilà ses trois enfants assis autour de la table à confectionner des cartes pour la Saint-Valentin. Là, on la voit jardiner. Et là elle a une nouvelle coupe de cheveux. Vous aimez ? J'ai beau savoir que sa page est soigneusement étudiée, je ne peux pas m'empêcher d'avaler son baratin. Sa vie est enviable. Elle a peut-être gagné, si les critères de la victoire sont un corps tonifié, un balayage dans les cheveux et un bien immobilier à Brookline.

Au moins, je n'ai rien à envier à Weight Watchers. Je me connecte et ouvre mon programme. Je descends jusqu'à février 2010, le dernier jour où je l'ai suivi.

WWW.WEIGHTWATCHERS.COM
PROGRAMME POUR ALICE BUCKLE

ProPoints journaliers : 29
Quantité journalière utilisée : 32
Quantité restante : 0
Points bonus activité : 0

Préférences (ajoutées récemment)
Œufs : 2 points
Yaourt aux fruits : 3 points
Oursons en gélatine : 14 points
Donut sucre glace : 20 points

**Vous ne connaissez pas le nombre de points ?**

Entrer l'aliment : Pâte à tartiner
Entrer les fibres : 0

Entrer les graisses : 5
Entrer les glucides : 30
Entrer les protéines : 0
Calculer les points : 35

Ça y est, je me souviens pourquoi j'ai arrêté Weight Watchers. Compter les points pour chaque aliment me rendait pleine d'espoir la première moitié de la journée, et puis quand une cuillerée de pâte à tartiner était suivie de quatre autres avant le dîner, extrêmement coupable. Hé ! Où j'en suis de mon idée d'un guide pour maigrir par la culpabilité ? Il devrait bien marcher, avec juste quelques petites améliorations.

WWW.LEREGIMECULPABILITE.COM
PROGRAMME POUR ALICE BUCKLE

Points : 29
Quantité journalière utilisée : 102
Quantité restante : 0
Points bonus pénitence : 0

Préférences (ajoutées récemment)
Finir le papier toilette et ne pas remplacer le rouleau : 1,5 point
Dire qu'on a lu *Anna Karenine* : 3 points
Nier avoir lu *La Biographie non-autorisée de Katy Perry* : 7 points
Ne pas être bilingue : 8 points
Être Américaine : 10 points
Ne pas savoir la différence entre Chiites et Sunnites : 11 points
Croire secrètement aux lois de l'attraction : 20 points
Ne pas rappeler sa meilleure amie après qu'elle a laissé 4 messages effrayants de sa voix d'avocate spécialisée dans le divorce disant : « Alice Buckle, rappelle-moi

immédiatement, il y a quelque chose dont il faut qu'on parle. » : 8 points

Vous ne connaissez pas le nombre de points de votre culpabilité ?

Entrer l'acte coupable : flirter ouvertement et fantasmer presque continuellement sur un autre homme que mon mari.
Combien de personnes ont-elles été blessées ? Aucune pour le moment.
Combien de personnes pourraient être blessées ? Entre 3 et 10.
Prix pour arranger les choses : ?
Délai pour arranger les choses : ?
Pouvez-vous arranger les choses ? : J'ai bien peur que non.
Calculer les points culpabilité : 8 942
Attention : Ce total excède (de 44,04 semaines) la quantité hebdomadaire recommandée.
Alternative proposée : Faire pipi sur le siège des toilettes publiques (5 points)

Je suis une mauvaise personne. Hélène de Troie est une personne très équilibrée. Même si je lui ai piqué son copain, elle a eu une chouette vie. Une vie meilleure, peut-être, que la mienne.
Je descends du lit et me plante en haut de l'escalier.
— William !
Je ressens un besoin urgent de lui parler ; je ne sais pas de quoi mais j'ai envie d'entendre sa voix.
Pas de réponse.
— William ?
Jampo grimpe les escaliers.
— Tu t'appelles William, toi ?
Il baisse tristement la tête.

Je repense à la façon dont William m'a pris la main dans les bois, après l'épisode du cerf. Je repense à Peter qui s'est empalé et comment cet accident improbable – la brochette, le pus, les confessions sur l'orientation sexuelle aux urgences – a resserré nos liens. Je repense à Zoe qui me regarde avec douceur et inquiétude de peur que je ne sois malade. Je sais ce que je dois faire. Les dernières vingt-quatre heures ont concrétisé ma décision. Je me connecte sur le profil de Lucy avant de me dégonfler et envoie un message à Chercheur 101.

- C'est allé trop loin. Je suis désolée. Je dois abandonner le sondage.

Dès que j'appuie sur la touche ENVOI, une douce vague de soulagement me submerge, un soulagement qui n'est pas sans rappeler celui que j'avais ressenti quand j'avais écrit « œufs » dans mon programme Weight Watchers.

Le lendemain, je décide de ne pas me connecter. J'ai peur de la réponse de Chercheur 101 (ou pire, de son silence) et je ne veux pas passer la journée à consulter mes messages Facebook comme une obsédée. Du coup, j'éteins mon téléphone et mon ordinateur et les abandonne dans le bureau. Ce n'est pas facile. De leur propre chef, mes doigts tapotent et remuent comme si je naviguais sur une page invisible. Et même si je n'ai pas mon téléphone, je réagis comme si je l'avais sur moi. Je suis dans un état de tension intense, attendant d'être convoquée par une clochette qui ne tintera jamais.

J'essaye de me plonger dans la journée qui s'offre à moi. Je cours avec Caroline, je regarde des redifs de *Glee* avec Peter, j'emmène Zoe dans une friperie, mais mon corps a beau y être, mon esprit lui, est à mille lieues de là. Je ne vaux pas mieux qu'Helen. Moi aussi je considère que ma vie doit être passée au tamis, pour n'en garder que le meilleur, et bien emballée avant d'être consommée par le public. Chaque publication, chaque message, chaque intérêt ou commentaire devient une représentation. Mais qu'arrive-t-il à l'actrice quand elle joue sur une scène vide ? Et depuis quand le monde réel est-il si vide ? Depuis quand les gens l'ont-ils abandonné au profit d'Internet ?

Ma diète numérique s'achève après le dîner quand, n'en pouvant plus, je romps le jeûne. Je retiens mon souffle tandis que je me connecte sur le profil de mon avatar.

> **John Yossarian** vous invite à l'événement « Café ».
> Lieu : Thé & Circonstances.
> Date : 28 juillet, à 19 heures.
> Vous ne pouvez pas abandonner maintenant. J'ai des choses à vous dire et je dois vous les dire en personne.
> Répondre : Oui/Non/Peut-être.

À nouveau, une vague de soulagement déferle en moi, mais ça n'a rien de doux cette fois-ci. C'est le soulagement de la droguée désespérée, qui songe : « Je n'aurai jamais plus une occasion de ce genre. » Je suis vraiment accro. Avant de pouvoir m'en empêcher, Dieu m'en préserve, je clique sur Oui.

# 77

EXTRAIT DE : *L'ÉCRITURE DE PIÈCES DE THÉÂTRE*
« EXERCICE : ÉCRIVEZ UNE SCÈNE DE RUPTURE DANS LAQUELLE
LES PERSONNAGES S'EXPRIMENT PRESQUE EXCLUSIVEMENT
À COUPS D'EXPRESSIONS CLICHÉS. »

— Je viens tout de suite, lance Nedra.

— Je suis en train de me faire une couleur, tu ne peux pas venir, dis-je en regardant avec consternation dans le miroir de la salle de bains. Attends, je mets le haut-parleur.

Je pose le téléphone sur le rebord du lavabo et commence à me frotter le front avec une serviette. Je couine.

— J'ai du shampoing colorant partout sur la figure et ça ne part pas.

— Tu as essayé de l'enlever au savon et à l'eau ?

— Bien sûr.

Je mets du savon liquide sur la serviette avant de la passer sous le robinet.

— Alice, c'est n'importe quoi. Je t'en supplie, ne va pas le retrouver ! s'écrie Nedra.

— Tu ne comprends pas.

— Ah vraiment ? Voyons voir. William ne répondait plus à tes attentes, c'est ça ? Tu n'as pas trouvé plus original, Alice ?

— Chercheur 101 me voit telle que je suis vraiment, dis-je en pensant : une femme en sous-vêtements avec du shampoing colorant qui lui dégouline sur les tempes. Et il est mystérieux. Et j'ai le sentiment que si je ne le fais pas maintenant, je n'aurai pas de seconde chance.

Je jette la serviette dans le lavabo et vérifie l'heure.

— Je n'ai pas cherché à provoquer tout ça.

Nedra reste un moment silencieuse avant de faire remarquer :

— C'est ce qu'elles disent toutes.

— Attends une minute. Je dois me rincer les cheveux. Je te rappelle tout de suite.


— Chercheur 101 est un fantasme, tu le sais, n'est-ce pas ? Tu l'as inventé. Tu crois que tu le connais mais c'est faux. C'est une relation à sens unique. Tu lui as tout révélé de toi, tes secrets, tes espoirs, tes rêves, tandis que lui ne t'a rien dit.

— Ce n'est pas vrai, objecté-je en me brossant les cheveux. Il m'a confié des choses.

— Quoi ? Qu'il aimait les piñas coladas ? Quel genre d'hommes aime les piñas coladas ?

Je glisse d'une petite voix :

— Il m'a dit qu'il n'arrêtait pas de penser à moi.

— Oh, Alice. Et tu l'as cru ? William est réel. William. Oui, vous vous êtes un peu éloignés. Oui, vous traversez une période de vaches maigres, mais ton mariage mérite d'être sauvé. J'ai déjà entendu toutes les variantes de cette histoire un millier de fois, sous tous les angles. Une liaison ne vaut jamais le coup. Allez voir un conseiller conjugal. Fais tout ce que tu peux pour arranger les choses.

— Bon sang, Nedra, je vais seulement prendre un café avec lui.

Je scrute le miroir. C'est normal que ma raie soit orange ?

— Si tu acceptes de prendre un café avec lui, tu franchis un cap et tu le sais.

J'ouvre le placard sous le lavabo et farfouille dedans à la recherche du sèche-cheveux.

— Je pensais que tu me soutiendrais. De toutes les personnes au monde, je pensais que toi, au moins, tu comprendrais ce que je traverse. Je n'ai pas cherché tout ça. C'est venu à moi. Littéralement. L'invitation à participer au sondage était dans ma boîte de courrier indésirable. C'est juste arrivé comme ça.

— Merde, Alice ! Ce n'est pas arrivé juste comme ça. Tu es complice. Tu as participé.

Je trouve le sèche-cheveux mais le cordon est tout emmêlé. Rien n'est donc jamais facile ? Tout à coup, je suis fatiguée.

— Je suis seule. Je me sens seule depuis un moment. Ça ne compte pas ? Est-ce que je ne mérite pas d'être heureuse ?

— Bien sûr que si. Mais ce n'est pas une raison pour abandonner ta vie.

— Je n'abandonne pas ma vie. Je le retrouve simplement pour prendre un café.

— Oui, mais qu'est-ce que tu attends de ce rendez-vous ? Pourquoi est-ce que tu vas prendre un café avec lui ?

C'est vrai, pourquoi voudrais-je prendre un café avec lui avec la tête que j'ai ? J'ai des cernes de la couleur du chardon. Oui, du chardon. Avec de l'anticerne, je pourrai peut-être leur donner une teinte lavande. Je finis par admettre :

— Je ne sais pas trop.

J'entends Nedra souffler à l'autre bout du fil.

— Je ne sais plus du tout qui tu es.

— Comment peux-tu dire ça ? Je suis celle que j'ai toujours été. C'est peut-être toi qui as changé.

— Eh bien, j'imagine que la pomme ne tombe jamais loin de l'arbre.

— Ce qui veut dire ?

— Telle mère telle fille.

— Je n'ai aucune idée de ce dont tu parles, Nedra.

346

— Si tu avais daigné me rappeler après les quatre messages que je t'ai laissés, tu le saurais.

— Je t'ai dit que j'étais dans les montagnes. Ça ne captait pas.

— Eh bien, ça t'intéressera peut-être de savoir que Jude et moi avons eu une petite conversation à cœur ouvert à propos de Zoe.

— Bien. Tu lui as dit de passer à autre chose ? Elle ne va pas se remettre avec lui.

— Elle aurait bien de la chance de le récupérer. Il m'a finalement avoué ce qu'il s'était réellement passé. Je savais que quelque chose clochait. C'est Zoe qui a trompé Jude.

— Non, Jude a trompé Zoe, dis-je doucement.

— Non, Jude a laissé Zoe crier sur tous les toits que c'était sa faute afin de protéger sa réputation mais c'est elle qui l'a trompé. Malgré son infidélité, qu'on me pende si je comprends pourquoi, il est toujours fou amoureux d'elle, l'abruti.

Est-ce possible ?

— Jude ment. Zoe me l'aurait dit.

Pourtant, je sais au fond de mon cœur que c'est la vérité : ça explique beaucoup de choses. Oh, Zoe.

— Ta fille a des problèmes. Le mensonge n'est pas le moindre.

— Je connais les problèmes de ma fille. Ne t'avise pas de me jeter à la figure des informations que je t'aurais confiées en privé.

— Alice, tu es tellement obnubilée par ta petite histoire avec Chercheur 101 que tu ne vois rien de ce qu'il se passe avec ta fille. Elle ne souffre pas de troubles du comportement alimentaire, elle a un compte Twitter. Avec plus de cinq cents abonnés. Tu veux connaître son pseudo ? Ho-Girl.

— Ho-Girl ?

— C'est le diminutif pour Hostess Girl. Elle écrit des critiques sur les pâtisseries Hostess mais ses papiers peuvent être lus à différents degrés, si tu vois ce que je veux dire. Ta fille a des problèmes, oui, mais tu n'as rien remarqué parce que tu es trop occupée à vivre ta double vie. Elle est visiblement en train d'essayer de résoudre quelque chose.

— Oui, de décider si elle préfère les Twinkies ou les tartes aux fruits. Pourquoi faut-il toujours que tu exagères ? Pourquoi est-ce que tu me traites comme ça ? Je suis ta meilleure amie, pas ta cliente. J'attendais de toi que tu sois de mon côté, pas du côté de William.

— Je suis de ton côté, Alice. Je te dis ça parce que je suis de ton côté. Ne va pas le retrouver.

— Je n'ai pas le choix.

— Très bien. N'espère pas que je sois là à attendre quand tu reviendras. Je ne peux pas être ta confidente. Pas sur ce coup-là. Je ne mentirai pas pour toi. Pour ton information, je pense que tu fais une grosse erreur.

— Oui, tu as été très claire à ce sujet. Je suppose que tu vas te trouver une nouvelle demoiselle d'honneur ? Une qui ne sera pas une telle garce.

Nedra prend une profonde inspiration. Je m'imagine en train de jeter le téléphone contre le mur plutôt que de raccrocher mais je n'ai pas les moyens d'en acheter un autre, et je ne suis pas dans un film de Nora Ephron (même si ça me plairait beaucoup parce que alors je saurais que, peu importe la mauvaise tournure que prennent les choses en ce moment, tout s'arrangerait avec une super chanson en fond sonore). À la place, je raccroche le téléphone d'un doigt rageur, laissant à jamais une tache de brun doré sur l'écran

# 78

EXTRAIT DE : *L'ÉCRITURE DE PIÈCES DE THÉÂTRE.*
« EXERCICE : ÉCRIVEZ MAINTENANT LA MÊME SCÈNE
AVEC SEULEMENT DEUX RÉPLIQUES. »

— Ne fais pas ça, dit la meilleure amie.
— Je dois le faire, répond la protagoniste.

# 79

Le 28 juillet est une journée d'été parfaite. Pas d'humidité et une température de vingt-quatre degrés. Je passe une heure d'agonie dans ma chambre à me torturer l'esprit à la recherche de la tenue parfaite pour rencontrer Chercheur 101. Une jupe et des sandales ? Trop gamine. Une petite robe ? Trop insistante. Au bout du compte, j'enfile un jean et une tunique et mets un peu du maquillage que Nedra m'a offert : du mascara et une touche de fard à joues. Ça, c'est la vraie moi et ça devra faire l'affaire. Si ça ne lui plaît pas, génial. Ma conversation avec Nedra m'a beaucoup secouée. J'ai presque envie de décevoir 101. De le dégoûter, comme ça, il prendra la décision pour moi.

En bas, Caroline et William préparent une salade. Quand j'entre dans la cuisine, William lève les yeux, surpris.

— Tu es jolie. Tu as rendez-vous quelque part ?

— Je vais prendre le thé avec Nedra après le dîner, alors je vais manger vite fait.

— Depuis quand Nedra boit-elle du thé le soir ?

— Elle a dit qu'elle voulait me parler de quelque chose.

— C'est inquiétant, ça, non ?

— Tu connais Nedra.

Ma capacité à mentir si facilement m'étonne. La sonnette de la porte d'entrée retentit. Je jette un œil à ma montre : il est 18 heures.

— Les enfants attendent quelqu'un ?

William hausse les épaules en guise de réponse.

Je vais jusqu'à l'entrée chaussée de mes espadrilles, profitant de l'opportunité pour m'exercer à une démarche plus sexy. J'y ajoute quelques déhanchements, la tête penchée de façon aguichante sur le côté. Je pivote pour m'assurer que William ne m'a pas vue. Il se tient devant un placard dont il étudie le contenu. J'ouvre la porte.

— Alice ! s'écrie Bunny. Ça fait si longtemps !

Les heures qui suivent se déroulent de la manière suivante :

18 h 01 : J'essaye d'effacer de mon visage l'expression de stupeur qui le recouvre depuis que j'ai ouvert la porte. Nous nous sommes mélangés dans les dates. Nous pensions que Bunny et Jack arrivaient demain soir mais ils sont là, sur le seuil de ma porte, un jour plus tôt.

18 h 03 : Jampo déboule dans l'entrée, aboyant furieusement.

18 h 04 : Jampo mord Bunny à la jambe et la fait saigner. Bunny crie de douleur.

18 h 05 : Entendant son cri, William, Caroline, Peter et Zoe se précipitent dans l'entrée.

18 h 07 : Retour dans la cuisine pour évaluer la gravité de la blessure avec moi, n'arrêtant pas de bredouiller des paroles incompréhensibles. « Ce n'est qu'une légère morsure. Où sont les pansements ? Est-ce qu'on a de la pommade antiseptique ? Ah, la voilà ! Ah ben non, ça c'est de la colle. »

18 h 09 : William serre les dents en nettoyant la blessure de Bunny.

18 h 10 : Je jette un coup d'œil à ma montre.

18 h 15 : William propose de boire un verre.

351

18 h 17 : J'ouvre une bouteille de pinot noir et verse un verre aux adultes.

18 h 19 : Je vide mon verre et m'en verse un autre que je descends tout aussi prestement.

18 h 20 : William me suggère de ralentir ma descente.

18 h 30 : L'alarme du four retentit et William sort les macaronis au fromage.

18 h 31 : Tout le monde s'écrie : « Hum, ça sent bon ! » et : « Vivement qu'on mange ! »

18 h 35 : On discute et on analyse les avantages et les inconvénients de l'utilisation du gruyère par rapport au traditionnel cheddar pour gratiner les macaronis.

18 h 40 : Je fais part à Bunny et à Jack de ma joie de les recevoir.

18 h 45 : Bunny me demande si je vais bien. Je lui assure que je suis en pleine forme et lui demande pourquoi cette question. Elle me répond quelque chose à propos des gouttes de sueur qui perlent sur mon front.

18 h 48 : Bunny interroge Caroline sur sa recherche de travail.

18 h 49 : Caroline lui répond « Super ! » ; on vient de la nommer P.-D. G. de Google.

18 h 51 : J'annonce à tout le monde que je suis vraiment, vraiment désolée, mais que j'ai un rendez-vous que je ne peux reporter ni annuler car Nedra a laissé tomber son téléphone dans les toilettes et que donc je n'ai aucun moyen de la joindre.

18 h 51 : William me prend à part et me dit qu'il n'arrive pas à croire que je sors alors que Bunny et Jack viennent juste de débarquer.

18 h 52 : Je m'excuse et lui répète que je dois y aller.

18 h 52 : William me rappelle qu'accueillir Bunny et Jack chez nous était mon idée. Ce n'est pas juste qu'il ait à jouer les hôtes tout seul. Il insiste pour que je reste.

18 h 53 : Je pars.

19 h 05 : L'adrénaline pulsant dans mes veines, j'arrive à Thé & Circonstances et m'assieds à une table. Chercheur 101 est également en retard.

19 h 12 : Je vérifie l'heure.

19 h 20 : J'ouvre l'application Facebook de mon téléphone portable. Pas de nouvelles publications et il n'est pas connecté.

19 h 25 : Je commande un thé au citron. Je préférerais boire un café mais je ne veux pas prendre le risque d'avoir mauvaise haleine.

19 h 26 : Je retourne sur Facebook.

19 h 27 : Je retourne encore sur Facebook.

19 h 28 : J'allume et j'éteins mon téléphone.

19 h 42 : Je me sens vieille.

19 h 48 : Je lui envoie un message sur Facebook. « Avions-nous dit 19 heures ou 20 heures ? 20 heures, peut-être. En tout cas, je suis là ! »

20 h 15 : Je suis une imbécile.

Je baisse les yeux sur mes espadrilles et sur la marque de mon gloss sur le rebord de ma tasse. Je frissonne, des orteils jusqu'aux épaules.

— Vous allez bien ? me demande gentiment la serveuse, une minute plus tard.

Je marmonne :

— Je vais bien, je vais bien.

— Vous êtes sûre ?

— Je viens simplement d'apprendre une mauvaise nouvelle.

— Oh ! Je suis désolée. Je peux faire quelque chose ?

— Non, merci.

— Très bien. Dites-moi s'il vous faut quoi que ce soit. N'importe quoi, dit-elle avant de se sauver.

Je reste assise à table, la tête dans les mains. Tout à coup, mon téléphone vibre. C'est un message Facebook de John Yossarian :

Je suis désolé. J'ai eu un imprévu.

J'observe ses mots, sous le choc. OK OK, OK. Il a une raison pour n'être pas venu. Mais pour qui se prend-il de me poser un lapin ? J'oscille entre vouloir désespérément le croire et lui dire d'aller se faire voir, mais avant de m'en rendre compte, j'écris :

J'avais peur qu'il ne vous soit arrivé quelque chose.

Mon téléphone vibre de nouveau presque instantanément.

Merci de votre compréhension. Je ne joue pas. Je voulais venir plus que tout au monde. Vous devez me croire.

Je lève les yeux de mon téléphone. Le salon de thé est désert. Apparemment, personne ne prend plus le thé après 20 heures. Je lis et relis ses deux derniers messages. A-t-il vraiment eu un imprévu ? Prévoyait-il bien de me rencontrer ? Ou a-t-il changé d'avis à la dernière minute ? A-t-il décidé qu'il me préférait à distance ? Que me rencontrer en vrai anéantirait son fantasme ? Et qu'en est-il de mon fantasme ? Qu'il y a là-dehors un homme vrai qui me voit telle que je suis. Un homme qui ne peut pas s'empêcher de penser à moi. Un homme qui me fait sentir comme une femme qui mérite de susciter de telles obsessions. Et si la vérité était que Chercheur 101 n'est qu'un con qui prend son pied en menant en bateau des femmes de la quarantaine seules et pitoyables ? Mon cœur brisé m'empêche de mentir. J'écris :

Je voulais que vous veniez plus que tout au monde, aussi.

354

J'appuie sur ENVOI et éteins mon téléphone.

20 h 28 : Je monte dans ma voiture.
20 h 29 : Je roule vers la maison.
20 h 40 : Je me gare dans l'allée.
20 h 41 : J'ouvre la porte d'entrée.
20 h 42 : « Alice ? hurle William. Nous t'attendions. Viens nous rejoindre. »
20 h 44 : Submergée par la culpabilité au son de cette voix, je plaque un sourire sur mon visage et longe le couloir pour gagner le salon.

# TROISIÈME PARTIE

# 80

— Juste à temps, Alice. Tu vas pouvoir trancher, dit Bunny en me souriant quand j'entre dans la pièce.

Assise sur sa chaise, Bunny me dévisage comme si elle était installée là depuis un siècle. Sa jambe bandée est posée sur un coussin. Sur son pied nu, ses ongles sont vernis d'une teinte mandarine. Même blessée, elle continue d'incarner les femmes qui prennent de l'âge avec grâce. Elle a beau avoir plus de soixante ans, elle est plus belle que jamais.

— Bunny, je suis vraiment désolée pour ta jambe.

— Bah, répond-elle. On est amis, maintenant, pas vrai, Jampo ?

Jampo est pelotonné dans son panier, dans un coin du salon. À son nom, il lève la tête. Je le gronde :

— Méchant chien qui sent mauvais.

Il grogne doucement puis repose la tête sur ses pattes. Jack se lève, tout en longueur, taches de rousseur et cheveux roux. Il a la couleur d'un chat tigré, d'une pêche, comme Caroline. Je ne le connais pas aussi bien que Bunny, même s'il vivait pratiquement au théâtre de Blue Hill quand je montais ma pièce (il aime se présenter comme l'homme à tout faire de Bunny) mais il a toujours été gentil avec moi.

— Assieds-toi là, Alice, dit-il.

— Il y a de la place ici aussi, ajoute William en tapotant le coussin du canapé.

Je ne peux pas m'empêcher de le regarder.

— C'est bon, je vais m'asseoir par terre.

Jack hausse les sourcils.

— Je t'assure, j'adore être à même le sol.

— C'est vrai, elle adore ça, dit William. Elle s'assoit souvent ainsi même quand il y a des chaises de libres.

— Moi aussi, j'aimais m'asseoir par terre. Jusqu'à ce que mes hanches s'en mêlent, dit Jack.

— Tu as pris ton aspirine pour bébé aujourd'hui ? demande Bunny.

— L'aspirine pour bébé n'a rien à voir avec les hanches, réplique Jack.

— Non, mais ça a à voir avec ton cœur, mon amour.

J'avais oublié que Bunny appelait Jack « mon amour ». J'ai toujours trouvé ce surnom affectueux extrêmement romantique. Après la fin des représentations de *La Serveuse*, quand je suis rentrée à Boston, j'ai essayé d'appeler William « mon amour » mais ça sonnait faux. « Mon amour » est un petit nom qu'il faut mériter, ou avec lequel on est né. Je regarde William qui me sourit gentiment. J'ai la nausée.

— Jack a eu des problèmes de cœur il y a quelques mois, explique Bunny.

— Oh non... C'était grave ?

— Non. Bunny s'inquiète pour rien.

— On appelle ça de l'attention envers quelqu'un, réplique celle-ci.

— Son attention pour moi lui a dicté de remplacer sur mon iPod toutes les chansons de Rihanna par du Verdi.

Je lui demande :

— Tu écoutes Rihanna ?

— Il écoutait la musique trop fort, explique Bunny. Sourd et avec le cœur fragile, c'est trop à supporter pour moi.

— Quel dommage, se plaint Jack. Un soupçon de surdité n'est pas le pire dans un mariage.

Il me lance un clin d'œil.

— Alice ! s'exclame Bunny. Tu es resplendissante. C'est merveilleux, la quarantaine. Avant de t'installer, viens par là me dire bonjour comme il faut.

Je traverse la pièce, m'assois sur l'accoudoir du fauteuil et plonge dans ses bras. Elle sent exactement tel que dans mon souvenir, le freesia et le magnolia.

— Tout va bien ? me chuchote-t-elle.

— Oui, juste les aléas de la vie, tu sais.

— Ah, la vie... On parle plus tard, OK ?

Je hoche la tête, la serre une nouvelle fois dans mes bras et m'installe par terre à côté d'elle.

— Alors, quel est le sujet de désaccord ?

Bunny m'explique.

— Christiane Amanpour ou Diane Sawyer ?

— Eh bien, je les aime bien toutes les deux mais si je devais choisir, je dirais Christiane.

— Le désaccord, ce n'est pas de décider laquelle est la meilleure journaliste, intervient William, mais de choisir laquelle est la plus attirante.

— Quelle importance qu'elles soient attirantes ? dis-je. Ce sont des femmes qui s'entretiennent avec des présidents, des Premiers ministres et des dignitaires.

Bunny me soutient :

— C'est exactement ce que j'ai répondu.

— Comment va Nedra ? demande William.

— Je, heu...

— Tu, heu... ?

— Désolée, je suis fatiguée. Elle va très bien. On avait plein de choses à se raconter.

— Ah bon ? Je croyais que tu lui avais parlé hier.

Reste calme, Alice. Fais dans la simplicité. Quoi que tu fasses, ne regarde pas à droite quand tu lui parles. C'est le signe que l'on ment. Et ne cligne pas des yeux. Aucun clignement.

— Oui, au téléphone. Mais nous avons rarement l'occasion de discuter en face à face. Rien que toutes les deux. Tu sais comment c'est, dis-je en plongeant mon regard dans le sien.

William a les yeux ronds comme des billes. J'essaye d'adoucir mon regard.

— Nedra est la meilleure amie d'Alice. Elle va se marier, explique William.

— C'est fantastique ! Qui est l'heureux élu ? demande Bunny.

— L'heureuse élue. Elle s'appelle Kate O'Halloran, dis-je.

— Bien. Parfait. Nedra et Kate. J'ai hâte de les rencontrer.

— Alice est la demoiselle d'honneur, continue William.

— En fait, je n'ai pas encore accepté.

— Je te comprends. Demoiselle fait tellement médiéval. Pourquoi pas femme ? Femme d'honneur ? demande Bunny.

Je fais un signe de la tête. Pourquoi pas, hein ? Je suis une femme d'honneur, en tout cas, j'en étais une avant ce soir.

— Bien, intervient Jack en regardant sa montre. Je suis claqué. Allons-y, Bunny. Il est presque 1 heure du matin chez nous.

— Je suis désolée, dis-je en sautant sur mes pieds. Quel manque de politesse de ma part. Est-ce qu'on vous a montré votre chambre ?

J'entends la télé beugler dans le bureau et les enfants crier pour couvrir le son.

— Oui, oui. William a déjà monté nos bagages. Et Alice, tu dois me promettre de me dire tout de suite quand tu en as marre de nous. Nos billets de retour sont pour dans trois semaines mais, comme le disait Mark Twain, les visiteurs et les poissons commencent à sentir au bout de...

— Je n'en aurai jamais marre de vous. Vous pouvez rester aussi longtemps que vous voulez. Alors, tu cherches une nouvelle pièce à monter ?

Bunny hoche la tête, suivant Jack dans les escaliers.

— J'ai une pile de scénarios à lire. J'essaye de décider quoi faire ensuite. J'espérais que tu pourrais m'aider. Que tu pourrais en lire quelques-uns.

— J'en serai honorée. Je crois que je vais aller me coucher aussi. La journée a été longue.

Je me force à bâiller. J'ai prévu de faire semblant de dormir quand William montera se coucher.

— Je vais voir les enfants, annonce William une fois Bunny et Jack disparus dans la chambre d'amis.

— Dis-leur de penser à éteindre les lumières quand leur émission sera terminée.

— Alice ?

— Quoi ?

— Tu veux que je te monte un thé ?

Je fais volte-face, prise de paranoïa. Est-ce qu'il sait ?

— Pourquoi je voudrais un thé ? Je viens de passer la soirée à en boire avec Nedra.

— Ah oui, c'est vrai. Désolé, j'ai pensé que tu aurais envie de quelque chose de chaud.

— J'ai envie de quelque chose de chaud.

— Vraiment ?

Est-ce de l'enthousiasme que je perçois dans sa voix ? Est-ce qu'il pense que le quelque chose de chaud dont je parle, c'est lui ?

— Mon ordinateur portable, dis-je.

Il se liquéfie sur place.

Je me réveille à 4 heures du matin et me traîne en bas, toute dépenaillée. Dans la cuisine, je trouve Bunny. La bouilloire est en marche et deux tasses attendent sur le comptoir.

— J'avais le sentiment que tu me rejoindrais, me lance-t-elle avec un sourire.

— Qu'est-ce que tu fais ?

— Il est 7 heures du matin pour moi. La question c'est : toi, qu'est-ce que tu fais ?

— Je n'en sais rien. (Je me serre le ventre.) Je n'arrivais pas à dormir.

— Alice, qu'y a-t-il ?

— J'ai fait une chose horrible, Bunny. Je crois que je suis tombée amoureuse d'un autre homme.

— Oh, non, Alice. Tu en es sûre ?

— J'en suis sûre. Et attends, le pire c'est que je ne l'ai jamais rencontré.

Et je raconte toute l'histoire à Bunny. Elle ne prononce pas une parole pendant mon récit mais son visage me dit tout ce que je dois savoir. Elle est un public incroyable, très réceptif. Elle ouvre de grands yeux ou les plisse au fur et à mesure que je lui montre les mails et les discussions. Elle murmure et glousse et s'étonne quand je lui lis mes réponses aux questionnaires. Mais principalement, ce qu'elle fait, c'est m'accepter – avec chaque fibre de son corps.

— Tu dois avoir le cœur brisé, me lance-t-elle finalement quand j'ai terminé.

Je soupire.

— Oui, mais c'est beaucoup plus que ça. C'est compliqué.

— Ça me paraît très simple, à moi. Cet homme, cet enquêteur, il t'a écoutée. Il t'a dit exactement ce que tu voulais entendre. Je suis désolée mais tu n'es sans doute pas la première femme à qui il fait le coup.

— Je sais, je sais. Attends, tu le crois vraiment ? Mon Dieu ! Je ne pense pas. Pas du tout. J'avais l'impression qu'on vivait quelque chose de spécial. Qu'il y avait un lien particulier entre lui et moi.

Bunny secoue la tête.

— Tu crois que je suis folle.

— Pas folle, juste vulnérable.

— Je suis tellement humiliée.

D'un geste, Bunny balaye mes paroles.

— L'humiliation est un choix. Ne fais pas ce choix.

— Je suis en colère.

— C'est mieux. La colère est utile.

— Après William.

— Tu es en colère après William ? Pas après cet enquêteur ?

— Non. C'est William qui m'a poussée à faire ça.

— Ce n'est pas juste, Alice. Écoute, je ne suis pas une sainte et je ne te juge pas. Jack et moi avons aussi traversé une période difficile. En fait, nous nous sommes séparés pendant un temps, quand Caroline est partie à la fac. Bon, inutile d'entrer dans les détails mais ce que je veux dire, c'est qu'aucun mariage n'est parfait et tu peux parier que si un mariage te semble parfait, il ne l'est certainement pas. Mais ne mets pas ça sur le dos de William. Ne sois pas si passive. Tu dois prendre la responsabilité de tes actes. De ce que tu as failli faire. Que tu restes avec William au final n'est pas ce qui compte. Ce qui compte, c'est que tu ne laisses pas ça t'arriver.

— Ça ?

— La vie. Je ne veux pas être morbide, mais franchement, Alice, il ne te reste pas assez d'années pour que tu te permettes de les gaspiller. Il n'en reste à aucun de nous. Dieu sait qu'à moi il ne m'en reste pas.

Bunny se lève et branche la bouilloire. Le soleil vient de se lever et la cuisine est baignée d'une douce lumière abricot.

— Tant que j'y suis, est-ce que tu as une idée de ton talent naturel de conteuse ? Tu m'as captivée pendant deux heures avec ton récit.

— Conteuse ?

William entre dans la cuisine. Il examine les tasses sur la table, le bol de céréales à moitié vide.

— Depuis combien de temps êtes-vous debout toutes les deux ? À vous raconter des histoires ?

— Depuis 4 heures, répond Bunny. On avait beaucoup de temps à rattraper.

— Quinze ans au moins, dis-je.

— Le lever de soleil était magnifique, déclare Bunny. Le jardin avait la couleur d'une pêche mûre. Pendant un instant en tout cas.

William regarde par la fenêtre.

— Oui, eh bien maintenant il est de la couleur d'un coton-tige.

— Ça doit être la fameuse brume de la baie dont tout le monde parle.

— Temps clair et dégagé pendant une minute, et brouillard à couper au couteau celle d'après, soupire William.

— Exactement comme le mariage, dis-je, les dents serrées.

## 81

**John Yossarian** a ajouté *Désolé* à ses jeux favoris.

**Lucy Pevensie** a ajouté *Recherche la Lande du Réverbère* à ses activités.

Je suis désolé, sincèrement désolé. Je sais qu'on dirait une excuse bidon mais il s'est passé un imprévu. Un imprévu que je ne pouvais pas éviter.

* Laissez-moi deviner. Votre femme ?

On pourrait dire ça.

* Est-ce qu'elle a découvert pour nous ?

Non.

* Vous pensiez qu'elle allait le découvrir ?

Oui.

* Pourquoi ?

Parce que j'allais lui parler de nous après vous avoir vue hier soir.

• Vraiment ? Que s'est-il passé alors ?

Je ne peux pas vous le dire. J'aimerais, mais je ne peux pas. Vous cherchez la Lande du Réverbère ?

• C'est ce que j'ai dit.

Donc vous voulez rentrer chez vous. Vous voulez quitter ce monde. *Notre* monde ?

• Nous avons un monde ?

Je me disais que c'était peut-être un mal pour un bien. C'était peut-être un signe du destin, qu'on ne puisse pas se rencontrer.

• Ce n'est pas que nous n'avons pas *pu* nous rencontrer. J'étais là, je vous signale. Vous m'avez posé un lapin.

J'aurais été au rendez-vous si j'avais pu, je vous le jure. Mais dites-moi, Épouse 22, n'avez-vous pas été un tout petit peu soulagée ?

• Non. J'ai eu le sentiment qu'on avait joué avec moi. Je me suis sentie ridicule, triste. Vous êtes soulagé, vous ?

Ça vous aide de savoir que j'ai pensé à vous presque chaque minute depuis ?

• Et votre femme ? Vous avez pensé à elle presque chaque minute depuis ?

Je vous en prie, pardonnez-moi. Cet homme qui n'est pas venu n'est pas celui que je veux être.

• Quel homme voulez-vous être ?

Un autre que celui que je suis.

• IRL ?

Quoi ?

• In Real Life ? Dans la vraie vie ?

Ah, oui.

• Vous essayez ?

Oui.

• Vous y arrivez ?

Non.

• Et votre femme serait-elle d'accord avec cette affirmation ?

Je fais tout ce que je peux pour ne blesser aucune de vous deux.

• Je dois vous poser une question et j'ai besoin que vous me disiez la vérité. Vous pouvez faire ça ?

Je vais faire de mon mieux.

• Avez-vous fait ça avec d'autres femmes ? Avez-vous déjà été comme ça avec d'autres femmes ?

Non, jamais. Vous êtes la première. Restez encore un peu. Un tout petit peu. Jusqu'à ce qu'on trouve une solution.

• Vous voulez dire que je dois arrêter de chercher la Lande du Réverbère ?

Pour l'instant, oui.

## 82

— Ça, ma chère, c'est de la matière, déclare Bunny en me donnant un petit coup de coude. Je pourrais tout à fait mettre ça dans une scène.

Sous l'enseigne du *Petit Cochon Salé*, à Boccalone, il y a une file d'attente, longue d'au moins une vingtaine d'hommes. Sur le côté du bâtiment, sous l'enseigne bleu ciel de *Miette*, se trouve une autre file, longue d'au moins une vingtaine de femmes. Les hommes achètent de la charcuterie, les femmes des petits-fours.

— En fait, toute la scène est une pièce à part entière, ajoute-t-elle.

— Tu crois que les femmes ont peur de la mortadelle ? demande Jack.

— Ça les intimide, peut-être, dis-je.

— Ça les dégoûte plutôt, commente Zoe.

Il est 9 heures du matin ce samedi et le Ferry Building est déjà bondé. Chaque fois que nous avons des invités qui ne sont pas du coin, c'est le premier endroit que nous leur faisons visiter. C'est l'une des attractions touristiques les plus impressionnantes de San Francisco : un marché bio sous stéroïdes.

— Ça donne envie de mener une vie différente, pas vrai ?

William lance ça tandis que nous nous promenons sur le quai, marchant d'un pas tranquille devant des cageots de radis rouge vif, des pyramides parfaites de poireaux. Il prend des photos des légumes avec son iPhone. Il ne peut pas s'en empêcher. Il est accro aux pornos alimentaires.

Je l'interroge :

— Quel genre de vie ?

— Une vie dans laquelle tu as des nattes, glisse Peter d'une petite voix en désignant la fille aux joues roses qui travaille au stand *Deux filles et une charrue*. J'aime bien votre tablier, lui dit-il.

— C'est de la mousseline, répond la fille. Ça se déforme moins que le coton. Ça coûte vingt-cinq dollars.

— Quand on a moins de trente ans, les tabliers c'est sexy, commente Bunny. Après, on ressemble à une des Joyeuses Commères de Windsor. Caroline, tu en veux un ? Je te l'offre.

— Tentant, surtout que je n'ai plus que quatre années devant moi pour être sexy en tablier, mais je passe mon tour.

— C'est une fille bien, dit William. Les vrais cuisiniers n'ont pas peur des taches.

Bunny et Jack marchent quelques pas devant nous en se tenant la main. Les voir tous les deux m'est pénible. Ils sont si démonstratifs et ouvertement affectueux. Mon mari et moi avançons à l'opposé l'un de l'autre. Il me semble que nous sommes devenus l'un de ces couples dont j'ai parlé dans le sondage. De ceux qui n'ont rien à se dire. William affiche une expression sinistre, fermée. J'ouvre l'application Facebook de mon téléphone. John Yossarian est connecté.

- Ça vous arrive de regarder les autres couples et de les envier, Chercheur 101 ?

Leur envier quoi ?

- Leur proximité.

372

Parfois.

- Que faites-vous alors ?

Quand ?

- Quand ça arrive.

Je regarde ailleurs. Je suis un expert pour comparti-menter.


William m'appelle depuis l'autre bout de l'allée.
— Est-ce qu'on achète du maïs pour ce soir ?
— D'accord.
— Tu veux le choisir ?
— Non, vas-y, toi.
William s'approche d'un stand et entreprend sans grande conviction de fouiller dans la pile de maïs. Il a l'air malheu-reux comme les pierres. Sa recherche d'emploi n'est pas très fructueuse pour l'instant. Chaque semaine qui passe l'use un peu plus. Je déteste le voir comme ça. Même si sa crise de folie a joué un rôle dans son licenciement, ça n'a pas été la seule raison. Ce qui est advenu à William arrive à beaucoup de nos amis : ils se font remplacer par des modèles plus jeunes et moins chers. J'ai de la peine pour lui. Vraiment.

- Ça pourrait être aussi facile que de lui tenir la main, Chercheur 101 ?

Qu'est-ce qui pourrait être aussi facile ?

- Me lier à mon mari.

Je ne pense pas.

- Je ne l'ai pas fait depuis longtemps.

Vous devriez peut-être.

- Vous *voulez* que je tienne la main de mon mari ?


— Une douzaine, ça suffit ? demande William.
— C'est parfait, chéri, je réponds.
Je ne l'appelle jamais « chéri ». « Chéri », c'est bon pour Jack et Bunny. Celle-ci se retourne, sourit et hoche la tête d'un air approbateur.

Heu, pas vraiment.

- Pourquoi pas ?

Il ne le mérite pas.


Ô Seigneur !
— Quoi ? articule en silence Bunny devant ma mine déconfite.
Tout à coup, j'ai envie de protéger William. Qu'est-ce que Chercheur 101 sait de ce que William mérite ou pas ?

- C'était méchant. Je ne crois pas que je puisse continuer à faire ça, Chercheur 101.

Je comprends.

- Ah bon ?

Je pensais la même chose.

Une minute. Il va laisser tomber si facilement ? Il m'envoie des messages vraiment confus. Ou alors c'est moi qui envoie des messages confus.

— Tu as un billet de cinq, Alice ?

Le visage de William devient brusquement blanc comme un linge. Je me dis que je devrais acheter de l'aspirine pour bébé et forcer William à en prendre.

Je m'approche du stand.

— Tu vas bien ?

— Très bien.

Il n'a pas l'air bien du tout. Je jette un regard à la pile de maïs qu'il a amassés.

— Ils sont un peu maigrichons. Mieux vaut en prendre une demi-douzaine de plus.

— Tu m'aides à les choisir ? demande-t-il.

— Qu'est-ce qui ne va pas ?

— J'ai un peu la tête qui tourne.

Il a vraiment l'air malade. Je lui prends la main. Ses doigts s'enroulent automatiquement autour des miens. Nous allons jusqu'à un banc et nous y asseyons en silence quelques minutes. Peter et Caroline sont en train de goûter des amandes. Zoe renifle un flacon d'huile de lavande. Bunny et Jack font la queue devant *Rose Pistola* pour y acheter un de leurs célèbres sandwiches aux œufs.

— Tu veux un sandwich aux œufs ? Je vais t'en chercher un. Tu es peut-être en hypoglycémie.

— Ma glycémie va bien. Ça me manquait, ça, dit-il.

Il regarde droit devant lui. Sa cuisse touche légèrement la mienne. Nous restons assis l'un à côté de l'autre, raides comme des piquets, comme deux étrangers. Je me rappelle la fois où je lui ai apporté de la soupe chez lui. La première fois où il m'a embrassée.

— Qu'est-ce qui te manque ?

— Nous.

Sérieusement ? Il choisit aujourd'hui, le lendemain du jour où j'ai eu un rendez-vous secret avec un autre homme, pour me dire que notre couple lui manque ? Côté émotions, William se met toujours à table quand il n'y a plus rien à manger. C'est exaspérant.

— Il faut que j'aille aux toilettes, dis-je.

— Attends. Tu as entendu ce que j'ai dit ?

— J'ai entendu.

— Et tout ce que tu trouves à répondre, c'est que tu dois aller aux toilettes ?

— Désolée, c'est une urgence.

Je me précipite dans le Ferry Building, m'installe à un café et sors mon téléphone.

- Bordel, Chercheur 101 !

Je sais, vous êtes en colère.

- Pourquoi avoir proposé qu'on se rencontre, d'abord ?

Je n'aurais pas dû.

- Est-ce qu'au moins vous aviez prévu de venir ?

Bien sûr.

- Vous n'avez pas changé d'avis au dernier moment ? Décidé que le fantasme valait mieux que la réalité ?

Non. C'est la réalité qui est attirante. Je ne suis pas intéressé par les fantasmes.

- Fichu sondage. Il a complètement changé ma vie.

Pourquoi ?

- Parce que maintenant je me rends compte à quel point j'étais malheureuse.

Les sujets ont souvent...

• Arrêtez de me parler des sujets. Ne m'insultez pas. Je suis plus qu'un sujet pour vous.

Vous avez raison.

• Je pense à quitter mon mari.

Vraiment ?

L'étonnement de Chercheur 101 vibre à travers le téléphone, j'ai l'impression de prendre une décharge électrique. Ce n'est pas ce qu'il voulait entendre, et en plus ce n'est pas vrai. Je n'ai jamais envisagé de quitter William. J'ai dit ça dans le seul but de susciter une réaction. Je lève les yeux et vois Bunny s'approcher de moi d'un pas vif. Je m'enfonce sur mon siège. Elle me prend le téléphone des mains, parcourt rapidement des yeux les dernières lignes de nos messages. Elle secoue la tête, s'agenouille à côté de moi et se met à taper sur le clavier.

• Laissez-moi vous poser une question, Chercheur 101.

D'accord.

• Dites-moi une chose que vous aimez chez votre femme.

Je ne suis pas sûr que ce soit une bonne idée.

• Je vous ai tout dit sur mon mari. Vous pouvez bien me dire une chose sur votre femme.

377

D'accord. Elle est la personne la plus têtue et la plus fière que je connaisse. Elle a un avis sur tout, campe sur ses positions et fait preuve d'une loyauté infaillible. C'est bizarre mais je suis sûr que vous l'aimeriez bien. Vous pourriez être amies à mon avis.

• Oh, je ne sais pas très bien ce que je dois en conclure.

Désolé, mais vous avez posé la question.

• Ça va. En fait, ça me rassure.

Pourquoi ?

• Parce que ça me montre que vous n'êtes pas un goujat. Que vous avez des choses gentilles à dire sur votre femme.

— Goujat ? Qui utilise des mots comme ça ?
— Tais-toi, dit Bunny en me poussant.

Merci, j'imagine.

• Alors, qu'est-ce qu'on est censés faire, maintenant, Chercheur 101 ?

Je ne sais pas. Je pense que les choses vont s'éclaircir. Je n'aurais jamais cru que tout cela arriverait. Vous devez me croire.

• Qu'espériez-vous ?

Que vous répondriez aux questions et que nos chemins se sépareraient, que ce serait fini.

• Qu'est-ce que vous n'aviez pas prévu ?

Que je tomberais amoureux de vous.

Je reprends le téléphone, tape DYA, puis me déconnecte.

— Tu ne veux pas lui répondre, hein ? demande Bunny.

— Non, Cyrano, je ne veux pas.

— Il a l'air sincère. Dans ses sentiments pour toi.

— Je te l'avais dit.

— Tu veux boire quelque chose ?

— Non.

Nous restons assises là un moment à écouter nos voisins commander des cafés.

— Alice ?

— Quoi ?

— Écoute-moi. Tout bon metteur en scène qui se respecte sait que même avec le sujet le plus sombre qui soit, il doit y avoir un moment de grâce. Il doit comporter des scènes où la lumière se fait. Et si ces scènes n'existent pas, ton boulot est d'en créer. De les écrire. Tu comprends, Alice ?

Je secoue la tête. Bunny tend le bras par-dessus la table et me presse la main.

— C'est une erreur que font beaucoup de metteurs en scène. Ils confondent l'obscurité avec le sens. Ils croient que la lumière, c'est facile. Ils pensent que la lumière trouvera le moyen d'entrer toute seule par l'entrebâillement de la porte. Mais ce n'est pas le cas, Alice. Tu dois ouvrir la porte et la laisser entrer.

## 83

— Nedra.

— Alice.

— Comment vas-tu ?

— Bien, et toi ?

— Tu as fait du vélo ?

— Oui, Alice. C'est pour ça que je porte un cycliste et des baskets. Et un casque.

— Et que tu as un vélo.

— Alors ?

— Alors ?

— Alors, que s'est-il passé ?

— Quand ça ?

— Avec Chercheur 101.

— Il ne s'est rien passé.

— Ne me mens pas.

— C'est terminé.

— C'est terminé ? Juste comme ça ?

— Oui. Tu es contente maintenant ?

— Oh, tout ça est ridicule, Alice. Tu me laisses entrer ou pas ?

J'ouvre la porte en grand et Nedra pousse son vélo à l'intérieur.

— Je croyais que les Britanniques ne transpiraient pas. Tu veux une serviette ?

Nedra pose son engin contre le mur, puis s'essuie le visage dégoulinant de sueur sur la manche de mon T-shirt.

— Inutile, chérie. William est là ?

— Qu'est-ce que tu lui veux ?

— C'est pour affaires, répond-elle. J'ai une proposition à lui faire.

— Il est dans la cuisine.

— On est toujours en froid, toi et moi ?

— Oui.

— Bien. Tu me feras savoir quand ça ne sera plus le cas ?

— Oui.

— Par téléphone ou texto ?

— Par signaux de fumée.

— Tu as parlé à Zoe à propos de Ho-Girl ?

Non, je n'ai pas encore parlé à Zoe et je me sens très mal rien que d'y penser. En vérité, Ho-Girl et l'infidélité de Zoe envers Jude sont le cadet de mes soucis pour l'instant, occupée que je suis à essayer de démêler ce qu'il se passe entre Chercheur 101 et moi.

— N'en fais pas tout un plat. Ce ne sont que des gâteaux, Nedra.

— Ne ferme pas les yeux, Alice. Je pense vraiment que tu devrais t'intéresser à cette histoire.

— Nedra ? appelle William depuis la cuisine, C'est toi ?

— Oui, chéri. Il y a au moins une personne dans cette maison qui est contente de me voir, lâche Nedra en allant dans la cuisine, m'abandonnant dans l'entrée.

**Shonda Perkins**
DVD de PX90 à vendre. Prix cassé.
Il y a 5 minutes

**Julie Staggs**
Marcy – trop petite pour son lit de grande fille.
Il y a 33 minutes

**Linda Barbedian**
Insomnie.
Il y a 4 heures

**Bobby Barbedian**
Dort comme un bébé.
Il y a 5 heures

J'essaye d'ignorer les rires en provenance de la cuisine pendant que je parcours mes notifications sur Facebook. Soudain, mon ordinateur pousse un cri sous-marin. Un message de Skype vient de s'ouvrir sur mon écran.

MAGNIFIQUES FEMMES RUSSES
Les femmes européennes et américaines sont trop arrogantes pour vous ? Vous recherchez une gentille femme qui s'occupera de vous et vous comprendra ? Vous êtes au bon endroit. Vous trouverez ici des femmes russes qui vous aimeront de tout leur cœur.
www.femmesrussessexy.com
Veuillez nous excuser si vous n'êtes pas intéressé.

Sans savoir pourquoi, je trouve cette publicité racoleuse à la fois touchante et triste. Y a-t-il quiconque au monde qui ne recherche pas une personne qui l'aimera de tout son cœur ?

Un coup sec est frappé à ma porte. William entre dans mon bureau.
— Devine ! Nedra m'a demandé de cuisiner à son mariage.
— De cuisiner quoi ?

— Le dîner. Les petits-fours. Le dessert. Le repas tout entier.

— C'est une blague ?

— Il n'y aura pas beaucoup d'invités. Vingt-cinq personnes à tout casser. J'ai demandé à Caroline de m'aider.

— Tu as envie de le faire ?

— Je crois que ce sera marrant. Et en plus, elle va me payer. Plutôt grassement, je dois dire.

— Tu sais que Nedra et moi sommes en froid ?

— J'avais deviné. Pourquoi ?

— À cause de la robe de demoiselle d'honneur qu'elle veut que je porte. Elle est affreuse. Avec une taille haute et des manches bouffantes. Je ressemble à la reine Victoria dedans.

— C'est ta meilleure amie, Alice. Tu vas rater son mariage à cause d'une robe ?

Je fronce les sourcils. Il a entièrement raison, évidemment.

— Alice ? Tu vas bien ?

— Je vais bien. Pourquoi ?

Il m'est très difficile de continuer comme ça. De devoir continuellement dissimuler mon état distrait.

— Eh bien, tu fais une drôle de tête, dit-il.

— Ouais, toi aussi tu fais une drôle de tête.

— Et pourtant j'essaye de faire une tête normale.

Il me dévisage pendant un trop long moment et je me détourne, avant de lui demander d'une voix rauque :

— Alors, tu as réfléchi au menu ?

— Tout sauf des huîtres. C'est le seul impératif. Nedra trouve que c'est trop cliché. Comme les roses rouges ou le champagne pour la Saint-Valentin.

— J'adore les huîtres.

— Je sais.

— Ça fait longtemps que je n'en ai pas mangé.

William secoue la tête.

— Je ne sais pas pourquoi tu persistes à te priver des choses que tu aimes.

## 84

Après le départ de William, je monte dans ma chambre et en referme la porte. Je programme l'alarme de mon téléphone pour dans quinze minutes. Alors je m'autorise à ressentir toute la tension et la peine des derniers jours. Me revient en mémoire le commentaire de William sur le fait que notre couple lui manque. Ses paroles tournent en boucle dans ma tête. Dix minutes plus tard, je suis assise au milieu de mon lit avec une montagne de kleenex usagés devant moi, quand j'entends des pas remonter le couloir. La démarche légère m'apprend qu'il s'agit de Bunny. Je tente de me recomposer un visage, en vain. Elle ouvre la porte.

— Tout va bien ?

— Oui, ça va. Vraiment. Je vais très bien, dis-je alors que les larmes roulent sur mes joues.

— Je peux faire quelque chose ?

— Non, ne t'inquiète pas. C'est juste...

J'éclate en sanglots avant de pouvoir terminer. Après quelques secondes, je parviens à ajouter :

— Désolée. J'ai tellement honte.

Bunny entre dans la chambre, sort de la poche de son pantalon un mouchoir en tissu amidonné qu'elle me tend. Je la regarde sans comprendre.

— Oh, non. Il est propre. Je vais te le salir.

— C'est un mouchoir, Alice. C'est à ça que ça sert.

— Vraiment. C'est gentil, dis-je avant de fondre à nouveau en larmes avec cri déchirant, hoquet, gorge serrée et tout et tout.

J'essaye de m'arrêter mais n'y arrive pas. Bunny s'assoit à côté de moi sur le lit.

— Tu gardes ça pour toi depuis un moment, pas vrai ?

— Tu n'imagines pas depuis combien de temps !

— Alors, laisse-le sortir. Je resterai avec toi jusqu'à ce que tu aies fini.

— C'est juste que je ne sais pas si je suis quelqu'un de bien ou pas. Pour l'instant, je pense que je suis quelqu'un de mauvais. De froid. Je peux être très froide, tu sais.

— Tout le monde peut l'être, dit-elle.

— Surtout envers mon mari.

— Oui, c'est plus facile d'être froid avec ceux qu'on aime.

— Je sais. Mais pourquoi ?

Nouveau sanglot de ma part. Bunny reste à mes côtés jusqu'à ce que j'atteigne cet état de clarté, de fatigue intense, lavée de toute honte, où l'air embaume la fin de l'été, le chlore avec, en note plus légère, l'odeur des fournitures scolaires à acheter. Pour la première fois depuis longtemps, j'ai de l'espoir.

— Tu te sens mieux ? demande Bunny.

Je hoche la tête avant de lâcher :

— Je suis ridicule.

— Mais non, tu n'es pas ridicule, juste un peu perdue, comme nous tous.

— J'écris, tu sais.

— Ah bon ?

— Oui. Des petites scènes. Sur ma vie. Sur William et moi, sur notre rencontre. Nos dîners, nos conversations. Rien de bien intéressant. Mais c'est un début.

— C'est fantastique ! J'adorerais lire ce que tu écris.

— Vraiment ?

— Évidemment. J'attendais que tu me le proposes.

— Vraiment ?

— Oh, Alice, pourquoi est-ce que ça te surprend ?

Je baisse les yeux sur le mouchoir roulé en boule dans ma main.

— J'ai complètement sali ton mouchoir.

— Bah. Donne-moi ça.

— Non, c'est dégoûtant !

— Donne-le ! m'ordonne-t-elle.

Je le laisse tomber dans sa paume ouverte.

— Tu ne comprends donc pas, Alice ? Rien de ce que tu peux faire ne me dégoûte.

— C'est ce que je dis à mes enfants.

— C'est ce que je dis aux miens aussi, murmure-t-elle doucement en me caressant les cheveux.

Je me remets à sangloter. Elle glisse de nouveau le mouchoir dans ma main.

— On dirait que je t'ai repris ça trop tôt.

## 85

**Lucy Pevensie** a changé les infos suivantes : Citations.
« Est-ce un homme ? » demanda Lucy.

- Alors, Chercheur 101, est-ce un homme ?

Je ne suis pas certain de comprendre ce que vous demandez, Épouse 22.

- Est-ce qu'un homme réel quitte sa femme ?

Un homme réel s'occupe de sa femme.

- Et ensuite ?

Je ne sais pas trop. Pourquoi une telle question ?

- Je n'ai pas été la meilleure des épouses.

Je n'ai pas été le meilleur des époux.

- Vous devriez peut-être vous occuper de votre femme.

Vous devriez peut-être vous occuper de votre mari aussi.

- Pourquoi ferais-je ça ?

Il est peut-être perdu.

- Il n'est pas perdu. Il est dans le garage. Il construit des étagères.

Dans son pantalon Carhartt ?

- Vous n'oubliez rien, hein ?

J'oublie des tas de choses, mais Internet, non.

- Ce pantalon lui fait de jolies fesses.

C'est quoi, des jolies fesses ?

- Des fesses plus grosses que les miennes.

Je vais au cinéma avec ma femme aujourd'hui.

- Vous savez, Chercheur 101, les messages que vous m'envoyez sont vraiment confus.

Je sais, je suis désolé. Mais c'est justement pour ça que je vais au cinéma avec ma femme. J'y ai beaucoup pensé. J'ai relu toutes vos réponses au questionnaire et je suis convaincu qu'il reste une étincelle dans votre mariage. Si ce n'était pas le cas, vous ne pourriez pas décrire les débuts de votre relation comme vous le faites. Ce n'est pas terminé entre vous. Ce n'est pas terminé entre ma femme et moi, non plus. Je fais un effort. Je pense que vous devriez faire de même avec votre mari.

• Et si ça ne s'arrange pas avec nos époux ?

Alors dans six mois, on se retrouve à Thé & Circonstances.

• Je peux vous poser une question ?

Allez-y.

• Si on s'était rencontrés, si vous étiez venu ce soir-là,
que pensez-vous qu'il se serait passé ?

Je crois que vous auriez été déçue.

• Pourquoi ? Qu'est-ce que vous me cachez ? Vous êtes
recouvert d'écailles ? Vous pesez plus de 270 kilos ?
Vous dissimulez votre calvitie sous une longue mèche de
cheveux ?

Disons simplement que je n'aurais pas été celui que
vous attendiez.

• Vous en êtes sûr ?

Cette rencontre était prématurée. Ç'aurait été un
désastre. J'en suis convaincu.

• Comment ça ?

Chacun d'entre nous aurait tout perdu.

• Et maintenant ?

Nous ne perdons qu'une seule chose.

- Quoi ?

Le fantasme.

- Vous allez voir quoi ?

Le dernier film de Daniel Craig. Ma femme adore Daniel Craig.

- Mon mari aussi adore Daniel Craig. Votre femme et mon mari devraient peut-être se mettre ensemble.

## 86

Je retrouve William dans le garage, perché sur une échelle, et oui, dans son pantalon Carhartt.

— Il paraît que Daniel Craig a fait un nouveau film super. Tu veux aller le voir ?

— Attends, marmonne William avant de finir de poser une équerre de fixation sur le mur. Je croyais que tu détestais Daniel Craig.

— Je commence à bien l'aimer.

— Tu veux bien me donner cette planche ?

Je la lui tends et il la glisse sur les fixations.

— Mince, c'est penché. J'aurais dû utiliser le niveau.

— Pourquoi tu ne l'as pas fait ?

— J'ai cru que je pouvais voir si c'était horizontal à l'œil nu.

— Ce n'est pas si mal. Personne ne le remarquera.

— Ce n'est pas le problème, Alice. Toi, pas un mot ! dit-il à Jampo qui est assis au pied de l'échelle comme un bon petit toutou.

Jampo se fend d'un petit grognement tristounet, sans jamais quitter William des yeux.

— Alors, tu traînes avec Jampo ? De ton plein gré ?

— Il m'a suivi ici, explique-t-il en descendant de l'échelle.

Jampo renifle ses bottes avec excitation. William le regarde avec un demi-sourire.

— Il croit que je vais l'emmener se promener.

— Tu le promènes ?

— De temps en temps. Hé, tu sais ce que ça veut dire sexiler ?

— Sexiler ? Non, pourquoi ?

— J'ai entendu Zoe discuter avec une de ses amies. Elles parlaient de la fac. C'est un terme qui veut dire se faire virer de sa chambre quand ton ou ta coloc veut avoir des rapports sexuels.

— Ils inventent vraiment des nouveaux mots pour tout. Ce n'est plus à la mode de mettre une chaussette sur la poignée ?

— C'est une autre génération.

— Bientôt, elle va partir. En un claquement de doigts, elle se sera envolée. Un autre claquement de doigts, et ce sera au tour de Peter. Clac, clac, et pouf ! Tu crois qu'elle couche avec des garçons ?

— Si je crois qu'elle a couché avec un garçon ? Jude ? Oui, probablement.

— Vraiment ?

— Alice, je suis au courant pour Ho-Girl. Nedra m'a raconté.

— Oh, mon Dieu ! Ho-Girl. Je n'arrive pas à croire que je ne lui en ai pas encore parlé. C'est de la folie ici ces derniers temps, avec Bunny et Jack et tout ça.

— Mmm.

— Nedra t'a aussi raconté que c'est notre fille qui a trompé Jude, pas le contraire ?

— Oui, elle me l'a dit. Et tu n'as pas regardé son compte Twitter ?

— J'espérais que ça se réglerait tout seul.

William prend son téléphone.

— Finissons-en. Ça ne peut pas être aussi terrible que ça.

Il va sur Google et tape « Twitter Ho-Girl ». Son odeur m'enveloppe : lessive et orange. J'adore cette odeur. Je la respire en silence.

— La voilà, dis-je en me penchant par-dessus son épaule.

**Ho-Girl**

Nom : Ho-Girl.
Lieu : Californie.
Bio : Crémeuse, fourrée, sucrée, moelleuse.
552 abonnés

Du plaisir à chaque bouchée !
Il y a 2 heures

@ Booboobear : Tout à fait, Ho-Girl, je peux le confirmer.

@ Fox123Sexy : Et si tu postais une photo ? De ton petit plaisir ?

@ Lemonyfine : OK, je comprends que tu adores les gâteaux. Mais si on parlait des Yodels ?

@ Harbormast50 : Tu as un peu de sucre glace au coin des lèvres. Je serais ravie de te l'essuyer.

— Nom de Dieu ! Nedra avait raison.

— Quand est-ce que Nedra a jamais eu tort ? On va s'inscrire pour recevoir des messages de Ho-Girl, aboie William.

— Quoi ? Non ! Tu ne peux pas faire ça. Elle saura que c'est nous.

— Fais-moi un peu confiance. Je ne vais pas signer Ma&PaBuckle.

— Tu vas utiliser un faux nom ?

— Ça te pose un problème ?

— Eh bien oui. Pas toi ? On doit vraiment faire ça ? dis-je en m'efforçant de garder un visage de marbre.

— Oui, parce qu'il s'agit de notre fille. Restons dans l'ambiance Ho-Girl. Qu'est-ce que tu penses de Snoball ?

— Beurk, j'aime pas ces guimauves roses. Et Ding Dong ? je propose.

— Je déteste les Ding Dongs. Et si on s'appelait Hohos ?

— Ça ressemble trop à Ho-Girl. Et Nuttyhohos ? Tu te souviens ? Quand ils y ont mis des cacahuètes ?

— OK, ça marche.

On se tourne l'un vers l'autre et on éclate de rire.

— Chut, tais-toi, Nuttyhoho, me souffle William.

— Je n'arrive pas à croire qu'on soit en train de faire ça.

— Elle vient juste de tweeter, annonce William.

Je scrute l'écran et nous lisons le message tous les deux à voix haute.

> Quelle meilleure façon de commencer la journée qu'en suçant la crème d'un Twinkie ?

— Bordel, Zoe ! Elle ne se rend pas compte que c'est dangereux ?

Les doigts de William dansent au-dessus de l'écran.

> @ Nuttyhohos : Bordel, Zoe ! Tu ne te rends pas compte que c'est dangereux ?

— Pourquoi tu as écrit ça ? Maintenant, tous ces tarés vont connaître son vrai prénom ! C'était bien la peine de prendre un pseudo, tiens.

> Arrête de me suivre, J. Je sais que c'est toi.
> Il y a 1 minute

— Elle croit qu'on est Jude, dit William.

@ Booboobear : Ho-Girl est une reine. Elle devrait être traitée en tant que telle. Je suis là pour te servir, ma reine. Est-ce un jour à Ding Dong ?

William grommelle.

@ Nuttyhohos : Ho-Girl n'est pas une reine. C'est une ado de quinze ans, espèce de sale prédateur malade.

Je suis sérieuse, J. Arrête.
Il y a 1 minute

@ Lemonyfine : Écoute la demoiselle, J, ou alors je vais venir te botter le cul.

Tout le monde se calme ! Il reste de la crème dans mon Twinkie ☺
Il y a 1 minute

J'arrache le téléphone des mains de William.

@ Nuttyhohos : OMG, Zoe, tu ne pourrais pas avoir un trouble du comportement alimentaire comme tout le monde ?

Tu veux dire que je suis grosse ? Je ne suis pas grosse, J.
Il y a 1 minute

@ Nuttyhohos : Ce n'est pas J, c'est ta mère. Je sais tout à propos des gâteaux dans ton placard.

@ Fox123 : A +

William me reprend le téléphone.

@ Nuttyhohos : C'est ton père. Désactive ton compte tout de suite, Zoe Buckle.

Je m'écrie :
— Et maintenant, tu donnes son nom de famille !

@ Booboobear : P*** A +
@ Nuttyhohos : Désactive ton compte maintenant, Ho-Girl !

Tout à coup, la porte du garage s'ouvre. William et moi restons plantés là, à cligner des yeux, serrés l'un contre l'autre, tandis que Zoe apparaît devant nous. Elle tient son téléphone dans une main, la télécommande de la porte du garage dans l'autre. Elle est si furieuse qu'elle ne peut pas prononcer un mot. À la place, elle tweete.

J'arrive pas à croire que vous ayez fait ça. C'est une violation de ma vie privée. Je ne vous pardonnerai jamais.
Il y a 1 minute

— Zoe, je t'en prie...

Je ne te parle pas à toi !
Il y a 1 minute

@ Nuttyhohos : Ça, on s'en était rendu compte.

Je ne vous parlerai plus jamais.
Il y a 1 minute

@ Nuttyhohos : Ce n'est pas bien, chérie. Ho-Girl n'est pas bien. Tu aurais pu avoir de sérieux problèmes.

Zoe me regarde et commence à pleurer. Ensuite, elle se remet à pianoter sur son écran.

Comment peux-tu souhaiter que j'aie un trouble du comportement alimentaire ?
Il y a 1 minute

— Mon bébé, dis-je.
— Je ne suis pas ton bébé. Tu ne sais pas du tout qui je suis, hurle-t-elle.
Zoe lève la télécommande au-dessus de sa tête et appuie dessus avec brutalité comme si elle pressait la détente d'une arme. La porte se referme doucement sur nous.
— William...
— Laisse-la, dit-il tandis que la tête, puis le ventre, puis les jambes de notre fille disparaissent.
Je lâche un petit sanglot et il me prend dans ses bras, où l'odeur de lessive est encore plus prononcée. C'est agréable, comme se trouver dans un cocon. Nous restons ainsi quelques minutes.
— Bon, dit-il. Et maintenant ?
— On l'enferme dans sa chambre pendant mille ans.
— On l'oblige à manger de la hampe de bœuf.
— Est-ce qu'on est si nuls que ça ?
— En quoi ?
— À être parents.
— Non, mais on est nuls sur Twitter.
— Tu es nul sur Twitter, dis-je.
— C'est parce que tu me rends nerveux. J'ai eu le trac.
— Oh, si je n'avais pas été là, tu aurais été plus spirituel ?
— @ Nuttyhohos : les abricots sont mûrs, fille végétarienne, dit-il.
— @ Nuttyhohos : Je te les ai tous gardés, mange ça plutôt que des Ding Dongs.
— @ Nuttyhohos : Ce n'est pas que je n'aime pas les Ding Dongs. Il y a un temps et un lieu pour les Ding Dongs.

Quand on a trente ans et qu'on vit dans son propre appartement dont on paye tout seul le loyer.

— @ Nuttyhohos : Sans blague. Si tu ne manges pas les abricots aujourd'hui, ils vont pourrir.

— @ Nuttyhohos : Pour ton information, les abricots coûtent douze dollars le kilo. Mange-les ou sinon...

— @ Nuttyhohos : Et évite d'avaler les noyaux.

— @ Nuttyhohos : Avaler est une mauvaise idée, en général.

— @ Nuttyhohos : Dit le chirurgien général.

— @ Nuttyhohos : Et ton père. Alors ? demande William.

— Pas mal.

— Oui, c'est ce que disent tous mes abonnés.

— Ton abonnée.

— Une seule suffit, Alice.

— Il faut que je lui parle.

— Non, je crois qu'il faut que tu lui laisses un peu de temps.

— Et ensuite, quoi ?

William me soulève le menton.

— Regarde-moi.

Bon sang, tu sens tellement bon. Comment ai-je pu oublier à quel point tu sentais bon ?

— Laisse-la venir à toi.

Alors, il me lâche brusquement et se retourne vers ses étagères, les sourcils froncés.

— Je vais devoir recommencer, dit-il. Où est ce fichu niveau ?

## 87

— Maman ! Viens m'aider ! Il me faut un tupperware plus grand, crie Zoe dans la cuisine.

Ce sont les premiers mots que ma fille m'adresse en deux jours. Mon mari et moi avons tous les deux subi la punition du silence depuis l'incident Twitter. Je m'adresse à William, assis sur le canapé :

— Peut-on considérer cela comme un pas de sa part dans ma direction ?

Il pousse un soupir.

— Fichue chatière.

— Eh bien quoi ?

Il pose son journal en déclarant :

— Faute de grives on mange des merles.

Je me lève.

— Je t'appelle depuis des heures !

Zoe est accroupie près de la cuisinière, tenant dans ses mains un tupperware minuscule, et furète partout autour d'elle.

— Ce n'est pas assez grand.

— Sans blague, maman. Tous les tupperwares ont disparu.

J'ouvre le frigo.

— C'est parce qu'on a plein de restes.

— La voilà ! hurle Zoe.

Je fais volte-face, juste à temps pour voir une souris foncer dans ma direction depuis l'autre bout de la pièce.

— Ah !!!

— Tu n'as rien de plus original à dire ? grommelle Zoe tout en pourchassant la souris qui s'agite au sol comme un petit Dumbo ivre, les oreilles battant au vent.

Je pousse de nouveaux cris tandis que la souris se faufile entre mes jambes avant de s'engouffrer sous le frigo.

Zoe se relève.

— C'est ta faute, dit-elle.

— Qu'est-ce qui est ma faute ?

— Si elle est allée sous le frigo.

— Pourquoi ?

— Parce que tu l'as attirée.

— Comment ?

— En ouvrant la porte et en laissant l'air froid s'échapper.

— Sérieux, Zoe ? Eh bien, je vais le rouvrir et peut-être que la souris réapparaîtra.

Je sors un grand tupperware rempli de lasagnes que je vide dans une assiette, lave la boîte et la lui tends.

— Voilà.

— Merci.

— Et maintenant ?

Zoe hausse les épaules et s'assoit à table.

— On attend.

Nous restons immobiles quelques minutes, en silence.

— Je suis contente que tu ne sois pas le genre de fille à avoir peur des souris.

— Ce n'est pas grâce à toi.

Nous entendons la souris gratter sous le frigo. Je propose alors :

— Je pourrais prendre un balai.

— Non, ça la traumatiserait. Laisse-la sortir toute seule.

Nous restons assises sans mot dire pendant quelques minutes de plus. Des grattements plus appuyés se font entendre.

— Un éléphant dans un magasin de porcelaine.

Soudain, les yeux de Zoe s'emplissent de larmes. Elle baisse pitoyablement la tête.

— Je ne voulais pas que tu aies honte de moi, murmure-t-elle.

— Zoe. Pourquoi aurais-je honte de toi ?

— C'est arrivé comme ça. Je ne voulais pas ça. Jude était à Hollywood. Tout le monde s'intéressait à lui. Et puis, il y a eu ce garçon. Ce n'est pas moi qui l'ai embrassé en premier mais après je ne pouvais plus m'arrêter. Je suis une garce, gémit-elle. Je ne mérite pas Jude.

— Tu n'es pas une garce. Et n'utilise plus jamais ce mot en parlant de toi. Zoe, tu as quinze ans. Tu as fait une erreur. Tu as manqué de jugement. Pourquoi ne l'as-tu tout simplement pas expliqué à Jude ? Il t'adore. Tu ne crois pas qu'il aurait compris ? Finalement ?

— Je lui ai dit. Tout de suite.

— Et que s'est-il passé ?

— Il m'a pardonné.

— Mais tu ne t'es pas pardonné à toi-même. C'est ce qui explique Ho-Girl.

Zoe hoche la tête.

— D'accord. Mais Zoe, il y a une chose que je ne comprends pas. Je m'inquiète bien moins de ce baiser que du fait que tu sois si méchante avec Jude. Il te suit partout comme un petit chien. Il ferait n'importe quoi pour toi.

— Il m'étouffe.

— Alors, ta solution, c'est de t'enfuir ?

— C'est toi qui m'as appris ça, marmonne-t-elle.

— Je t'ai appris quoi ?

— À m'enfuir.

— Tu penses que je fuis ? Que je fuis quoi ?

— Tout.

Cette révélation me noue l'estomac.

— Vraiment ? C'est ce que tu penses ?

— Un peu, murmure Zoe.

— Zoe, oh, mon Dieu...

Je n'ai pas le temps de finir : à cet instant, la souris galope sous la table.

Je lève les pieds et nous échangeons un regard, les yeux écarquillés. Zoe pose un doigt sur ses lèvres.

— Pas un bruit, articule-t-elle sans prononcer un son.

— Beurk.

Zoe réprime un sourire tandis qu'elle glisse doucement de sa chaise et s'accroupit par terre, le tupperware dans la main. Ensuite, j'entends le bruit du plastique s'abattant sur le sol.

— Je l'ai ! s'écrie-t-elle en rampant sous la table, poussant la boîte devant elle.

La souris ne bouge pas.

— Est-ce que tu l'as tuée ?

— Bien sûr que non, répond Zoe en tapotant la boîte. Elle fait semblant d'être morte. Elle a eu la frayeur de sa vie.

— Où est-ce qu'on va la relâcher ?

— Tu viens avec moi ? Tu ne viens jamais avec moi. Tu as peur des souris.

— Oui, je viens avec toi, dis-je en attrapant un morceau de carton dans la poubelle de recyclage. Prête ?

Je glisse le carton sous le tupperware, puis Zoe et moi sortons par la porte de derrière, la main de Zoe sur le haut de la boîte, la mienne en dessous pour maintenir le carton. Nous gravissons tant bien que mal la colline jusqu'à un bosquet d'eucalyptus. Alors nous nous penchons de concert, posant le tuppervare par terre. Je retire le carton.

— Au revoir, petite souris, chantonne Zoe en soulevant le plastique.

Une seconde plus tard, la souris est partie.

— Je ne sais pas pourquoi, je suis toujours triste quand je les relâche, déclare Zoe.

— Parce que tu as dû les piéger ?

— Non, parce que je m'inquiète qu'elles ne retrouvent jamais le chemin de leur maison.

Ses yeux s'emplissent à nouveau de larmes. À cet instant, je me rends compte que Zoe a l'âge que j'avais quand ma mère est morte. Elle ressemble surtout à une Buckle, pas trop à une Archer. Elle a de beaux cheveux, par là j'entends qu'elle ne mène pas un combat perpétuel contre eux pour les discipliner. Elle a un joli teint clair, et veinarde comme elle est, elle a hérité de la taille de William : elle fait presque un mètre soixante-treize. Mais là où je reconnais la touche Archer, là où je me vois, c'est autour des yeux. La ressemblance est particulièrement prononcée quand elle est triste. La façon qu'elle a de cligner des yeux pour chasser les larmes de ces cils noirs comme de l'encre. La façon dont son iris s'illumine et passe d'un bleu marine à une sorte de bleu-gris de tempête. C'est moi, ça. C'est ma mère. Juste là.

— Oh, Zoe, ma chérie. Tu as tellement bon cœur. Ça a toujours été le cas. Même petite.

Je pose maladroitement mon bras autour de ses épaules.

— Je n'aurais jamais dû te dire ces choses. Ce n'est pas vrai. Tu ne t'enfuis pas, dit-elle.

— C'est peut-être un peu vrai, des fois.

— Je suis désolée.

— Je le sais.

— Je suis une imbécile.

— Ça aussi, je le sais.

Je lui tapote gentiment l'épaule, ce qui lui arrache une grimace.

— Zoe, chérie, regarde-moi.

Elle se tourne et se mordille la lèvre.

— Est-ce que tu aimes Jude ?

— Je crois que oui.

— Alors fais-moi plaisir.

— Quoi ?

Je pose la paume de ma main contre sa joue.

— N'attends pas plus longtemps. Dis-lui ce que tu ressens.

## 88

— Qui est la doublure du rôle principal ? demande Jack, en scrutant le programme, les yeux plissés. Je n'arrive pas à lire. Alice, tu peux le lire ?

J'examine le programme en plissant moi aussi les yeux.

— Comment peut-on lire ça ? C'est écrit en tout petit.

Bunny me tend une paire de lunettes de lecture très tendance, rectangulaires et en métal couleur bronze.

— Tiens.

— Non, merci.

— Je les ai achetées pour toi.

— Ah bon ? Pourquoi ?

— Parce que tu n'arrives plus à lire les petits caractères et qu'il est temps d'affronter la réalité.

— Ce sont les caractères *minuscules* que je n'arrive plus à lire. C'est très gentil de ta part, mais je n'en ai pas besoin.

Je lui rends les lunettes.

— J'adore le théâtre, dis-je en regardant les gens autour de nous s'installer. Le théâtre de Berkeley est tout près de chez nous, pourquoi est-ce qu'on n'y vient pas plus souvent ?

La lumière se tamise et le public émet quelques protestations tandis que des retardataires gagnent petit à petit leurs places. C'est le moment que je préfère. Juste avant le lever de rideau, quand toutes les promesses de la soirée restent encore à venir. Je jette un coup d'œil à William. Il porte un pantalon en toile sans un pli, avec une coupe slim qui accentue les contours de ses jambes musclées. Je fixe ses cuisses et un petit frisson me parcourt le dos. Toutes ces heures à courir ont porté leurs fruits.

— C'est parti, chuchote Bunny quand le rideau se lève.

— Merci de nous avoir amenés ici, dis-je en lui serrant le bras.

— Échanger des tweets avec Ho-Girl aurait été plus agréable, déclare William, quarante-cinq minutes plus tard.

C'est l'entracte. Nous faisons la queue au bar avec une douzaine d'autres personnes.

— Je n'arrive pas à croire qu'ils aient monté cette pièce, lance Jack. Elle n'était pas prête à être jouée.

— Et c'est la première pièce de l'auteur, ajoute Bunny. J'espère qu'elle a la peau dure.

Tout le monde se tourne brusquement vers moi.

— Désolée, Alice. C'était très maladroit, dit Bunny.

— Bah, c'est bien ce que tu dis, Bunny ? C'était fade, ennuyeux et absurde, exactement comme *La Serveuse*, j'en ai peur.

Les yeux de Bunny s'illuminent de plaisir.

— Bravo, Alice ! Il était temps que tu affrontes cette critique aussi puante que du poisson pourri. Il était temps que tu la remontes à la surface plutôt que de la laisser flotter autour de toi pendant des années. C'est comme ça qu'elle perd son pouvoir.

Elle me lance un clin d'œil. Ce matin, j'ai enfin trouvé le courage de lui donner à lire quelques pages que j'avais rédigées. Je me ménage un peu de temps chaque jour pour écrire désormais. Je commence à avoir un bon rythme. Je demande :

— Quel âge a l'auteur ?

— D'après sa photo, je dirais une petite trentaine, répond William en regardant le programme.

— Pauvre petite.

— Pas forcément, réplique Bunny. C'est insoutenable uniquement parce que pour la plupart d'entre nous, les désastres arrivent en privé, derrière des portes closes. Quand on écrit des pièces de théâtre, ça se produit devant tout le monde. Mais il y a une réelle opportunité ici, tu vois, à faire cette expérience en public. Tout le monde assiste à ta chute, d'accord, mais peut aussi être témoin de ton ascension. Rien de tel qu'un come-back.

Je songe alors à la citation de William sur Facebook.

— Et si tu ne fais que tomber, tomber, toujours tomber ?

— Impossible, pas si tu restes fidèle à toi-même. Au bout d'un moment, tu te stabilises.

Il ne reste que trois personnes devant nous. J'ai désespérément besoin d'un verre. Qu'est-ce qui prend tant de temps ? J'entends la femme en tête de file admonester le barman parce qu'il n'a pas de Grey Goose. Je me pétrifie sur place. Je connais cette voix. Je grogne en entendant la femme demander s'ils ont un Grüner Veltliner et le barman répondre qu'elle pourrait peut-être se contenter d'un chardonnay. C'est Mme Norman, la maman junkie.

J'ai une brusque envie de foncer derrière un pilier et de m'y cacher avant de me demander pour quelles raisons je devrais me planquer. Je n'ai rien fait de mal. « Tiens-toi droite, Alice. » J'entends la voix de mon père dans ma tête. Je me tasse toujours quand je suis nerveuse.

— Un vin californien, vous y croyez ? lance Mme Norman en se retournant avant de m'apercevoir.

Je lui décoche un sourire timide et un petit hochement de tête tout en me redressant.

— Eh bien, bonjour, susurre-t-elle. Chéri, regarde, c'est la prof d'art dramatique de Carisa.

M. Norman fait trente bons centimètres de moins que Mme Norman. Il me tend la main.

— Chet Norman, dit-il avec une pointe de nervosité dans la voix.

— Alice Buckle.

Je leur présente rapidement Bunny, Jack et William, puis sors de la file pour discuter avec eux.

— Je suis désolé d'avoir raté *Le Petit Monde de Charlotte*. J'ai entendu dire que c'était une sacrée performance, s'exclame M. Norman.

— Hum, je suppose.

Je m'efforce de ne pas grimacer. J'ai encore le sentiment que cette pièce était une grosse erreur de calcul de ma part.

— Alors, lance Mme Norman, vous venez souvent au théâtre ?

— Oh, oui. Tout le temps. Ça fait partie de mon travail, d'assister à des pièces.

— Quelle chance vous avez.

Les lumières clignotent.

— Bon... dis-je.

— Carisa vous adore, lâche M. Norman d'une voix cassée.

— Vraiment ?

J'ai les yeux rivés sur Mme Norman. Les lumières s'éteignent et se rallument de nouveau, plus vite cette fois.

— Je suis désolé, fait M. Norman en me tendant une nouvelle fois la main. Je suis vraiment, vraiment désolé.

— Chet ! le sermonne sa femme.

— De vous avoir retenue, ajoute-t-il.

— Oh, chéri, je crains que tu ne doives descendre ton vin d'un trait, lance Mme Norman tandis que William s'approche de nous avec ma boisson.

J'observe Mme Norman, tout en courbes, paillettes et condescendance, et, Dieu m'en est témoin, je dois me retenir de ne pas faire semblant de fumer un joint.

— Carisa est une enfant adorable, dis-je à M. Norman. Je l'aime beaucoup aussi.

— Cette pièce est nulle, Chet, grogne Mme Norman en regardant son verre de vin. Et cette piquette aussi. Séchons la deuxième partie.

407

— Mais ce serait très impoli, chérie. Ça ne se fait pas de partir pendant l'entracte, n'est-ce pas ? me demande-t-il.

Ah, il me plaît bien, ce Chet Norman. William nous rejoint et me tend mon verre de vin.

— Je ne crois pas qu'il y ait de règles.

— Vous passez de bonnes vacances d'été, madame Buckle ? demande Mme Norman.

— Très bonnes, merci.

— Tant mieux.

Alors elle pivote brusquement sur ses talons et se dirige vers la sortie.

— C'était un plaisir de vous rencontrer, lance Chet Norman en lui courant après.

La seconde partie de la pièce est encore pire que la première mais je suis contente que nous soyons restés. Pour moi, c'est un peu comme une thérapie de désensibilisation – quand on injecte graduellement au patient une dose du produit auquel il est allergique (dans mon cas, l'échec public) afin qu'il apprenne à tolérer cette substance sans que tout son corps réagisse méchamment. J'ai beaucoup de peine pour l'auteur de la pièce. Je suis sûre qu'elle est là, quelque part, dans les coulisses ou dans les loges. J'aimerais savoir qui elle est. Si je le savais, j'irais la trouver et je lui dirais de se laisser submerger, de ressentir toutes les émotions, de ne pas s'enfuir. Je lui dirais que les gens finissent par oublier. Qu'elle a peut-être l'impression que c'est la fin du monde, à tort. Qu'un matin, dans un mois ou dans six, dans un an ou dans cinq, elle se réveillera et remarquera la manière qu'a la lumière de filtrer par les rideaux, l'odeur du café qui embaume la maison, comme une couverture bien chaude. Et ce matin-là, elle s'installera face à la page blanche. Elle saura alors qu'elle est de nouveau au début, que c'est un autre jour qui commence.

## 89

**John Yossarian** aime *la Suède, ses conditions de luxe et d'aisance extrêmes.*

**Lucy Pevensie** aime *le château de Cair Paravel.*

• Ah, la Suède – terre du luxe et de l'aisance extrêmes. C'était là que vous vous cachiez ? Je n'ai pas eu de vos nouvelles depuis un moment, Chercheur 101.

C'est peut-être parce que vous persistez à vivre dans un château. Je suppose que le réseau téléphonique est un peu irrégulier à Cair Paravel. Avez-vous emmené votre mari voir le film de Daniel Craig ?

• Oui.

Moi aussi, j'y ai emmené ma femme.

• Elle a aimé ?

Oui, même si DC l'a agacée parce qu'il est tout le temps en train de pincer les lèvres.

- Je la comprends. C'est très énervant.

Il ne le fait peut-être pas exprès. C'est probablement comme ça que sont ses lèvres.

- Alors, votre *effort* se déroule bien avec votre femme ?

Nous faisons des progrès, mais oui, des progrès minimes.

- Pensez-vous toujours à moi ?

Oui.

- Tout le temps ?

Oui, bien que j'essaye d'éviter.

- C'est une bonne idée, je trouve.

Quoi donc ?

- D'essayer de ne pas penser à moi.

Et vous ?

- Vous voulez savoir si je pense à vous ?

Oui.

- Je vais utiliser mon joker sur cette question. Est-ce que le sondage est terminé ?

Il peut l'être si vous le souhaitez.

- Est-ce que je toucherai quand même les 1 000 dollars ?

  Bien sûr.

- Je n'en veux pas.

  Vous êtes sûre ?

- Ça ne serait pas bien, je crois, après ce qu'il s'est passé.

  Je ne mentais pas, vous savez.

- À propos de quoi ?

  Je suis vraiment tombé amoureux de vous.

- Merci de dire ça.

  Si je n'étais pas marié…

- Si je n'étais pas mariée…

  On ne se serait jamais rencontrés.

- Sur Internet.

  Oui, sur Internet.

## 90

Bunny et moi sommes occupées à la table de la cuisine à descendre un bol de pistaches et une pile de scénarios quand Peter entre, accompagné d'un ami.

— Est-ce qu'on a des minipizzas ? demande-t-il.

— Non, mais il y a des bun's.

— C'est vrai ? s'exclame-t-il, les yeux brillants d'excitation.

— Non, je plaisante. Tu crois vraiment que ton père serait d'accord pour avoir ce genre de cochonneries à la maison ?

Je tends la main à son ami.

— Bonjour, je suis Alice Buckle, la mère de Peter. Si ça ne tenait qu'à moi, le congélo serait plein de bun's mais comme ce n'est pas le cas, je peux te proposer des biscottes avec du beurre d'amandes. Désolée, j'aurais aimé avoir du beurre de cacahuètes mais c'est aussi sur la liste noire. Je crois qu'il reste des œufs durs dans le frigo si tu es allergique aux noix.

— Je dois vous appeler Alice ou madame Buckle ? demande-t-il.

— Tu peux m'appeler Alice, mais j'apprécie que tu poses la question. C'est un truc de la côte Ouest, dis-je en me tournant vers Bunny. Tous les gosses appellent les adultes par leur prénom ici.

— Sauf les profs, ajoute Peter.

— Ils appellent les profs « mec », dis-je. Ou peut-être « keum ». Qu'est-ce qu'on dit en ce moment ?

— Arrête de crâner, souffle Peter.

— Eh bien moi, je suis madame Kilborn et tu peux m'appeler madame Kilborn, déclare Bunny.

Je demande au garçon :

— Et toi, tu es ?

— Eric Harber.

Eric Harber ? Le Eric Harber dont je croyais Peter secrètement amoureux ? Il est adorable, grand, avec des yeux caramel et des cils si longs que c'en est indécent.

— Peter parle tout le temps de toi.

— Arrête, maman.

Peter et Eric échangent un regard et Peter hausse les épaules.

— Alors, qu'est-ce que vous faites tous les deux ? Vous traînez ?

— Ouais, maman, on traîne.

Je rassemble les scénarios.

— Bon, on vous laisse, alors. Sortons sur la terrasse, Bunny. Eric, j'espère qu'on se reverra.

— Heu, oui, d'accord, bredouille-t-il.


— Qu'est-ce que c'était que ce cinéma ? m'interroge Bunny une fois que nous sommes installées sur la terrasse.

— Je croyais qu'Eric était l'amoureux secret de Peter.

— Peter est gay ?

— Non, il est hétéro, mais j'ai cru un moment qu'il pouvait être homo.

Bunny sort de l'écran total de son sac et s'en tartine lentement les bras.

— Tu es très proche de Zoe et de Peter, n'est-ce pas, Alice ?

— Oui, bien sûr.

413

— Mmm, marmonne-t-elle en me présentant le tube de crème. Il ne faut pas oublier le cou.

— Tu dis « mmm » comme si c'était mal. Comme si tu n'approuvais pas. Tu penses que je suis trop proche d'eux ?

Bunny étale le reste de crème sur le dos de ses mains.

— Je crois que tu es... impliquée, dit-elle avec précaution. Tu es très présente pour eux.

— Et c'est une mauvaise chose ?

— Alice, quel âge avais-tu quand ta mère est décédée ?

— Quinze ans.

— Parle-moi d'elle.

— Qu'est-ce que tu veux que je te dise ?

— N'importe quoi. La première chose qui te vient à l'esprit.

— Elle portait de grosses créoles en or. Elle utilisait une eau de soin Jean Naté et buvait du gin-tonic toute l'année, quelle que soit la saison. Elle disait que, comme ça, elle avait l'impression d'être tout le temps en vacances.

— Quoi d'autre ?

— Laisse-moi deviner. Tu veux que je creuse plus profond, dis-je avec un soupir.

Bunny sourit.

— Eh bien, je sais que ça paraît bizarre mais pendant quelques mois, après sa mort, j'ai cru qu'elle pourrait revenir. Je pense que c'est parce qu'elle est partie si brusquement ; il m'était impossible de comprendre comment elle pouvait être là une minute et partie celle d'après. Son film préféré était *La Mélodie du bonheur*. Elle ressemblait un peu à Julie Andrews, d'ailleurs. Les cheveux courts, et un cou magnifique, très long. Je m'attendais à tout moment à la voir surgir de derrière un arbre et se mettre à chanter, comme lorsque Maria chante pour le capitaine Von Trapp. Comment s'intitulait cette chanson, déjà ?

— Laquelle ? Quand elle se rend compte qu'elle est amoureuse de lui ?

Je commence à chantonner :

414

— « *So here you are standing there loving me. Whether or not you should.* »

— Tu as une très jolie voix, Alice. Je ne savais pas que tu chantais si bien.

Je hoche la tête.

— Et ton père ?

— Il a été complètement dévasté.

— Quelqu'un vous a aidés ? Des oncles, des tantes, des grands-parents ?

— Oui, mais au bout de quelques mois, il ne restait que nous deux.

— Vous avez dû être très proches.

— Nous l'étions, oui. Nous le sommes toujours. Je sais que je m'immisce trop dans leurs vies. Je sais que je peux être un peu trop présente et étouffante, mais Zoe et Peter ont besoin de moi. Et ils sont tout ce que j'ai.

— Ils ne sont pas tout ce que tu as. Et tu dois commencer à les laisser partir. Je suis déjà passée par là. Avec trois enfants, crois-moi, je sais de quoi je parle. Tu dois couper le cordon, radicalement. Au final, ils deviendront exactement ceux qu'ils sont, pas ceux que tu veux qu'ils soient.

— Tu es prête, Alice ? demande Caroline en bondissant sur la terrasse vêtue de sa tenue de course.

— Quand on parle du loup... fait remarquer Bunny.

Caroline fronce les sourcils et regarde sa montre.

— Tu avais dit 2 heures, Alice. Allons-y.

— Ta fille est un tyran, dis-je en me levant.


— Alice ! Tu as couru un kilomètre cinq en neuf minutes !

— Tu plaisantes ?

Je lâche un hoquet de surprise.

— Pas du tout. Regarde, dit Caroline en me montrant le chronomètre de sa montre.

— Comment est-ce possible ?

Caroline me gratifie d'un signe de tête joyeux.

— Je savais que tu y arriverais.

— Grâce à toi. Tu es un entraîneur fantastique.

— Bien, reposons-nous un peu.

Elle ralentit et je pousse un sifflement.

— Ça fait du bien, hein ?

— Tu penses que je pourrais descendre à huit ?

— Ne pousse pas.

Nous marchons quelques minutes en silence.

— Alors, comment ça se passe à Tipi ?

— Oh, Alice, je ne pourrais pas être plus heureuse. Et devine ! Ils m'ont proposé un poste à plein-temps. Je commence dans deux semaines.

— Caroline ! C'est super !

— Tout se met en place. Et c'est grâce à toi, Alice. Je ne sais pas ce que j'aurais fait sans ton soutien et tes encouragements. William et toi qui m'hébergez, Peter et Zoe qui sont des gosses incroyables. Passer du temps avec ta famille m'a fait énormément de bien.

— Eh bien, Caroline, ça nous a fait plaisir et ça nous a fait beaucoup de bien à nous aussi. Tu es une jeune femme adorable.

De retour à la maison, je m'empare du panier de linge propre qui traîne dans le salon depuis des jours et le monte dans la chambre de Peter. Je le pose par terre, sachant pertinemment qu'il va y rester une semaine. Mon fils réclame une heure de coucher plus tardive. Je lui ai dit que le jour où il rangerait ses habits et se doucherait sans que j'aie besoin de le lui demander avant, je réfléchirais à sa proposition.

— Tu es pleine d'énergie, Alice. Je devrais peut-être me mettre à courir aussi, dit Bunny en passant la tête dans la chambre.

— C'est grâce à Caroline. Et félicitations, au fait, pour ta fille pleinement rémunérée. C'est super pour Tipi.

Bunny plisse les yeux.

— Qu'est-ce qui est super ?

— Qu'on lui ait proposé un poste à plein-temps.

416

— Quoi ? Je viens juste de lui obtenir un entretien chez Facebook. J'ai dû tirer des ficelles pour l'avoir. Elle a accepté le travail chez Tipi ?

— Je crois bien, oui. Elle avait l'air super contente.

Bunny vire au rouge.

— Qu'est-ce qui ne va pas ? Elle ne t'en a pas parlé ? Oh mince, c'était un secret ? Elle ne m'a pas demandé de garder ça pour moi. J'ai cru qu'elle te l'avait dit.

Bunny secoue la tête avec vigueur.

— Elle a un master en informatique de l'université de Tufts et elle va tout foutre en l'air en travaillant pour une boîte à but non lucratif.

— Bunny, Tipi n'est pas qu'une boîte à but non lucratif. Tu sais ce qu'ils font ? De la microfinance. Je crois que l'année dernière ils ont accordé à peu près 200 millions de prêts...

— Oui, oui, je sais. Mais comment va-t-elle s'en sortir ? Elle gagne trois fois rien là-bas. Tu ne comprends pas, Alice. Tes enfants n'ont pas encore réfléchi à la fac mais laisse-moi te donner un conseil. L'heure de gloire des sciences humaines est révolue. Plus personne ne peut se permettre d'avoir un diplôme en littérature. Et ne me lance pas sur l'histoire de l'art ou le théâtre. L'avenir, ce sont les maths et les nouvelles technologies.

— Mais qu'est-ce qui se passe si tes enfants sont nuls en maths, en sciences et en techno ?

— Tant pis pour eux. Oblige-les à passer leur diplôme dans ces matières de toute façon.

— Bunny ! Tu n'es pas sérieuse. Comment peux-tu dire ça, toi qui as toujours gagné ta vie en travaillant dans l'art !

— Nom d'un chien, vous deux ! lance Caroline en débarquant dans la chambre. Oui, maman, c'est vrai, j'ai accepté le poste chez Tipi. Et oui, c'est vrai aussi, je vais gagner le minimum syndical. Et alors ? C'est le cas de la moitié des habitants du pays. En fait, la moitié des habitants du pays serait heureuse de gagner le minimum syndical, d'avoir un boulot tout court, d'ailleurs. Je fais partie des chanceux.

Bunny recule d'un pas chancelant et s'assoit sur le lit.

— Bunny ?

Elle fixe le mur d'un regard vide.

— Tu n'as pas l'air bien. Tu veux un verre d'eau ?

— Tu vis dans un monde imaginaire. On ne peut pas vivre avec le minimum syndical, Caroline. Pas dans une ville comme San Francisco, déclare Bunny.

— Bien sûr que si, on peut. Je vivrai en colocation. Je travaillerai comme serveuse le soir. Je ferai ce qu'il faut pour que ça marche.

— Tu es diplômée en informatique de Tufts.

— Ah, nous y voilà, lâche Caroline.

— Et tu es complètement folle de ne pas mettre ce diplôme à profit. C'est ton boulot, c'est ta responsabilité de le mettre à profit. Tu te feras deux à trois fois plus d'argent dès le début, hurle Bunny.

— Je me fiche de l'argent, maman.

— Oh, elle se fiche de l'argent, Alice, raille Bunny.

Assise à côté d'elle sur le lit, je lui répète :

— Oui, elle se fiche de l'argent, Bunny. Et ce n'est peut-être pas grave pour l'instant.

Je pose doucement la main sur son genou.

— Écoute, elle est jeune. Elle est toute seule, n'a personne d'autre à entretenir qu'elle-même. Elle a du temps devant elle avant que l'argent ne devienne important. Caroline va travailler pour une organisation qui peut faire la différence dans la vie des femmes.

Bunny nous jette à toutes les deux un regard de défi.

— Tu devrais être fière, Bunny, pas en colère.

— Je n'ai jamais dit que je n'étais pas fière !

— En tout cas, c'est l'impression que tu donnes, réplique Caroline.

— Tu me mets à l'écart ! s'écrie Bunny, et je n'apprécie pas du tout.

— Comment ça, je te mets à l'écart ?

— Tu me fais passer pour quelqu'un que je ne suis pas. Pour une personne égoïste. Je n'arrive pas à croire que... Enfin quoi, fallait-il que moi... s'indigne Bunny avant de se prendre brusquement la tête dans les mains et de se mettre à gémir.

— Quoi encore ? demande Caroline.

Bunny écarte sa fille d'un geste de la main.

— Quoi, maman ?

— Je ne peux pas parler.

— Pourquoi ne peux-tu pas parler ?

— Parce que je suis mortifiée.

— Oh, je t'en prie, supplie Caroline.

Je lui murmure :

— Sois gentille. Elle se sent mal.

Caroline pousse un gros soupir, les bras croisés.

— Mortifiée pour quelle raison, maman ?

— Parce que tu vois ce côté de moi, explique Bunny d'une voix étouffée.

— Tu veux dire parce que Alice voit ce côté de toi. Moi je suis habituée.

— Oui, oui, répond Bunny en laissant tomber ses mains sur le côté, complètement pitoyable. Je le sais, Caroline. Mea culpa.

Caroline commence à fondre à la vue de sa mère si sincèrement bouleversée.

— Je pense que tu es trop dure envers toi-même, Bunny, dis-je. Rien n'est tout noir ou tout blanc. Pas quand il est question des enfants.

— Non, je suis une hypocrite.

— Ouais, renchérit Caroline. C'est une hypocrite.

Elle se penche et pose un baiser sur la joue de Bunny.

— Mais une hypocrite qu'on aime, ajoute-t-elle.

Bunny lève les yeux sur moi.

— Je suis pathétique, hein ? Il n'y a même pas une heure, pleine d'arrogance, je te faisais la leçon et te conseillais de laisser vivre tes enfants.

— Je ne connais qu'une seule manière de les laisser vivre, dis-je, et ce n'est pas beau à voir.

Bunny prend la main de sa fille et lui caresse la paume.

— Je suis fière de toi, Caro. Vraiment.

— Je sais, maman.

— Et qui sait, tu pourras peut-être t'accorder un micro-prêt au besoin. C'est l'avantage de travailler chez Tipi. Si tu trouves difficile de vivre sur ce salaire, j'entends.

Caroline secoue la tête en me regardant.

— Mais, Alice, je dois te dire, si Zoe ou Peter montre quelque talent que ce soit en maths ou en techno, tu devrais vraiment...

Caroline pose un doigt sur les lèvres de sa mère pour la réduire au silence.

— Il faut toujours que tu aies le dernier mot, hein ?

Plus tard dans l'après-midi, je vérifie le profil Facebook de Lucy Pevensie. Pas de nouveaux messages ni de notifications. Yossarian n'est pas en ligne.

Je déroule les nouvelles publications sur la page d'accueil.

**Nedra Rao**

On est au XXIe siècle ! C'est trop demander de faire des cyclistes un peu seyants pour les femmes ?

Il y a 47 minutes

**Linda Barbedian**

Objectif : faire les magasins et trouver de nouveaux draps pour la chambre universitaire de Nick.

Il y a 5 heures

**Bobby Barbedian**

Objectif les magasins, sans moi !

Il y a 5 heures

**Kelly Cho**
A peur de récolter ce qu'elle a semé.
Il y a 6 heures

**Helen Davies**
Hôtel George V à Paris, waouh !
Il y a 8 heures

Ces derniers temps, parcourir Facebook me procure un tel mélange d'inquiétude, d'agacement et de jalousie que je me demande si ça vaut le coup de garder un compte.

Je suis nerveuse, ne tiens pas en place. J'ouvre un document Word. Une minute passe. Cinq minutes. Puis dix. Mes doigts planent au-dessus du clavier. Avec nervosité, je tape « Pièce en trois actes, par Alice Buckle » puis efface les mots, les réécris, cette fois en majuscules parce que je me dis que les majuscules vont me donner du courage.

La chanson de Marvin Gaye *What's Going On*, qui vient du rez-de-chaussée, flotte dans ma chambre. Un coup d'œil à ma montre m'apprend qu'il est 18 heures. La planche à découper va bientôt être sortie du placard, les poivrons seront lavés, le maïs sera égrené. Et quelqu'un, sans doute Jack, fera tournoyer sa femme autour de la cuisine. Nous autres – William et moi – nous souviendrons de nos bals de lycée et des canettes de bière qu'on descendait dans le sous-sol des voisins. Et les plus jeunes d'entre nous, Zoe et Peter, peut-être même Caroline, téléchargeront Marvin Gaye sur leur iPod en pensant qu'ils sont les premiers au monde à apprécier cette voix sexy et rauque.

Je pose les doigts sur le clavier et commence à taper.

## 91

William entre dans la cuisine.

— Tu as faim ? Tu veux déjeuner ? demande-t-il.

Je jette un œil à l'horloge. Il est 11 h 30.

— Pas vraiment.

Il farfouille dans le placard, en sort un paquet de crackers.

— On a du houmous ?

— Deuxième étagère. Derrière le yaourt.

— Alors. Grande nouvelle, lance-t-il en ouvrant le frigo. On m'a proposé un job.

— Quoi ? William ! Tu me fais marcher ? Quand ?

— Ils m'ont appelé hier. C'est à Lafayette. Gros bénéfices. Sécurité sociale, mutuelle.

— Qui a appelé hier ? Tu ne m'as même pas dit que tu avais passé des entretiens.

— J'avais peur que ça ne donne rien. Je ne voulais pas que tu aies trop d'espoir. C'est une société de fournitures de bureau.

— Des fournitures de bureau. Comme Office Max ?

— Non, pas comme Office Max. La boîte s'appelle King's Stationary. C'est une entreprise familiale mais ils se développent. Ils ont deux magasins dans la baie et prévoient d'en ouvrir deux autres à San Diego cette année. Je serai coordinateur marketing du mailing.

— Le mailing ? Tu vas envoyer des mails, des prospectus et des cartes postales ?

— Oui, Alice. Je vais faire les pubs qu'en général les gens jettent dans la poubelle du recyclable sans même les lire. J'ai de la chance d'avoir obtenu ce poste. Il y avait des dizaines de postulants. L'équipe a l'air sympa. C'est un boulot très bien.

— Bien sûr, William. Mais est-ce vraiment ce que tu veux ? Les fournitures de bureau, est-ce vraiment ton rêve ?

— Ce que je veux n'a plus d'importance, murmure-t-il.

— Oh, William...

Il lève une main pour me faire taire.

— Alice, non. Arrête. Je te dois des excuses. Et si tu veux bien me laisser parler quelques secondes, je pourrais le faire. Tu avais raison. J'aurais dû fournir plus d'efforts pour que ça fonctionne à KKM. C'est ma faute s'ils m'ont licencié. Je t'ai laissée tomber. J'ai laissé tomber toute la famille. Et je suis désolé. Je suis vraiment désolé.

Je suis sous le choc. William vient-il d'admettre devant moi sa part de responsabilité dans son licenciement ? Que ce n'était pas qu'une histoire de réduction de masse salariale ? Est-ce qu'il vient bien de dire que c'était sa faute ? Il se penche au-dessus de l'évier et regarde par la fenêtre le jardin de derrière en se mordillant la lèvre. Alors que je l'observe, je sens s'envoler la dernière once de colère que j'avais envers lui au sujet de la débâcle du Cialis.

— Tu ne m'as pas laissée tomber, William. Et ton « manque d'efforts » n'est pas la seule raison pour laquelle ils t'ont viré. Une partie ne dépendait pas de toi.

— Merci de dire ça. (Il hoche la tête.) Ça signifie beaucoup pour moi.

— C'est peut-être aussi ma faute d'une certaine manière. Tout ça. Cette situation dans laquelle nous sommes. Je t'ai peut-être laissé tomber moi aussi.

Il pivote pour me faire face.

— Tu ne m'as pas laissé tomber, Alice. Ce n'est pas toi, d'accord ?

— D'accord. Mais si c'était le cas, j'en suis désolée. Je suis vraiment désolée, moi aussi.

Il prend une profonde inspiration.

— Je devrais accepter ce poste. J'aime les papiers et les stylos, et les Post-it. Et les marqueurs fluo.

— J'adore les fluos ! Surtout les verts.

— Et les enveloppes.

— Et les agrafeuses. N'oublie pas les agrafeuses. Tu sais qu'il existe des agrafes de toutes les couleurs, maintenant ? Et le centre de Lafayette est très sympa. Tu pourras probablement y aller à pied depuis le bureau pour le déjeuner ou y chercher un café au Starbucks dans l'après-midi.

— Je n'avais pas pensé à ça, dit William en plongeant un cracker dans le houmous. Ça serait chouette.

— Tu as accepté le poste ?

— Je voulais t'en parler d'abord.

— Quand est-ce que tu dois leur donner ta réponse ?

— Dans une semaine.

— D'accord, alors réfléchis-y encore un peu. Pèse bien le pour et le contre.

J'espère que ça me laissera un peu de temps pour voir ce que devient mon propre travail. Je n'ai pas reçu de nouvelles de l'école Kentwood concernant ma demande de plein-temps à la rentrée mais je garde espoir. Il n'est pas rare que l'Association des parents d'élèves ne décide de la répartition du budget qu'au dernier moment.

— Vu qu'il n'y a pas d'autres propositions d'emploi à l'horizon, je n'y vois que des avantages, Alice, aucun inconvénient, réplique William.

Il a raison. Nous ne pouvons pas nous offrir le luxe de jouer les difficiles. Personne ne le peut. Plus maintenant.

Le lendemain, je me réveille avec de la fièvre et un terrible mal de tête. Je passe la matinée au lit et pour le déjeuner, William et Zoe m'apportent un plateau-repas : bol de soupe poulet-vermicelle, verre d'eau glacée et le courrier : une enveloppe et *People magazine*.

Je renifle la soupe.

— Ça vient de l'Imperial Tea Court, annonce William.

Je fourre une cuillerée de vermicelle dans ma bouche.

— Tu es allé jusqu'à l'Imperial Tea Court ? À Berkeley ?

— Ils ont les meilleures nouilles, répond-il avec un haussement d'épaules. En plus, les jours à ma disposition pour t'apporter des nouilles en plein milieu de la journée sont comptés.

— De quoi tu parles ? demande Zoe.

— De rien, dis-je.

Nous n'avons pas encore informé les enfants de la proposition de travail qu'a reçue William. Je sais qu'ils s'inquiètent et seront soulagés d'apprendre qu'il a retrouvé un emploi mais je ne veux rien leur dire avant que nous ayons pris une décision ferme. William et moi échangeons un regard.

— Apparemment, c'est pas rien, remarque Zoe.

Jampo déboule dans la chambre au pas de course et saute sur le lit.

William le prend dans ses bras.

— Tu n'as pas le droit de monter là-dessus. Et si on allait se promener, hein, petit monstre ?

Jampo le regarde avec agressivité comme s'il était un terroriste avant de brusquement lui lécher le visage. William fait vraiment des efforts avec lui. Sont-ils amis, maintenant ?

— Il faut que nous discutions de *rien* ce soir, dis-je.

— Tu peux m'emmener chez Jude, papa, avant d'aller courir ?

Jude et Zoe sont de nouveau officiellement ensemble. Le lendemain de la chasse à la souris, j'ai entendu Zoe pleurer et s'excuser au téléphone. Le soir, il est venu pour dîner et ils se sont discrètement tenu la main sous la table pendant toute la soirée. C'était si mignon et ça paraissait si normal que ça m'a serré le cœur.

— Je pense que oui. Caroline et moi devons discuter du gâteau avec Nedra, de toute façon. Alice, vous vous reparlez avec Nedra ?

— Je vais bientôt lui envoyer des signaux de fumée.

— Le mariage est dans deux semaines. Tu devrais peut-être allumer le feu.

Après le déjeuner, je refais la sieste. À mon réveil, je m'enfile trois Advil de plus. Je n'arrive pas à faire passer ce mal de tête. Tout me fait mal. Même ma cage thoracique. Je tends l'oreille aux bruits du rez-de-chaussée mais c'est le silence total. Je suis toute seule à la maison. Je me connecte mais il n'y a pas de nouvelles de Chercheur 101 : pas de mails ni de notifications Facebook. Je suis presque soulagée, en fait. Je termine mes nouilles, je feuillette le magazine. Puis j'ouvre l'enveloppe.

*Chère Alice Buckle,*

*L'Association des parents d'élèves de l'école élémentaire Kentwood a le regret de vous informer que votre contrat en tant que professeur d'art dramatique ne sera pas renouvelé pour la prochaine année scolaire. Comme vous le savez sans doute, l'école publique dans la région d'Oakland connaît de sévères réductions budgétaires. Il a été décidé que les fonds de l'Association, précédemment alloués au programme artistique, seraient attribués à un autre programme. Nous vous remercions pour vos loyaux services au cours des années pendant lesquelles vous avez travaillé pour nous et vous souhaitons bonne chance dans vos projets futurs.*

*Cordialement,*
*Conseil de l'Association des parents d'élèves de l'école élémentaire Kentwood.*
*Mme Alison Skov*
*M. Farhan Zavala*
*Mme Kendrick Bamberger*
*Mlle Rhonda Hightower*
*Mme Chet Norman*

Une porte claque en bas et quelques secondes après, j'entends des rires. Je reste allongée dans le lit, sous le choc. J'aurais dû le voir venir. J'aurais dû me douter qu'il se tramait quelque chose quand j'ai croisé Mme Norman au théâtre de Berkeley. Clairement, le projet était déjà en route. Elle affichait un air si suffisant et son mari n'arrêtait pas de s'excuser. Je suis sûre qu'elle a mené la campagne contre moi.

Quand j'entends William monter pesamment les marches dans ses baskets, je fais semblant de dormir. Il s'avance près du lit et je sens son regard sur moi. Il touche mon front avec délicatesse du dos de la main pour voir si j'ai de la fièvre.

— Tu es une très mauvaise actrice.

— J'ai été virée.

J'entends le bruit du papier tandis qu'il lit la lettre.

— Qu'ils aillent se faire voir, dit-il.

Je gémis :

— C'est blessant.

William pose sa main sur la mienne.

— Je sais, Alice, je sais.

Je suis encore malade pendant trois jours.

— C'est une grippe estivale, explique Bunny. Tu dois attendre que ça passe.

Je me réveille tous les matins en me disant que ce sera passé. Je descends, me verse une tasse de café ; l'odeur me donne envie de vomir alors je remonte me coucher.

— C'est une très mauvaise malade, remarque Jack.

— La pire de toutes, renchérit William.

— Je ne gémis pas assez, c'est ça ?

— Non. Et tu ne te plains pas assez non plus, ajoute William.

— Il faut qu'on parle, dis-je. De *rien*.

— Quand tu iras mieux.

Je regarde des programmes lamentables à la télé, passe la majeure partie de mon temps sur Internet, traînant là où je ne devrais pas.

EKCE2 (Forum de l'école élémentaire Kentwood, CE2, classe d'art dramatique) Discussion n° 134

EKCE2 forumdesparents@yahoogroups.com

**Messages de cette discussion (6)**

1. Je lance un groupe « Rendez son travail à Alice Buckle ».

Rejoignez-moi !

posté par : maman fermière

2. Re : Je lance un groupe « Rendez son travail à Alice Buckle ».

Oui ! Compte sur moi. Je dois reconnaître que je me sens très mal par rapport à la façon dont ça s'est réglé : c'était si impersonnel. Quelqu'un (vous savez que je parle de Normandie orageuse) aurait dû avoir le courage de lui dire en face. On aurait au moins pu lui offrir un déjeuner d'au revoir à Backberries ou Red Boy Pizza. Oui, *Le Petit Monde de Charlotte* a été un désastre. Nous sommes toutes d'accord là-dessus (pardon aux mères des oies), mais ne mérite-t-elle pas une autre chance ? Et si on ne lui donne pas une autre chance, elle mérite au moins qu'on lui montre que nous avons apprécié toutes ses années de service.

Posté par : la reine des abeilles.

3. Re : Je lance un groupe « Rendez son travail à Alice Buckle ».

C'est une blague ? Dois-je vous rappeler qu'Alice Buckle a pratiquement fait faire un strip-tease à nos enfants dans l'auditorium ? Il ne manquait que la barre pour danser.

Posté par : Helicopmama.

4. Re : Je lance un groupe « Rendez son travail à Alice Buckle ».

Je t'en prie, ne lance pas ce groupe. Il y a des circonstances que vous ignorez qui ont conduit au non-renouvellement du contrat d'Alice Buckle. Des circonstances que je ne peux malheureusement pas vous révéler pour l'instant. Ce que je peux vous dire, c'est que Mme Buckle manque sérieusement de jugement. Restons-en là et passons à autre chose.

Posté par : Normandie orageuse.

5. Re : Je lance un groupe « Rendez son travail à Alice Buckle ».

Alice Buckle est une de mes très bonnes amies. Elle ne souhaite pas retrouver son emploi. En tout cas, elle ne le veut plus. Au début, elle aurait fait n'importe quoi pour retrouver son poste : elle était paniquée parce qu'elle ignorait comment elle ferait pour vivre sans revenus (son mari est actuellement sans emploi). Mais après y avoir réfléchi plusieurs jours, elle est tombée d'accord avec Normandie orageuse. Il est temps pour elle de passer à autre chose. Elle tient à s'excuser pour ses erreurs. Et elle espère sincèrement que vous ne mettrez pas un terme au programme artistique de l'école.

Posté par : ViveDavidMamet182

6. Re : Je lance un groupe « Rendez son travail à Alice Buckle ».

J'ai adoré chaque minute que j'ai passée à travailler avec vos enfants.

Posté par : ViveDavidMamet182

Mon téléphone sonne.

— Est-ce qu'on se parle ? demande Nedra.

— Non.

— J'ai appris pour ton travail, je suis désolée, Alice.

— Merci.

— Est-ce que ça va ?

— J'ai la grippe.

— Qui chope la grippe en plein été ?

— Moi, apparemment. Alors, tu t'es décidée pour le gâteau au citron ou à la framboise ?

— Des huîtres ?

— Un gâteau aux huîtres ?

— Non, pour l'apéro.

— Je croyais que c'était trop cliché ? Parce que les huîtres sont aphrodisiaques et tout ça.

— Ce sont de très belles excuses. Je les accepte. Dîner dans deux jours.

— Tu maintiens ton dîner, si près du mariage ?

— Italien. On va faire simple. Tu n'as qu'à apporter de la sauce tomate.

— Nedra ?

— Quoi ?

— Jude est un gamin formidable.

— Zoe aussi. Bisous. On se reparle bientôt.

Je raccroche et me connecte à ma page Facebook.

**Nedra Rao**
Sa meilleure amie lui manque.
Il y a 2 heures

**Nedra Rao** n'aime pas école élémentaire Kentwood.
Il y a 3 heures

**Linda Barbedian**
N'arrive pas à croire que son nid va être vide.
Il y a 4 heures

**Kelly Cho**
Toi aussi mon fils ?
Il y a 5 heures

**Phil Archer**
Prêteurs sur gages – une capsule temporelle. Qui l'eût cru ?
Il y a 6 heures

**Helen Davies**
On recherche : Vice-président pour le département alimentaire de Boston. Étonnez-moi, vendez-moi du rêve, dites-moi tout. Plus d'infos sur LinkedIn.
Il y a 7 heures

# 93

**John Yossarian** est marié.

**Lucy Pevensie** est mariée.

- Je suppose que des félicitations sont de rigueur ?

Félicitations à vous aussi.

- J'en conclus que les choses s'arrangent alors ?

Les choses ?

- Avec votre femme.

Les choses s'éclaircissent avec ma femme. En revanche, elles s'assombrissent dans les autres domaines.

- Comme le travail ?

Oui, comme le travail. Je cherche un autre boulot. Il est temps pour moi de quitter le Centre Netherfield.

- À cause de moi ?

Non, à cause de moi. J'ai franchi une ligne. Vous n'avez rien fait de mal.

- Je suis désolée.

Il n'y a pas de quoi.

- Eh bien, si ça peut vous aider à vous sentir mieux, il semble que j'ai moi aussi franchi une ligne au travail. Je dois absolument trouver un autre emploi.

Oh non, Épouse 22 ☹

- Ce n'est pas grave. C'est ma faute. J'ai fait l'erreur de mélanger mon amour pour les enfants avec l'amour de mon travail. J'étais fatiguée. J'ai manqué de rigueur. J'aurais dû démissionner depuis longtemps.

Et maintenant, quoi ?

- Maintenant, je me rachète.

## 94

Toujours malade. Encore une fois, la maison est vide. Il n'y a que Jampo et moi. William a emmené les enfants à la piscine tandis que Caroline et ses parents sont partis à la chasse à l'appartement à San Francisco. Elle devra peut-être vivre avec cinq colocataires pour pouvoir se permettre d'habiter en ville, pourtant elle compte déménager à la fin du mois. Elle va terriblement me manquer, mais je me rassure en me disant qu'elle ne sera qu'à un trajet de train de nous.

Je n'arrête pas de penser à la publication d'Helen sur Facebook. Je suis allée sur sa page LinkedIn pour en apprendre davantage sur le poste. Après avoir lu la description détaillée du poste de vice-président de la division alimentaire (et avoir passé un mois à goûter les plats gourmets et à subir les frais des diverses obsessions culinaires de William), je sais que ce serait le boulot idéal pour lui. Un travail qu'on pourrait même qualifier de chimère. Cependant, trois obstacles de taille se dressent devant nous. Un : William est bien trop fier pour postuler lui-même. Deux : le poste est à Boston. Trois : moi. Je suis convaincue qu'Helen me hait encore. Mais peut-être qu'après toutes ces années, on m'offre enfin la possibilité de me racheter.

Une heure plus tard, je retiens mon souffle, lance un rapide « Je t'en prie, Seigneur » et appuie sur la touche « ENVOI ».

De : Alice Buckle <alicebuckle@rocketmail.com>
Objet : Une voix du passé...
Date : 13 août ; 22 h 04
À : Helen Davies <helendavies@d&dadvertising.com>

Chère Helen,

Je te dois de vraies excuses depuis des années. Pour plusieurs raisons en fait, mais la principale étant William. Je suis vraiment désolée. Je veux que tu saches que j'ai des principes. Je crois en la solidarité féminine. Jusqu'à cette histoire, je n'avais jamais été « l'autre femme » dans une relation amoureuse et n'avais jamais eu l'intention d'en devenir une. Mais il s'est passé quelque chose entre William et moi et c'était, eh bien, c'était inattendu. Ça nous a emportés malgré nous. Ni lui ni moi ne cherchions ça. Je sais que c'est cliché mais c'est la vérité.

Je suis désolée de l'avoir dragué dans ton dos. Je suis désolée de ne pas t'avoir invitée à notre mariage (je voulais, je savais que c'était la bonne chose à faire mais je me suis laissé convaincre du contraire). Mais surtout, je suis désolée qu'il m'ait fallu vingt ans pour m'excuser.

Et maintenant, dans une espèce de retour de bâton, je me retrouve dans la situation inconfortable de devoir te demander un service. Je t'écris de la part de William. J'ai vu ton annonce pour le poste de vice-président du département alimentaire. William est le parfait candidat pour ce poste. Il est trop fier pour postuler spontanément, mais je ne suis pas trop fière pour te demander de lui donner une chance de se lancer dans la course.

435

Je ne veux pas de traitement de faveur. Je te demande simplement de ne pas le pénaliser à cause de moi.
Je te joins le CV de William.

Bien à toi,
Alice Buckle.

## 95

Alice ?

- Salut, papa.

J'ai 1 truc à te dire.

- Moi aussi.

J'ai fait le ménage. Suis allé à la décharge, à l'Armée du salut, chez le prêteur sur gages.

- Le prêteur sur gages ? Pourquoi ?

Je voulais offrir des bijoux à Conchita.

- Chez un prêteur sur gages ?

Te moque pas. On y trouve de véritables trésors. Ai demandé à Conchita d'emménager avec moi.

- Sans blague ???!!!

Tu n'es pas d'accord ?

- Bien sûr que si. Je trouve ça merveilleux !

Je croyais en avoir fini avec ça.

- Avec quoi ?

Tu sais.

- La romance ?
- Le sexe ?
- L'amour, papa ?

Oui, l'amour.

- :'(

Pourquoi tu es triste, chérie ?

- :-#

Je suis ton père, tu n'as pas à être gênée.

- Je ne t'ai pas toujours dit la vérité, papa.

Je sais, ma puce.

- Les choses sont un peu difficiles, ici.

Je sentais bien que quelque chose n'allait pas. Tu étais si distante.

- Suis vraiment désolée. Me sens un peu perdue.

Ne baisse pas les bras. On va vite te retrouver. Des choses bien vont t'arriver.

- Oh, papa. Qu'est-ce que tu en sais ?

Parce que je te les ai envoyées par courrier.

## 96

**Pat La Guardia**
Peut pas croire qu'elle a failli ne pas y arriver. Aime tant son mari.
Il y a 1 heure

**Pat La Guardia**
Qu'on m'achève sur-le-champ !
Il y a 3 heures

**Pat La Guardia**
Hait son mari de tout son cœur.
Il y a 4 heures

**Pat La Guardia**
Vient de perdre les eaux. Part à l'hôpital !! N'a jamais été autant amoureuse !
Il y a 6 heures

— Bonjour, bébé, dis-je dans un murmure en couvant d'un regard attendri Pat et son nouveau-né dans le lit d'hôpital.
— Vas-y. Enlève-lui son bonnet. Je sais bien que tu veux le sentir.

Je retire délicatement le petit bonnet en laine bleue et hume cette douce et merveilleuse odeur de bébé.

— Punaise, Pat. Comment fais-tu pour tenir le coup ? Il est magnifique ! Et il a une petite tête parfaite. Comment as-tu réussi ça ?

— Vingt petites minutes à pousser, annonce fièrement Tita.

— Uniquement parce que Liam est mon troisième, dit Pat.

Shonda tend à Pat une boîte rose entourée d'un ruban brillant.

— Je sais que je suis censée apporter quelque chose pour le bébé, mais je trouve ça rude. C'est toi qui as besoin d'un cadeau pour l'instant. Sérum de Lumière Booster d'éclat Universel. Non pas que tu en aies besoin, chérie.

— On dirait un produit miracle ! fait Tita.

— C'en est un ! Crois-moi, une fois que tu l'auras essayé, tu ne jureras que par cet embelliseur de teint.

— Tu l'as eu, finalement, ton garçon, dis-je.

— Qu'est-ce que je vais faire avec un garçon ? Je ne connais que des filles.

— Recouvre son kiki quand tu le changes, lui dis-je.

— Et combien de temps elle devra dire kiki ? demande Shonda.

— Un mois ou deux maxi. Après, tu as le droit de dire zizi.

— Oublie ces histoires de kiki et de zizi, tu devrais dire pénis dès le début, intervient Tita.

— Ça te tient à cœur, hein Tita ? lance Shonda.

— Je déteste quand on invente des noms débiles pour parler de leurs petites choses.

— Tu veux le tenir ? me propose Pat.

— Je peux ? Je me suis déjà lavé les mains.

— Bien sûr. Va t'asseoir dans le fauteuil à bascule avec lui.

Elle me tend avec précaution le bébé. Il est endormi, aussi j'avance sur la pointe des pieds jusqu'au fauteuil. Une fois assise, je prends mon temps pour bien le regarder : ses petites lèvres parfaitement dessinées, son petit poing serré posé contre sa joue. Je soupire de bonheur.

— Tu pourrais le refaire, Alice, me dit Pat. Tu n'as que quarante-quatre ans. J'ai une amie qui en a quarante-cinq et qui est enceinte.

— Oh non ! J'en ai fini avec ça. Mes bébés sont presque grands. J'aurai un bébé par procuration à travers toi. Je le prendrai chaque fois que tu auras besoin de faire une pause. Jour et nuit. Tu m'appelles et je viendrai. Je suis sérieuse, Pat. Ce ne sont pas des paroles en l'air.

— Je sais bien.

— Tu pleures, Alice, dit Tita.

— Je sais. Les nouveau-nés me font toujours pleurer.

— Comment ça se fait ? demande Shonda.

— Ils sont si vulnérables. Sans défense. Si purs.

— Mmm, murmure Shonda.

— Tu pleures, Shonda, remarque Tita.

— Toi aussi Tita, réplique Shonda.

— Moi, je ne pleure pas, dit Pat en reniflant.

Nous sommes installées aux quatre coins de la pièce, mais c'est comme si nous nous tenions toutes par la main. Ça se passe comme ça avec les Mumble Bumbles. Ce besoin irrépressible de se soutenir les unes les autres.

— Quand j'étais jeune, quarante-cinq ans, ça me paraissait vraiment très vieux, dis-je. Ma mère me semblait si vieille.

Liam desserre son petit poing et j'y glisse mon petit doigt. Il l'attrape et le porte à sa bouche.

— Mais maintenant que j'ai presque quarante-cinq ans, ça me paraît si jeune. Ma mère était encore une gamine. Elle avait toute la vie devant elle.

— Et toi aussi, me souffle doucement Tita.

— J'ai eu tout faux. Zoe n'a pas de trouble du comportement alimentaire et Peter n'est pas homo.

— Le fait qu'elle soit morte ne veut pas dire que tu ne peux pas lui parler, Alice, dit Shonda.

442

— Ce sondage sur le mariage était une idée complètement débile. J'ai foiré au boulot.

— La conversation ne s'arrête jamais, dit Tita.

J'enfouis mon visage dans les couvertures de Liam.

— Il est tellement beau.

— Elle voudrait que tu fasses mieux qu'elle, Alice, continue Shonda.

Je supplie en me levant :

— S'il te plaît, laisse-moi m'occuper de lui de temps en
temps.

— Ne pas faire mieux serait une trahison, ajoute Pat.

— J'ai l'impression de dire au revoir.

— Pas seulement au revoir, mais bonjour aussi, remarque
Tita. Te voilà. Bonjour, Alice Buckle.

Je marche jusqu'au lit de Pat et, les larmes coulant de mes
yeux, je lui rends Liam.

— Tout le monde craint l'année critique, déclare Tita. On
pense que si on continue tête baissée, ça s'en ira. Finalement,
je ne vois pas pourquoi on en fait tout un plat. Pas quand
c'est ça qui nous attend de l'autre côté.

Les Mumble Bumbles se rassemblent autour de moi et
bientôt, nous voilà toutes en train de pleurer, de nous serrer
dans les bras les unes des autres, un minuscule bébé au
milieu. Le futur, pointant un doigt au ciel.

## 97

DÎNER DE FÊTE ITALIEN CHEZ NEDRA

*18 h 30 ; Cuisine de Nedra.*

MOI : Voilà la sauce tomate. J'en ai apporté deux sortes. Une aux champignons et une aux trois fromages.

NEDRA : C'est très gentil mais tu as une heure d'avance.

ZOE : Jude est là ?

NEDRA : Dans sa chambre, ma puce. Vas-y. À quelle heure commence le film ?

ZOE : 19 heures.

NEDRA : Amusez-vous bien !

MOI : J'ai pensé qu'on pourrait discuter des responsabilités de demoiselle d'honneur.

NEDRA (*regardant Zoe s'éloigner*) : Je suis super heureuse de les revoir ensemble. Ça ne te rend pas heureuse, toi ?

MOI : Tu as entendu ce que j'ai dit ?

NEDRA : Viens.

MOI : Je suis juste là.

NEDRA : À mon mariage. Viens à mon mariage, c'est ça ta responsabilité.

MOI : Ça marche. Je porterai même l'affreuse robe Reine Victoria.

NEDRA : Je t'ai acheté une robe magnifique.

MOI : Vraiment ?

NEDRA : Une robe dos-nu. Ravissante. Tu as des bras et des épaules splendides, tu devrais les montrer.

MOI : Il faut que je te dise quelque chose. À propos de Chercheur 101.

NEDRA : Tu n'es pas obligée, Alice. En fait, je préférerais ne rien savoir. La-la-la-la-la-la.

MOI : Je crois que c'est terminé.

NEDRA (*avec un soupir*) : Ce n'était pas déjà terminé ?

MOI : Il va essayer d'arranger les choses avec sa femme.

NEDRA : Il a une femme ?

MOI : Arrête, Nedra, s'il te plaît. Je viens de te dire que c'était terminé.

NEDRA : Donc, tu vas essayer d'arranger les choses avec William ?

MOI : Eh bien, justement, c'est ça qui est drôle. En ce moment, on ne dirait pas que les choses ont besoin d'être arrangées.

BOBBY (*entrant dans la cuisine*) : Salut, les filles ! Je sais que je suis en avance. J'espère que je ne vous interromps pas mais regardez-moi ce pain. Il sent tellement bon. Tenez (*coupant le croûton*). Ça vient de La Farine. Il sort tout juste du four. Goûtez-le.

NEDRA : Où est Linda ?

BOBBY : Elle ne va pas pouvoir venir.

MOI : On dirait qu'on va tous être en célibataires ce soir. William et Kate ne viennent pas non plus.

NEDRA : Quelle est l'excuse de Linda ?

BOBBY : Elle a demandé le divorce. Je garde les dîners. Elle a tout le reste.

*19 h 30 ; Salon de Nedra.*

NEDRA : Je déteste dire ça, mais je me doutais que les chambres doubles étaient le début de la fin.

445

BOBBY : J'ai envie de planer. Je mérite de planer. Tu as de l'herbe, Nedra ? Alice, tu n'es pas obligée de t'asseoir si loin. Le divorce n'est pas contagieux.

NEDRA : En fait, tu te trompes. Le divorce est une sorte de virus contagieux. Je le vois tout le temps. Un homme vient me consulter pour que je le représente et quelques semaines plus tard, un autre arrive, l'ami du premier. Il veut juste connaître ses droits, mais juste au cas où il a apporté une liste détaillée de ses biens conjugaux, son dernier avis d'imposition et ses trois derniers bulletins de salaire. Alice, tu restes où tu es.

BOBBY (*se mettant à pleurer*) : Elle veut déménager à New York pour être plus près des enfants.

NEDRA (*se levant*) : Merde ! Ne bouge pas.

MOI (*m'asseyant à côté de lui sur le canapé*) : Ne pleure pas, Bobby B.

BOBBY : J'adore quand tu m'appelles comme ça. Tu es tellement gentille. Pourquoi est-ce que ce n'est pas toi que j'ai épousée ?

MOI : Je ne suis pas un cadeau, crois-moi.

BOBBY : J'ai toujours envié William.

MOI : Ah bon ?

BOBBY : Même après vingt ans de mariage, vous êtes encore si complices.

MOI : On est complices ?

BOBBY : Ça rendait Linda complètement folle. Elle pensait que vous faisiez semblant. Je lui disais qu'on ne pouvait pas simuler une telle passion.

NEDRA (*revenant dans le salon avec un joint dans la main*) : Bingo !

MOI : Jude fume ?

NEDRA (*allumant le joint et tirant dessus*) : Bien sûr que non. C'est à moi.

MOI : Tu as ton propre stock ?

NEDRA (*tendant le joint à Bobby*) : Tiens, chéri. C'est de la bonne. Très saine. C'est de l'herbe thérapeutique.

MOI : Pour soigner quoi ?

BOBBY (*prenant une grosse bouffée, puis une autre, et encore une autre*) : Oh, bon sang, c'est trop bon !

NEDRA : Tu ne me crois pas ?

MOI : Non, Nedra, je ne crois pas que tu sois malade.

NEDRA : C'est dans le Manuel diagnostique et statistique des troubles mentaux. C'est une vraie maladie.

MOI : Et comment ça s'appelle ?

NEDRA : La quarantaine.

BOBBY (*toussant*) : Moi aussi, j'en souffre.

NEDRA : Il n'existe qu'une seule cure pour ça.

BOBBY : Qu'est-ce que c'est ?

NEDRA : La vieillesse.

BOBBY (*ricanant*) : C'est la Marie-Jeanne ou Nedra est tout à coup devenue très drôle ?

MOI : Marie-Jeanne ? Mais quel âge tu as, Booby B ?

NEDRA (*aspirant goulûment puis regardant le joint*) : Je vais me marier. Vous vous rendez compte ? Moi ? Une mariée ?

BOBBY : Tu voudras bien être mon avocat pour le divorce ?

NEDRA : J'aimerais pouvoir, mais je vous connais tous les deux. Ça serait injuste. Je peux te recommander quelqu'un de très bien.

ZOE (*entrant dans le salon avec Jude*) : Magne-toi, prends-les en photo. Ils auront tellement honte qu'ils ne toucheront plus jamais à ce truc.

MOI : Oh, mon Dieu, Zoe ! Qu'est-ce que tu fais là ? Sache que je ne fume pas. Je n'ai pas pris une bouffée.

NEDRA : C'est très impoli de votre part, d'entrer comme ça en violant notre intimité. Je croyais que vous alliez voir un film ?

JUDE : Tu crois que c'est une rave, ça ?

ZOE : Vous vous rendez compte que l'herbe est beaucoup plus forte aujourd'hui que quand vous étiez ados ?

JUDE : Et souvent, elle a été trempée dans du liquide d'embaumement.

ZOE : Une seule bouffée peut déclencher la schizophrénie.

447

NEDRA : Dans un cerveau adolescent, avec un lobe frontal non connecté. Nos lobes frontaux sont connectés depuis des années maintenant.

BOBBY : C'est ma faute.

NEDRA : C'est la faute de Linda.

JUDE (*attrapant sa guitare*) : Bon, puisque vous êtes tous stones, vous voulez écouter une chanson ?

MOI : Je ne suis pas stone. Mais j'aimerais beaucoup entendre une chanson, Jude.

ZOE (*rougissant*) : Elle s'appelle *Même si*.

BOBBY : Attends. Il faut que je m'allonge par terre.

MOI : Moi aussi.

NEDRA : Bougez-vous.

MOI : J'ai l'impression d'être au lycée.

BOBBY (*se remettant à pleurer*) : C'est ça d'être stone et allongé sur le sol.

MOI (*prenant la main de Bobby*)

NEDRA (*prenant l'autre main de Bobby*)

JUDE (*commençant à gratter sa guitare en regardant Zoe*) : Je l'ai écrite pour Zoe.

BOBBY (*gémissant*) : Ooohh !

JUDE : Il va bien ? Est-ce que j'arrête de jouer ?

BOBBY (*se tenant la poitrine*) : Aaahh !

JUDE : Quoi ? Qu'est-ce qu'il y a ?

NEDRA : Il te dit de jouer, mon cœur. Il dit que le monde a besoin de plus de chansons d'amour. Il veut dire *good luck* et *glück und den besten Wünschen* et *buona fortuna*. Il veut dire que c'est merveilleux d'être jeune.

BOBBY (*sanglotant*) : C'est exactement ça. Comment le sais-tu ?

MOI : Nedra parle couramment le gémissement.

# 98

De : Helen Davies <helendavies@d&dadvertising.com>
Objet : Re : Une voix du passé...
Date : 15 août ; 15 h 01
À : Alice Buckle <alicebuckle@rocketmail.com>

Alice,

Je savais que j'allais au-devant de gros problèmes le jour où tu as passé ton entretien à Peavey Patterson. Je suis sûre que tu n'en as pas eu conscience, vu que tu t'es carrément enfuie du bureau de William ce jour-là, mais il t'a regardée partir. C'était inconscient de sa part. Il ne pouvait pas s'en empêcher. Il est resté planté sur le seuil de son bureau et t'a regardée longer le couloir. Puis il t'a observée pendant que tu attendais l'ascenseur, que tu appuyais frénétiquement sur le bouton d'appel. Et ensuite, alors que tu étais déjà partie, il est resté planté là. Vous vous connaissiez avant même de vous rencontrer. C'était ça le regard qu'il avait le jour où il t'a fait passer ton entretien. Un regard qui disait « Je te reconnais ». Je n'avais pas l'ombre d'une chance.

Concernant le poste, même si William est très certainement qualifié, je ne suis pas convaincue de pouvoir

l'aider. Laisse-moi quelques jours pour y réfléchir. J'imagine que tu n'as aucune envie de déménager à Boston.
Et je suppose qu'il ignore que tu as postulé pour lui et
que tu aimerais qu'il en reste ainsi. Il a toujours été très
fier.

J'accepte tes excuses.

HD.

## 99

— J'ai accepté le poste, annonce William.

— Quel poste ?

— Celui pour le mailing, Alice. De quel autre travail je pourrais parler ?

Ça fait deux jours que j'ai reçu le mail d'Helen et je n'ai pas eu de nouvelles depuis.

— Mais nous n'en avons pas discuté.

— Il n'y a pas grand-chose à discuter. Nous sommes tous les deux sans emploi. Nous avons besoin d'un revenu, sans parler des bénéfices. C'est fait. Pour être honnête, je suis soulagé.

— Mais je croyais...

— Non, ne dis rien. C'est la chose à faire.

Il se penche au-dessus du comptoir de la cuisine, les mains enfoncées dans les poches, et hoche la tête.

— Je sais. Je sais que c'est la chose à faire. C'est génial, William. Félicitations. Alors, tu commences quand ?

William se tourne et ouvre le placard.

— Lundi. Au fait, j'ai des infos : Kelly Cho s'est fait licencier de KKM.

— On l'a licenciée ? Que s'est-il passé ?

— J'imagine qu'ils ont décidé de restructurer davantage, lâche William en attrapant la farine. Je faisais partie de la première fournée.

On est vendredi. Ce soir, Nedra organise un dîner de mariage pour les amis et collègues qui n'assisteront pas à la cérémonie – elle a même invité Bunny, Jack et Caroline. Le mariage a lieu demain.

— Qu'est-ce que tu prépares ?

— Des feuilletés au fromage.

— Désolée, je ne me suis pas réveillée, lance Caroline en entrant dans la cuisine.

Bunny lui emboîte le pas en bâillant.

— Dites-moi qu'il y a du café prêt.

Caroline verse du café dans deux tasses et s'assoit à table avec un bloc-notes, les sourcils froncés.

— Nous n'arriverons jamais à tout préparer.

— Il faut déléguer, conseille William.

— Je vous aiderai, dis-je.

— Moi aussi, ajoute Bunny.

Caroline et William échangent un regard.

— Comment dire ça avec délicatesse ? fait-elle.

— D'accord, dis-je. Nos services ne sont pas requis. Bunny. Et si nous allions sur la terrasse ?

Mais mon amie ne se décourage pas :

— Ça ne me dérange pas d'éplucher des légumes. Je suis une super éplucheuse.

— D'accord, maman. Je t'appelle quand on en sera aux patates.

Bunny prend une gorgée de café et soupire.

— Tout ça va me manquer.

— Quoi ? Mon citronnier à moitié mort ? Vivre avec la peur constante qu'il y ait un tremblement de terre ?

— Toi, Alice. Ta famille. William, Peter et Zoe. Prendre le café avec vous tous les matins.

— Tu es obligée de partir ?

452

— Caroline a trouvé un appartement. Elle a un travail. Il est temps pour nous de rentrer à la maison. Promets-moi qu'on ne se perdra pas de vue encore une fois.

— Ça n'arrivera pas. Je suis de retour dans ta vie pour de bon.

— Super. C'est exactement ce que je voulais entendre parce que j'imagine qu'on va devoir retravailler ça.

— Quoi donc ?

— J'ai lu ce que tu as écrit. Il y a de très bonnes choses là-dedans, Alice, mais je ne vais pas te mentir. Il reste du boulot.

Je hoche la tête.

— Laisse-moi deviner. « Les gens ne parlent pas comme ça dans la vraie vie. » C'est ça ?

Bunny lâche un petit gloussement.

— Je t'ai vraiment dit ça ? Oh, bon sang ! c'était il y a longtemps, non ?

— Est-ce que c'est encore vrai ?

— Non. Tu as une très bonne oreille pour les dialogues à présent. Le défi à relever consiste à t'ouvrir plus. À dépasser ta vulnérabilité. Ta pièce est autobiographique après tout.

— En partie, dis-je avec une grimace.

— Je mets mon nez où il ne faut pas, c'est ça ? Je suis désolée.

— Oh, il n'y a pas de quoi. J'ai besoin d'un bon coup de pied aux fesses.

— Un bon coup de pied aux fesses n'est pas du tout ce dont tu as besoin. Ce qu'il te faut, c'est qu'on te prenne par le menton.

Elle se tourne vers moi et me prend le menton.

— Écoute-moi. Fais les choses sérieusement. Écris ta fichue pièce.


— Tu ne vas jamais le croire ! s'écrie William une heure plus tard.

J'ai le nez plongé dans le placard de ma chambre, à essayer de trouver quoi mettre ce soir. Je passe mes vêtements en

revue. Non, non, non. Trop habillé. Trop démodé. Trop ringard. Je pourrais peut-être m'en sortir en portant le tailleur
Ann Taylor.

— Je viens juste de recevoir un mail d'Helen Davies.

— Helen Davies? (J'essaie de feindre la surprise.)
Qu'est-ce qu'elle veut?

— Tu te rappelles son annonce pour un boulot de vice-
président du secteur alimentaire?

Je hausse les épaules.

— Eh bien, je n'ai pas regardé cette annonce de plus près
parce que c'était à Boston, mais elle vient de m'écrire pour
me demander si le poste m'intéressait. Ils ont décidé de
transférer ce département dans leur bureau de San Francisco.

— Sérieusement?

— Oui, sérieusement. Elle pense que je serais la personne
parfaite pour le diriger.

— Je n'arrive pas à le croire.

— Moi non plus.

— Le moment est incroyablement bien choisi.

— Bizarre, hein? C'est le destin. Comme si tout ce qu'il
s'est passé il y a vingt ans recommençait. Ça fait du bien,
Alice.

Il me tire du placard et me fait tournoyer dans la
chambre.

— Tu es complètement fou.

— Je suis super chanceux, réplique-t-il en me renversant.

— Tu es toqué, dis-je tandis qu'il me relève et que nos
regards se croisent.

J'enfouis mon visage dans son T-shirt, me sentant tout à
coup toute timide.

— Ah non, tu n'as pas le droit de te planquer. (Il me
repousse.) Regarde-moi, Alice.

Il plonge son regard dans le mien et je me dis « Ça fait si
longtemps », et je songe « Te voilà enfin ». Je pense « Enfin
chez soi ».

— Ça va aller pour nous deux. Je dois avouer que j'étais inquiet. Je n'en étais pas sûr, dit-il en glissant mes cheveux derrière mon oreille, mais maintenant, je pense que ça va aller.

— J'espère que oui.

— Ne l'espère pas. Crois-le. S'il y a un moment où tu dois avoir la foi, Alice, c'est maintenant.

Il prend mon visage entre ses mains et le lève vers lui. Son baiser tendre et délicat ne dure pas une seconde de plus que nécessaire.

— Waouh, j'ai la tête qui tourne. (Je me défais de son étreinte et m'assois sur le lit.) Toutes ces pirouettes...

Et ce baiser. Et ces regards. Le souffle me manque.

— Il faudra que j'embauche quelques personnes. Je pensais à Kelly Cho.

— Kelly ? Waouh ! Je suppose que ce serait un très beau geste.

William continue à s'enthousiasmer, à jacasser d'un air songeur. Je ne l'ai pas vu si animé depuis des mois. Il exécute un pas de deux autour de la pièce. Il ne remarque même pas que j'ouvre mon ordinateur portable.

De : Alice Buckle <alicebuckle@rocketmail.com>
Objet : Vice-président William Buckle
Date ; 17 août, 10 h 10
À : Helen Davies <helendavies@d&dadvertising.com>

Chère Helen,
Tu es quelqu'un d'exceptionnel.
Merci. Merci beaucoup. Du fond du cœur.
Alice.

## 100

**John Yossarian**
Dérive sur un petit canot jaune
Il y a 10 minutes

**Lucy Pevensie**
Naphtaline et fourrure.
Il y a 15 minutes

Vous êtes revenue dans l'Armoire ?

• J'en ai bien peur.

Le temps passe différemment à Narnia et IRL.

• Regardez-vous, qui utilisez des acronymes comme IRL.

On est seulement partis depuis cinq minutes quand on revient.

• Une vie entière pour Internet.

Votre mari ne remarquera même pas que vous étiez partie.

• C'est ce que j'espère en tout cas. Vous me manquerez, Yossarian.

Qu'est-ce qui vous manquera ?

• Votre paranoïa, vos complaintes, votre conception piquante de l'équilibre mental.

Vous me manquerez aussi, Lucy Pevensie.

• Qu'est-ce qui vous manquera ?

Votre sirop magique, votre courage, votre foi aussi aveugle que ridicule envers un lion qui parle.

• Vous croyez aux secondes chances ?

Oui.

• Je ne peux pas m'empêcher de penser que c'est le destin qui nous a réunis.

Et le destin qui nous a séparés. Pardonnez-moi d'avoir compliqué les choses, d'être tombé amoureux de vous, Épouse 22.

• Ne vous excusez pas. Vous m'avez rappelé que j'étais une femme dont on pouvait tomber amoureux.

DYA. J'aperçois le rivage.

• DYA. Je vois de la lumière dans une fissure de la porte de l'Armoire.

# 101

Je suis sur le point de désactiver mon compte Lucy Pevensie pour de bon mais avant ça, je furète encore une dernière fois sur la page de John Yossarian. Ces deux derniers mois ont été particulièrement intenses et Chercheur 101 a joué un rôle très important dans mon quotidien. Bien que je sois prête à lui dire au revoir, et que je sache que c'est ce qu'il y a de mieux à faire, je me sens quand même un peu triste, abandonnée, comme si je perdais un ami très cher. C'est un peu ce qu'on ressent le dernier jour de colo. J'ai un goût doux-amer dans la bouche mais je suis prête à emballer mes affaires et à rentrer chez moi.

Sur la page d'informations de Yossarian, je repère un lien dirigeant vers un album Picassa contenant ses photos de profil. Tout à coup, je me demande s'il a désactivé la fonction qui permet de localiser ses photos. J'ouvre l'album et clique sur la photo du yéti. Une carte des États-Unis s'ouvre avec une petite épingle rouge plantée dans la région de la baie. Non, il n'a pas désactivé la fonction. Je zoome sur la punaise. La photo a été prise au Golden Gate Bridge. Je lâche un soupir de plaisir. C'est très dangereux ce que je fais là. C'est excitant. Une part de moi est toujours curieuse et le sera toujours. Nous avons beau avoir partagé une sorte d'intimité, je ne sais rien de lui. Qui est-il ? Que fait-il de ses journées ?

Je répète l'opération sur la photo avec le cheval et une fois de plus, l'épingle est plantée à San Francisco, mais cette fois au parc de Crissy Field. Il doit être sportif. Il doit sûrement courir et faire du vélo. Il fait peut-être même du yoga.

Je clique sur la photo du chien mais cette fois, la punaise est fichée sur Mountain Road à Oakland. Une minute. Est-il possible qu'il habite à Oakland ? J'ai supposé qu'il vivait à San Francisco puisque le Centre Netherfield est situé juste à côté de la fac de San Francisco.

Je clique maintenant sur la photo du labyrinthe et l'épingle est de nouveau plantée sur Oakland. Mais, cette photo a été prise à quelques minutes de chez moi ! Au parc Manzanita.

Je déplace la souris sur la photo de sa main, le cœur battant à tout rompre. Arrête ça, Alice Buckle. Arrête tout de suite. Tu en es sortie. Tu viens juste de dire au revoir. Une carte de mon quartier s'ouvre. Elle est ciblée sur ma rue. Je pose le curseur sur le petit bonhomme jaune près de la punaise, pour plus de détails, et la photo d'une maison apparaît. 529 Irving Drive.

Ma maison.

Quoi ? La photo a été prise chez moi ? J'essaie d'assimiler cette information. Est-ce qu'il m'a suivie ? Est-ce que c'est un taré qui harcèle les gens ? Mais ça n'a aucun sens. Comment serait-il entré chez moi ? Il y a toujours quelqu'un à la maison. Entre les vacances et Caroline qui ne travaille qu'à mi-temps, Jampo aurait aboyé comme un dératé si quelqu'un s'était introduit dans la maison. Et William n'aurait jamais... Mon Dieu, William.

Je zoome sur la photo de la main. Quand les détails familiers de cette main se précisent – la paume large, les longs doigts effilés, la petite tache de rousseur sur l'auriculaire –, la nausée me gagne. C'est la main de William.

— Alice, je peux t'emprunter de l'après-shampoing ?

Bunny se tient sur le seuil de ma chambre, enveloppée d'une serviette, sa trousse de toilette dans la main. Alors, elle voit la tête que je fais.

— Alice, mon Dieu, que t'arrive-t-il ?

Je l'ignore et me retourne vers mon ordinateur. Réfléchis, Alice, réfléchis. Chercheur 101 a-t-il pu, d'une manière ou d'une autre, pirater les photos de famille ? J'ai le cerveau tout retourné, comme une omelette. Chercheur 101 est un taré qui me suit. Il m'a suivie, il a suivi William. William m'a suivie, William est un taré. Chercheur 101 est un taré qui m'a suivie, qui est en fait William, qui est en fait Chercheur 101. Oh, mon Dieu !

— Alice, qu'est-ce que tu marmonnes ? Tu me fais peur. Quelqu'un est-il blessé ? Mort ?

Je lève la tête vers mon amie.

— William est Chercheur 101.

Bunny ouvre des yeux grands comme des soucoupes et tout à coup, à ma grande surprise, elle rejette la tête en arrière et éclate de rire.

— Qu'est-ce qui te fait rire ?

— Évidemment que c'est William. Bien sûr ! C'est **trop** parfait. C'est... délicieux.

Je secoue la tête de frustration.

— Tu veux dire complètement fourbe.

Elle entre dans la chambre et regarde par-dessus son épaule tandis que je repasse en revue tous les messages et chats échangés, avec un nouveau regard.

Moi : Je peux recevoir la météo du jour tous les matins sur mon ordi. Qu'y a-t-il de mieux que ça ?

101 : Se faire surprendre par la pluie ?

Je hurle :

— Je n'arrive pas à y croire. Le culot qu'il a. Il m'a sorti les paroles de la chanson Piña Colada !

— Bon sang, c'est brillant ! s'exclame Bunny. J'imagine qu'il en avait marre de sa bonne femme, ça fait trop longtemps qu'ils sont ensemble, dit-elle en détournant les paroles de la chanson.

Elle me lance un clin d'œil auquel je réponds par un air renfrogné.

Moi : Vous avez de la chance, on dirait que c'est le chien idéal.

101 : Il l'est.

— Ah oui, très drôle, très, très drôle, William, ah, ah !

— Tu reconnais ce chien ? demande Bunny.

J'examine la photo avec plus d'attention.

— Nom de Dieu ! C'est le chien de notre voisin, Mister Big.

— Ton voisin, c'est Mister Big ?

— Non, Mister Big, c'est le chien.

— Comment as-tu pu ne pas t'en rendre compte avant ? C'est comme s'il voulait que tu le saches, Alice. Comme s'il te donnait un indice.

Moi : Oui, s'il vous plaît. C'est plus sincère. Contrairement à la photo de votre profil.

101 : Je n'en suis pas si sûr. D'après mon expérience, la vérité est souvent floue.

— Quel enfoiré !

— Mmm. On dirait qu'il a un peu trop lu Eckhart Tolle, commente Bunny.

Moi : Si on s'était rencontrés, si vous étiez venu ce soir-là, que pensez-vous qu'il se serait passé ?

101 : Je crois que vous auriez été déçue.

Moi : Pourquoi ? Qu'est-ce que vous me cachez ? Vous êtes recouvert d'écailles ? Vous pesez plus de 270 kilos ?

Vous dissimulez votre calvitie sous une longue mèche de cheveux ?

101 : Disons simplement que je n'aurais pas été celui que vous attendiez.

Je grommelle :

— Il a joué avec moi ! Pendant tout ce temps !

— Pour certains, c'est peut-être un jeu mais pour d'autres, ce sont des indices dispersés en attendant d'être démasqué. Tu as été un peu longue à la détente, Alice. En plus, je dois te dire que jusqu'à présent je n'ai pas lu une ligne qui ne soit pas la vérité.

— Quoi ? Tout n'était que mensonges ! Chercheur 101 était un mensonge. Il n'existe pas.

— Oh si, il existe. William n'aurait pas pu inventer Chercheur 101 si celui-ci n'était pas une part de lui-même. Ou une part de celui qu'il voudrait être.

— Non, il s'est joué de moi. Il m'a dit ce que je voulais entendre.

— Je ne crois pas, répond Bunny en gloussant.

— Qu'est-ce qui ne va pas chez toi, Bunny ? Tout ça semble te ravir au plus haut point, pourquoi ?

— Pourquoi est-ce que ça ne te réjouit pas ? Tu ne comprends pas, Alice ? Tu as la cerise sur le gâteau. Tu peux continuer à la fois avec Chercheur 101 et avec William. Pour toujours ! Parce qu'ils ne font qu'un !

— Je me sens si humiliée !

— Encore l'humiliation. Tu n'as aucune raison de te sentir humiliée.

— Bien sûr que si ! J'ai dit des choses. Des choses que je n'aurais jamais dû dire. Des choses qu'il n'avait pas le droit de savoir. Il m'a extirpé des réponses en me trompant.

— Et s'il t'avait posé ces questions en face ?

— William ne m'aurait jamais posé ces questions.

— Pourquoi pas ?

— Parce que ça ne l'intéresse pas. Ça fait longtemps que ça ne l'intéresse plus.

Bunny resserre la serviette autour d'elle.

— Tout ce que je peux te dire, c'est qu'il s'est donné beaucoup de mal pour un mari qui n'est plus intéressé par ce que sa femme veut ou pense ou espère. Maintenant, je change de sujet mais j'ai une question pour toi, Alice. (Elle esquisse un geste en direction du tailleur Ann Taylor étalé sur le lit). Tu ne prévois pas de porter ça ce soir, au moins ?

— Tu as reçu un paquet de ton père, lance William en entrant dans la salle de bains. J'ai signé pour toi.

Ça fait une heure que je suis en haut, à fulminer, à éviter William, à essayer de me mettre en bonne condition pour le dîner. Le voir fait remonter toute ma colère.

— Tu es jolie, dit-il en me tendant l'enveloppe.

— Je ne suis pas jolie.

— J'ai toujours bien aimé ce tailleur.

— Tu es bien le seul, alors.

— Bon sang, Alice, qu'est-ce que tu as ? Tu es en colère contre moi ?

— Pourquoi serais-je en colère contre toi ? J'ai une raison d'être en colère contre toi ?

Mon téléphone vibre. C'est un texto de Nedra.

*J'espère que tu as préparé ton discours. Entraîne-toi ! Suis tout excitée pour ce soir. Bisous.*

— Fichu discours, dis-je. C'est bien la dernière chose que j'ai envie de faire.

— Oh, c'est pour ça que tu es à cran. Tu as le trac. Tu vas très bien t'en sortir.

Je crie :

— Non, je ne vais pas m'en sortir. Je ne peux pas. Je ne peux rien faire. Tu n'as qu'à le prononcer ce discours.

— Tu es sérieuse ?

— Oui. Tu vas devoir t'y coller. Moi, je ne le ferai pas.

William me décoche un regard horrifié.

— Nedra va être si déçue. C'est toi, la demoiselle d'honneur.

— Quelle différence ça peut faire ? Toi, moi. Il suffit que ce soit quelqu'un de notre famille qui porte le toast. Demande à Peter de le faire. Il est doué pour ce genre de truc.

— Alice, je ne comprends pas.

— Non, tu ne comprends pas. Tu n'as jamais compris.

William s'écarte de moi, comme si je l'avais frappé.

— Je vais trouver quelque chose, dit-il à voix basse. Fais-moi savoir quand tu auras fini dans la salle de bains que je puisse prendre ma douche.

Une fois William parti, comme je ne sais pas quoi faire, j'ouvre le paquet. Il renferme deux choses : une carte de mon père et un vieux mouchoir soigneusement plié. Le mouchoir appartenait à ma mère. Trois petites violettes sont brodées dans un coin avec ses initiales. Je presse le mouchoir contre mon nez. Il sent encore sa lotion pour le corps Jean Nate. Je prends la carte.

*Parfois, les choses que nous perdons nous reviennent. Pas souvent, d'après l'expérience de ton vieux père, mais parfois, oui. J'ai trouvé ceci chez le prêteur sur gages de Brockton. Le propriétaire dit qu'elle était dans la vitrine depuis plus de vingt ans. Mais tu dois déjà le savoir. Je sais que tu as fait des erreurs et des choses que tu voudrais effacer. Je sais que tu te sens perdue et que tu ne sais pas quoi faire. J'espère que ceci t'aidera à prendre une décision.*

*Je t'aime, chérie.*

Avec précaution, je déplie le mouchoir. Nichée au milieu, je découvre ma bague de fiançailles : celle que j'avais jetée par la vitre quand William et moi nous étions disputés à propos de l'invitation d'Helen à notre mariage. Quelqu'un avait dû la trouver et l'apporter au mont-de-piété. Les pierres ont

foncé avec le temps et elles auraient besoin d'un bon net-
toyage mais pas de doute, c'est bien le petit diamant flanqué
de deux minuscules émeraudes, la bague que mon grand-
père avait donnée à ma grand-mère il y a tant d'années, la
bague que j'avais si négligemment jetée.

J'essaye de déchiffrer l'inscription gravée à l'intérieur de
l'anneau mais c'est écrit trop petit. Je n'arrive pas à réfléchir
à la signification de ce cadeau à ce moment précis. Si je le
fais, je risque de craquer. Il nous reste une heure avant de
partir pour le dîner. Je glisse la bague dans ma poche et
descends.

Le dîner a lieu dans un nouveau restaurant tendance
appelé Boca.

— C'est Donna Summer qu'on entend? demande
William quand nous franchissons la porte.

— Jude m'a dit que Nedra avait engagé un DJ, raconte
Zoe. J'espère qu'il ne va pas passer des tubes des années
1970 toute la soirée.

— J'adore cette chanson, glisse Jack à Bunny. Je sens que
ta carte de bal va être remplie ce soir, vilaine fille.

— Tu as pris ton aspirine pour bébé? demande Bunny.

— J'en ai pris trois.

— Pour quoi?

— Pour ça, fait-il en l'embrassant sur les lèvres.

— Vous êtes trop mignons tous les deux, glousse Zoe.

— Tu ne trouverais pas ça mignon si c'était ta mère et
moi, fait remarquer William.

— C'est parce que entre trente et soixante ans, les
marques d'affection en public sont dégoûtantes, réplique
Zoe. Et après soixante ans, c'est de nouveau mignon. Vous
avez plus de soixante ans, hein? murmure-t-elle à Jack.

— À peine, chuchote-t-il en pressant son pouce contre
son index.

— Voilà Nedra, dit William. Au bar.

465

Il la complimente d'un long sifflement. Nedra porte une robe portefeuille en soie vert foncé agrémentée d'un décolleté plongeant. Elle exhibe rarement la naissance de ses seins, elle ne trouve pas ça classe. Mais ce soir, elle a fait une exception. Elle est renversante.

— Tu devrais peut-être la prévenir, me glisse William. Ou tu préfères que ce soit moi ?

— La prévenir de quoi ? demande Peter.

Je pousse un soupir.

— Que c'est ton père qui va faire le discours, pas moi.

— Mais tu es la demoiselle d'honneur. C'est toi qui dois porter le toast, proteste Zoe.

— Ta mère ne se sent pas très bien. Je vais la remplacer.

— C'est ça, réplique Zoe dont la grimace me fait comprendre tout le bien qu'elle pense de sa mère qui se défile, encore une fois.

Je devrais être un meilleur exemple pour ma fille, ça devrait m'importer. Mais pas ce soir.


— Chérie ! Prends un verre de Soirée ! s'écrie Nedra quand elle me voit approcher.

Elle m'en tend un de martini rempli d'un liquide clair. Des petites fleurs violettes flottent à la surface.

— Lavande, gin, miel et citron, dit-elle. Goûte-moi ça.

J'appelle le barman.

— Un verre de chardonnay, s'il vous plaît.

— Tu es tellement prévisible, lâche Nedra. C'est une des choses que j'aime chez toi.

— Oui, eh bien, je prévois que tu ne vas pas aimer ma prévisibilité.

Nedra repose son verre.

— Ne gâche pas ma soirée, Alice Buckle. N'y pense même pas.

Je soupire.

— Je me sens mal.

— Nous y voilà. Comment ça, tu te sens mal ?

— Malade.

— Malade comment ?

— Mal de tête, mal au ventre, vertiges.

Le barman me tend mon chardonnay. J'en avale une grande gorgée.

— Tu as la trouille, c'est tout, grommelle Nedra.

— Je crois que je suis en train de faire une crise de panique.

— Tu ne fais pas de crise de panique. Arrête ton cinéma et dis-moi ce que tu as à me dire.

— Je ne peux pas porter le toast ce soir. Mais ne t'inquiète pas, William me remplace.

Nedra secoue la tête.

— Ce tailleur est affreux.

— Je ne voulais pas te voler la vedette. Mais je n'avais pas à m'inquiéter. Tout ça... dis-je en désignant sa poitrine. Waouh.

— Je ne t'ai demandé qu'une seule chose, Alice. Une chose dont la plupart des femmes seraient ravies. D'être ma demoiselle d'honneur.

— J'ai une excuse. Je suis complètement dévastée. Je n'arrive pas à réfléchir. Il s'est passé quelque chose.

— Sérieusement, Alice ?

Elle me regarde d'un œil incrédule.

— J'ai appris une mauvaise nouvelle ce soir. Une chose absolument horrible.

L'expression de Nedra s'adoucit.

— Bon sang, pourquoi tu n'as pas commencé par ça ? Que s'est-il passé ? C'est ton père ?

— Chercheur 101 est William.

Nedra prend une petite gorgée de son cocktail. Puis une autre.

— Tu as entendu ?

— J'ai entendu, Alice.

— Et ?

— Tu vas avoir tes règles ?

467

— J'ai une preuve ! Regarde. C'est une des photos de profil de Chercheur 101.

Je sors mon téléphone, me connecte à Facebook, clique sur l'album puis sur la photo de sa main.

— La fonction localisation n'est pas désactivée.

— Mmm, soupire Nedra en regardant par-dessus mon épaule.

Je vais sur le petit bonhomme jaune et la photo de la maison s'ouvre. Nedra se couvre la bouche avec la main.

— Attends, il y a mieux ! (Je zoome sur la photo.) C'est sa main. Il aurait pu prendre n'importe quelle main. En trouver une sur Internet. Mais non, il a pris la sienne.

Nedra sourit

— Quel sacré imbécile !

— Je sais !

— Je n'arrive pas à y croire.

— Je sais !

Elle secoue la tête, incrédule.

— Qui eût cru qu'il avait ça en lui ? C'est la chose la plus romantique que j'aie jamais entendue.

— Oh non, pas toi aussi.

— Comment ça, pas moi aussi ?

— Bunny a réagi de la même façon.

— Dans ce cas, ça devrait t'apprendre quelque chose.

Je sors la bague de ma poche.

— Oh, Nedra, je ne sais pas quoi penser. Je suis tellement perdue. Regarde, dis-je en lui montrant la bague. C'est arrivé aujourd'hui au courrier.

— Qu'est-ce que c'est ?

— Ma bague de fiançailles.

— Celle que tu avais jetée par la vitre de la voiture il y a un million d'années ?

— Mon père l'a retrouvée chez un prêteur sur gages. Quelqu'un a dû l'y déposer.

Je porte la bague devant mon nez et plisse les yeux.

— Il y a une inscription mais je n'arrive pas à la lire.

— Ton refus de gérer ton début de presbytie devient un vrai problème, Alice. Fais-moi voir.

Je lui tends la bague.

— « *Son cœur lui souffla qu'il l'avait fait pour elle* », lit-elle. Oh, pour l'amour de Dieu !

— Il n'a pas fait graver ça ?

— Si, il l'a fait.

— Tu inventes.

— Je te jure que non. Passe-moi ton téléphone.

Elle tape la citation dans Google.

— Oui, c'est Jane Austen. *Orgueil et Préjugés*, annonce-t-elle avec un petit cri.

— C'est tout simplement ridicule.

— Carrément ridicule. Le top du ridicule. Tu dois lui pardonner. C'est un signe.

— Je ne crois pas aux signes.

— Ah oui, c'est vrai. Seuls les romantiques croient aux signes.

— Poule mouillée ! Abrutie.

— Et tu crois que tu n'en es pas une, chérie ?

— C'est quoi, ces messes basses ? demande Kate en apparaissant derrière Nedra.

Elle porte un chemisier jaune que Nedra a dû choisir pour elle, j'en suis persuadée. Ensemble, elles forment un tournesol : Kate est la fleur, Nedra la tige.

— Oh, bon sang, tu es magnifique ! s'exclame Nedra, en tendant le bras pour lui caresser la joue. N'est-ce pas, Alice ? Elle ressemble à une Salma Hayek irlandaise.

— OK, je prends ça comme un compliment. Écoute, je pense qu'on va bientôt passer à table, dit Kate. Dans quinze minutes ? Alice, quand veux-tu porter ton toast ? Avant ou après le repas ?

— Elle ne fait pas de discours, explique Nedra.

— Ah bon ?

— William va la remplacer.

Kate hausse les sourcils d'un air interrogateur.

— Je suis désolée, vraiment désolée, mais je ne le sens pas ce soir, c'est tout. William sera formidable. Il est très doué pour ce genre de choses. Bien plus que moi, pour être franche. Je suis nulle devant une assemblée. Je sue comme un bœuf et j'ai les jambes qui...

— Ça suffit, Alice, me coupe Nedra. Allons-y, chérie, dit-elle à Kate.

Je prends mon verre de chardonnay et vais m'asseoir à une table vide au fond de la salle. Dans un coin, j'aperçois Zoe et Jude qui se tiennent la main en se dévorant des yeux. Peter enflamme la piste de danse, il imite un robot et apparemment s'éclate comme un fou. Jack, Bunny et Caroline sont installés à une autre table, tandis que William, assis au bar, me tourne le dos. Je prends mon téléphone. John Yossarian est en ligne. William doit avoir oublié de désactiver son compte.

- J'ai changé d'avis. Je veux vous rencontrer, Chercheur 101.

Euh... Je ne peux pas vraiment chatter pour l'instant. Je suis désolé, je suis occupé.

- La vraie vie n'est pas vraiment ce qu'on prétend qu'elle est.

Je ne comprends pas. Que s'est-il passé ?

- Quand pouvons-nous nous rencontrer ?

Je ne peux pas vous rencontrer, Épouse 22.

- Pourquoi ?

Parce que je suis avec ma femme.

- Elle ne m'arrive pas à la cheville.

  Vous ne la connaissez pas.

- C'est une poule mouillée.

  C'est faux.

- Vous êtes une poule mouillée.

  Peut-être.

- Dites-moi la vérité. Vous me devez au moins ça. Êtes-vous heureux dans votre mariage ?

  C'est une question importante.

- J'ai dû y répondre. À votre tour.

Je regarde William poser son téléphone, puis le reprendre et le reposer encore avant d'avaler une grande lampée de sa boisson. Finalement, il saisit le téléphone et se met à taper.

Très bien. D'accord. Si vous m'aviez demandé il y a quelques mois, je vous aurais répondu non. Elle était malheureuse et moi aussi. Les chemins différents que nous avions pris et la distance qui nous séparait me perturbaient. Je ne savais plus qui elle était, ni ce qu'elle désirait ni ce dont elle rêvait. Et ça faisait si longtemps que je ne le lui avais pas demandé que je n'étais pas sûr d'être capable d'avoir cette conversation, en tout cas pas en face à face. Alors, j'ai fait quelque chose dont je ne suis pas fier. J'ai agi dans son dos. J'ai cru que je pourrais m'en sortir en ne lui disant rien mais maintenant je crois que je dois passer aux aveux.

471

Vous rappelez-vous m'avoir dit que vous pensiez que le mariage était un paradoxe comme dans le roman *Catch 22* ? La raison pour laquelle vous êtes tombée amoureuse de votre mari est celle-là même qui vous fait le détester aujourd'hui. J'ai bien peur de me retrouver dans une situation similaire. J'ai fait une chose par amour, dans le but de sauver mon mariage. Mais cette chose que j'ai faite pourrait bien s'avérer être la cause de la fin de notre mariage. Je connais ma femme. Elle sera extrêmement contrariée quand elle apprendra ce que j'ai fait.

• Alors pourquoi avouer ?

Parce que le moment est venu de me montrer.

— Votre attention, tout le monde ! appelle Nedra.
Elle se tient à un bout de la salle, un micro sans fil dans les mains.
— Veuillez regagner votre table, s'il vous plaît.
Je regarde William descendre de son tabouret, le téléphone à la main. Il me voit et me fait un petit signe, désignant la table où sont installés Bunny, Caroline et Jack. Incroyable. Il n'a pas l'air énervé pour un sou. Quand j'arrive près d'eux, il tire une chaise pour moi.
— Comment ça s'est passé avec Nedra ?
— Bien.
— Elle est d'accord pour que je fasse le discours ?
Je réponds par un haussement d'épaules.
— Tu es d'accord pour que je fasse le discours ?
— Il faut que j'aille aux toilettes.

Dans les toilettes, je m'asperge le visage d'eau froide et me tiens au-dessus du lavabo. J'ai une tête affreuse. Sous le néon, mon tailleur paraît rose, presque fuchsia. Je prends quelques profondes inspirations, je ne suis pas pressée de retourner dans la salle. J'ouvre la fenêtre de ma conversation Facebook.

- J'ai le cœur brisé.

  Pourquoi ça, Épouse 22 ?

- C'est vous qui m'avez fait ça.

  Ce n'est pas tout à fait vrai. Nous avons tous les deux notre part de responsabilité.

- J'étais vulnérable. J'étais seule. J'étais en manque d'affection. Vous avez profité de moi !

  J'étais vulnérable, seul et en manque moi aussi. Vous avez pensé à ça ? Écoutez, ça ne mène plus à rien. Je pense que nous devrions arrêter de communiquer.

- Pourquoi êtes-vous celui qui a le droit de décider cela ? Vous allez juste me laisser comme...

Le petit point vert à côté de son nom vient de se transformer en une demi-lune. Il est parti. Je suis furieuse. Comment ose-t-il se déconnecter en pleine discussion ! Je sors des toilettes et manque de bousculer un serveur.

— Je peux vous apporter quelque chose ?

Je parcours la salle du regard et vois Nedra s'approcher de notre table. Elle tend son micro à un William visiblement énervé. Elle l'embrasse sur la joue puis retourne à sa place où elle se glisse sur une chaise aussi près de Kate que possible.

William se lève et s'éclaircit la gorge.

— Donc... On m'a demandé de porter un toast.

Je chuchote à l'oreille du serveur :

— Je ne veux rien, mais vous voyez l'homme avec le micro ? C'est mon mari. Il voudrait une piña colada.

473

— Sans problème. Je la lui apporterai dès qu'il aura fini de parler.

— Non, il la voudrait tout de suite. Il meurt de soif. Il est complètement desséché. Vous voyez comme il n'arrête pas d'avaler sa salive ? Il en a besoin pour porter son toast. Vous pourriez vous dépêcher ?

— Tout à fait, répond le serveur avant de se précipiter au bar.

— Je connais Nedra et Kate depuis... voyons voir, treize ans, commence William. La première fois que j'ai rencontré Nedra..

J'entends le bruit du shaker et regarde le serveur verser le cocktail dans un verre. Je l'observe pendant qu'il le décore avec une tranche d'ananas et une cerise.

— Et j'ai su, dit William. Nous avons tous su.

Le serveur traverse la salle avec le verre de William.

— Vous savez comment on sait ? Quand deux personnes sont faites l'une pour l'autre ?

Le serveur se met à zigzaguer entre les tables.

— Et Kate. Kate, mon Dieu. Que pourrais-je dire à propos de Kate ? bredouille William.

Le serveur est arrêté en chemin par un couple qui veut à boire. Il prend leur commande et poursuit sa route.

— Parce que, c'est vrai quoi. Regardez-les. La mariée et... la mariée.

Le serveur arrive à la table de William et glisse la boisson devant lui. William baisse les yeux sur le verre, perplexe.

— Qu'est-ce que c'est ? Je n'ai pas commandé ça, murmure-t-il, mais tout le monde peut l'entendre à cause du micro.

— C'est une piña colada. Pour votre gorge sèche, monsieur, explique le serveur.

— C'est la commande de quelqu'un d'autre.

— Non, c'est pour vous.

— Je vous dis que je n'ai pas commandé ça.

474

— C'est votre femme, murmure le serveur en me désignant du doigt.

Il regarde de l'autre côté de la salle et je lui fais un petit
signe de la main. Des dizaines d'expressions à peine percep-
tibles traversent son visage. J'essaye de les répertorier : stu-
péfaction, vulnérabilité, choc, honte, colère, et puis autre
chose. Une émotion à laquelle je ne suis pas du tout préparée : le soulagement.

Il hoche la tête. Une fois. Deux fois. Puis prend une gorgée
de piña colada.

— C'est bon. Étonnamment bon, dit-il dans le micro
avant de renverser brusquement son verre sur le devant de
sa chemise blanche.

Bunny et Caroline sautent sur leurs pieds, leur serviette à
la main et se mettent à tamponner la chemise de William.

— De l'eau gazeuse, s'il vous plaît, hurle Bunny. Vite,
avant que ça ne tache.

Je fonce dans le couloir qui mène aux toilettes. Trente
secondes plus tard, William m'y retrouve.

— Tu sais ? chuchote-t-il, en me coinçant contre le mur.

J'examine sa chemise maculée et trempée.

— Visiblement.

Il serre la mâchoire.

— La vraie vie n'est pas vraiment ce qu'on prétend qu'elle
est ?

— Tu as joué avec moi. Pendant des mois. Pourquoi
est-ce que je n'aurais pas pu jouer un peu avec toi ?

Il prend une profonde inspiration.

— William a eu une mauvaise année. William n'essaye
pas de se trouver des excuses. William aurait dû dire à sa
femme à propos de sa mauvaise année.

— Pourquoi parles-tu de toi à la troisième personne ?

— Pour parler ta langue. Je te parle Facebook en face. Dis
quelque chose.

— Passe-moi ton téléphone.

— Pourquoi ?

— Tu veux savoir comment je l'ai découvert ?

William me tend son téléphone.

— Chaque fois que tu prends une photo, la longitude et la latitude de ta position sont enregistrées. La dernière photo de ton profil – celle de ta main – a été prise à la maison. Tu m'as laissé une piste qui m'a menée droit à toi.

Je désactive la fonction localisation de son appareil photo sur son téléphone.

— Voilà, comme ça, on ne pourra plus remonter jusqu'à toi.

— Et si je veux qu'on remonte jusqu'à moi ?

— Dans ce cas, tu as besoin d'un psy.

— Depuis combien de temps sais-tu ?

— Depuis cet après-midi.

William fait courir une main dans ses cheveux.

— Bordel, Alice ! Pourquoi tu n'as rien dit ? Est-ce que Bunny est au courant ?

J'acquiesce.

— Nedra aussi ?

— Oui.

Il fait une grimace.

— Ne sois pas gêné. Elles t'adorent. Elles trouvent ça très romantique.

— C'est ce que tu penses aussi ?

— Pourquoi, William ? Pourquoi as-tu fait ça ?

Il pousse un long soupir.

— Parce que j'ai vu ce que tu avais cherché sur Google. Le soir du lancement pour la vodka à la figue. Tu n'avais pas effacé l'historique. J'ai tout vu. De ta recherche sur Alice Buckle à celle sur les mariages heureux. Tu étais malheureuse. Je t'avais rendue malheureuse. J'avais fait cette remarque débile sur ta petite vie. Je devais faire quelque chose.

— Et le Centre Netherfield ? C'était une invention ? Son lien avec UCSF ?

476

— Je savais que tu ne prendrais pas part à une enquête qui n'aurait pas les recommandations nécessaires. Créer le site Internet n'a pas été difficile. Quand il s'est mis à vivre tout seul, c'est devenu une autre paire de manches. J'avais prévu de tout avouer. Je n'avais pas l'intention de te poser un lapin. Je t'ai suppliée de ne pas y aller, tu te rappelles ? Je ne pensais pas que ça finirait comme ça.

— Mais pourquoi a-t-il fallu que tu inventes cette histoire ? Tu aurais pu me poser toutes ces questions en face. Tu n'as même pas essayé.

— Tu plaisantes ? Je t'ai suivie. Je t'ai sollicitée. J'ai ouvert un faux compte Facebook. Je t'ai envoyé des messages. J'ai lu ces fichues *Chroniques de Narnia* et *Catch 22*.

À ce moment, nous entendons Nedra appeler dans le micro :

— Est-ce que ça marche ? Un, deux ? Un, deux ? William ? Tu es là ? C'est très malpoli de ne pas terminer un toast. En tout cas, au Royaume-Uni, c'est malpoli.

— Oh, punaise ! grogne William, énervé comme jamais. Sauve-moi.

— Bien. Je vais faire ce fichu discours.

Tout en traversant la salle, je tente de m'éclaircir les idées. Il faut que je parle d'amour, évidemment. De mariage, aussi. Que je trouve quelque chose de drôle à dire. Quelque chose de gentil. Mais mon esprit est totalement accaparé par William. Par les mesures qu'il a employées pour m'atteindre. Arrivée à la table, je récupère le micro des mains de Zoe.

— Vas-y, maman ! me souffle-t-elle.

D'un geste lent, je porte le micro à ma bouche et bafouille :

— Savez-vous comment on sait qu'on sait ?

Oh non, je ne viens pas de dire ça ! J'ai les genoux qui s'entrechoquent. Je fixe l'assemblée et m'éclaircis la gorge.

— Tête haute, lance Bunny entre ses dents.

— Quand les choses vont bien.

— Les gens ne parlent pas comme ça dans la vraie vie, murmure Bunny.

— Rien ne peut empêcher deux âmes sœurs d'être ensemble.

— Avec le cœur, Alice. Parle avec ton cœur, me presse Bunny.

— Je suis désolée. Un instant, dis-je en cherchant William du regard, en vain. Laissez-moi recommencer. Nedra, Kate. Mes chères amies.

Un silence envahit la foule. Je promène mes yeux alentour.

— Mon Dieu, regardez-moi tous ces téléphones. Vous vous rendez compte qu'il y a des téléphones sur toutes les tables ? Y a-t-il quiconque ici sans portable ? Levez la main. Non, je ne crois pas. Vous savez, c'est dingue. Nous vivons à une époque où nous sommes constamment connectés. Rien de plus facile que de devenir accro à cet accès permanent à tout et à tout le monde en un quart de seconde. Cependant, je ne suis pas convaincue que ce soit pour le meilleur.

Je marque une pause, bois une gorgée d'eau et tombe en panne d'inspiration. J'espère que l'illumination va me frapper. Où diable est passé William ?

— Un jour, quelqu'un m'a dit que l'attente était un art qui se perdait. Il craignait que nous n'ayons troqué les profonds plaisirs du départ et du retour contre la rapidité et la connexion en continu. Je n'étais pas sûre d'être d'accord. Qui ne voudrait pas avoir ce qu'il veut quand il veut ? C'est ça le monde dans lequel nous vivons. Prétendre le contraire est ridicule. Mais je commence à me dire qu'il avait raison. Nedra et Kate, vous êtes le parfait exemple de ce que l'attente vous a apporté. Votre partenariat m'inspire. Il me donne envie d'être meilleure. Vous avez l'une des relations les plus fortes, les plus fidèles, les plus aimantes et tendres que je connaisse et ce sera un immense honneur et privilège pour moi d'être le témoin de votre union demain.

J'essuie discrètement mes paumes moites sur ma jupe.

— Je sais que je suis censée vous donner quelques conseils maintenant. Des conseils avisés de la part d'une femme mariée depuis vingt ans. Je ne sais pas bien quelle sagesse je peux vous apporter mais voilà ce que je peux dire : le mariage n'est pas un terrain neutre. Parfois, on aime à le croire mais écoutez-moi : se cacher à l'infirmerie en attendant que la guerre s'achève n'est pas une façon de vivre.

Je contemple une mer de visages confus.

— Ce que j'essaye de dire, c'est : ne faites pas de votre union un mariage suédois. Ni un mariage costaricain. Non pas que je n'aime pas la Suède ni le Costa Rica, ce sont des endroits charmants pour vivre ou à visiter et j'apprécie leur neutralité, politiquement en tout cas. Mais mon conseil est le suivant : ayez le courage de laisser votre mariage devenir un pays passionné en pleine révolution dans lequel chacun d'entre vous parle un dialecte différent qui vous empêche de bien vous comprendre. Mais c'est sans importance car chacun d'entre vous se bat. Se bat pour l'autre.

Les gens commencent à chuchoter. Deux femmes se lèvent et se dirigent vers le bar. Je suis en train de les perdre. À quoi pensais-je ? Je suis la personne au monde la moins à même de donner des conseils sur le mariage. Je suis un imposteur. Je devrais m'asseoir, je devrais me taire et au moment même où je m'apprête à détaler, mon téléphone vibre. Je l'ignore. Il se remet à vibrer.

— C'est très gênant. Je suis désolée. C'est peut-être une urgence. Mon père, vous savez... Laissez-moi juste y jeter un œil.

Je baisse le micro et ouvre mon téléphone. J'ai reçu un message de John Yossarian.

18 : Qu'aviez-vous l'habitude de faire que vous ne faites plus ?

Je lève les yeux et, dans un coin de la salle, je vois William qui me sourit. Espèce d'enfoiré. Espèce d'adorable enfoiré. Je reprends le micro.

— Écoutez, tout ce que je veux dire, c'est qu'il faut, euh... courir, plonger, planter une tente. Passer des heures au téléphone avec sa meilleure amie.

Nedra se lève et fait un signe de la main façon reine Elizabeth, paume en coupe. Des rires parcourent la salle.

— Porter des bikinis.

Quelques ricanements supplémentaires s'élèvent du côté des femmes de plus de quarante ans.

— Boire de la téquila.

Sifflements appréciateurs des moins de quarante ans.

— Se réveiller le matin heureuse sans raison.

Les gens sourient. Les visages sont amicaux, les yeux brillants.

— Tu les tiens, Alice, souffle Bunny. Ramène-les doucement maintenant.

Je prends une profonde inspiration.

— S'allonger dans l'herbe, rêver de son avenir, de sa vie imparfaite et de son union imparfaite avec son imparfait véritable amour. Qu'y a-t-il d'autre que ça ?

Je croise le regard de William et le soutiens.

— Franchement, il n'y a rien d'autre. Rien d'autre ne compte. À l'amour ! dis-je en levant mon verre. À Nedra et Kate !

— À Nedra et Kate ! me répond la foule en écho.

Je m'effondre sur ma chaise, lessivée.

— Maman, tu as été géniale ! me lance Peter.

— Je ne savais pas que tu pouvais improviser comme ça ! s'exclame Zoe.

Nedra m'envoie un baiser depuis l'autre bout de la salle, les larmes aux yeux.

— Où est papa ? demande Zoe.

— Là, répond Peter en tendant le doigt.

William est appuyé contre le mur et nous observe, son téléphone à la main. Je tape rapidement sur mon portable :

**Lucy Pevensie** invite John Yossarian à l'événement « demande en mariage ».
Lieu : Couloir des toilettes.
Date : Maintenant !
Réponse : Oui/Non/Peut-être.

Un instant après, je reçois une réponse.

**John Yossarian** a répondu Oui.

Je lance :
— Je reviens dans une minute.

Je me tiens à côté de la porte des toilettes et William s'approche, baigné par la lumière tamisée du couloir.
— Attends. Avant que tu ne dises quoi que ce soit. Je suis désolée.
— Tu es désolée ? Pour quoi ?
— Je ne t'ai pas facilité les choses. J'étais difficile à trouver.
— Oui, tu étais difficile à trouver, Alice. Mais je t'ai fait une promesse il y a longtemps. Je t'ai juré que quelle que soit la distance et la durée de ton absence, je viendrais te chercher, je te trouverais et te ramènerais à la maison.
— Eh bien, me voilà. Pour le meilleur ou pour le pire. Et tu dois certainement penser pour le pire en ce moment.
— Non, ce n'est pas ce que je pense. Je me dis qu'il faut qu'on arrête de se rencontrer dans le couloir des toilettes, plaisante-t-il en s'approchant.
Je sors la bague de fiançailles de ma poche. Je l'agite sous son nez et il s'arrête net.
— C'est la... ?
— Oui.
— Quoi ? Comment ?
— C'est sans importance.

— Bien sûr que si.

— Non, je t'assure. Voilà ce qui compte, dis-je en passant la bague à mon annulaire.

William inspire profondément.

— Est-ce que tu viens de faire ce que je crois que tu viens de faire ?

— Je ne sais pas. Qu'est-ce que tu crois que je viens de faire ?

— Tu m'as rendu obsolète.

— Bah, on est au XXI⁰ siècle, le XIX⁰ c'est fini. Une femme peut se passer elle-même la bague au doigt. Maintenant, il y a une chose que je dois savoir et tu dois me dire la vérité. Et puis-je te suggérer de me donner ta réponse sans trop y réfléchir ? Si tu devais tout recommencer, est-ce que tu m'épouserais ?

— C'est une demande en mariage ?

— Réponds à la question.

— Eh bien, ça dépend. Est-ce qu'il y a une dot en jeu ? Donne-moi cette fichue bague, Alice.

— Pourquoi ?

— Donne-la-moi, c'est tout.

— Tu me dois encore mille dollars pour ma participation à l'enquête. Ne crois pas que j'ai oublié.

Je retire la bague et la lui tend. Il regarde l'inscription et un sourire s'étale sur son visage.

— Lis-la à voix haute, dis-je.

Il me décoche son regard sombre et pesant, sa marque de fabrique.

— *Son cœur lui souffla qu'il l'avait fait pour elle.*

Je n'ai pas eu de mère pendant vingt-neuf Noëls, vingt-neuf Pâques et vingt-neuf anniversaires. Pas de mère lors de la remise des diplômes. Pas de mère assise au premier rang lors de la première de ma pièce. Pas de mère à mon mariage ni pour la naissance de mes enfants. Mais j'ai une mère aujourd'hui. Elle est là, à me parler comme si le temps n'existait pas, à me dire exactement ce que j'ai besoin de savoir.

— Mon père l'a trouvée chez un prêteur sur gages de Brockton. Elle y est depuis vingt ans. Nedra dit que c'est un signe.

— Pour qui croit aux signes, déclare-t-il.

— J'y crois.

— Depuis quand ?

— Depuis toujours.

William me prend la main.

— Pas si vite. Je suis une femme mariée.

— Et je suis un homme marié.

— Tu n'as jamais répondu à ma question.

— Oui, Alice Buckle, dit-il en me passant la bague au doigt.

Je murmure :

— Tu es venu.

— Tais-toi, Nuttyhoho.

Et il m'attire dans ses bras.

# ÉPILOGUE

30 avril

RECHERCHE GOOGLE :« Famille heureuse »
Environ 114 000 000 résultats (0,16 seconde)

15 secrets pour une famille heureuse
Des experts vous livrent leurs secrets pour avoir une famille heureuse. Vous aussi pourrez vivre la béatitude conjugale qui jusque-là semblait réservée aux émissions de télé...

Famille heureuse
Après avoir compris qu'il était trop difficile de tenir à jour des tableaux de tâches ménagères, et qu'ils n'étaient pas pratiques pour le genre de comportements que je recherchais...

L'Heureuse Famille de Hans Christian Andersen
« La pluie battait sur les feuilles de bardane pour leur offrir un concert de tambours, le soleil brillait afin de donner une belle couleur aux feuilles de bardane. Ils en étaient très heureux, oui, toute la famille vivait heureuse. »

485

RECHERCHE GOOGLE :« Peter Buckle »
Environ 17 résultats (0,23 seconde)

Peter Buckle...
Président du Club de thrillers et de comédies romantiques de l'École des arts d'Oakland.
Ce soir, double affiche : *Annie Hall* et *L'Exorciste*

Peter Buckle... YouTube
Chanteur principal, Peter Buckle, pour Les Végétariens, chantant « L'aile ou la cuisse ; pourquoi j'ai arrêté de manger du poulet et pourquoi vous ne devriez pas en manger non plus ».

RECHERCHE GOOGLE :« Zoe Buckle »
Environ 801 résultats (0,51 seconde)

Zoe Buckle est sur Twitter : Go Girl !
Le site de Zoe Buckle, Go Girl ! est le site de référence pour les fringues vintage.
Liberty of London en promo aujourd'hui !

Zoe Buckle... Université du Massachusetts
Alice Buckle, ancienne étudiante de U Mass, en visite à l'université du Massachusetts où sa fille Zoe Buckle étudiera à la rentrée...

RECHERCHE GOOGLE :« Nedra Rao »
Environ 84 500 résultats (0,56 seconde)

Nedra Rao, du cabinet Rao LLP, en congé maternité...
Nedra Rao et sa femme Kate O'Halloran attendent leur deuxième enfant...

RECHERCHE GOOGLE : « Bobby B »
Environ 501 résultats (0,05 seconde)

Société Ça déménage ! Président Bobby B.
Le premier service de déménagement universitaire porte à porte Nous nous occupons de TOUT ! Nous montons vos valises de 22 kilos sur cinq étages et nous fournissons les draps propres. Tout ce qu'il vous reste à faire, c'est réserver votre petit-déjeuner.

RECHERCHE GOOGLE : « Helen Davies »
Environ 520 004 résultats (0,75 seconde)

Helen Davies... Elle Déco
Il aura fallu trois longues années à Helen Davies pour rénover son presbytère d'Oxford Street mais la fondatrice de D&D Advertising possède enfin la maison de ses rêves...

RECHERCHE GOOGLE : « Caroline Kilborn »
Environ 292 résultats (0,24 seconde)

Caroline Kilborn... Histoires du front Tipi
Je suis en route pour le Honduras où je vais passer l'année qui vient à voir de première main le fonctionnement des microprêts... Caroline Kilborn.

RECHERCHE GOOGLE : « Bunny Kilborn »
Environ 124 000 résultats (0,86 seconde)

Bunny Kilborn... en souvenir de mon mari.
Bunny Kilborn, directrice artistique renommée du théâtre de Blue Hill... C'est la raison pour laquelle j'ai créé la bourse Jack T. Kilborn pour les jeunes dramaturges... Jack a toujours été un tel partisan des arts. Il serait ravi de savoir que...

RECHERCHE GOOGLE : « Phil Archer »
Environ 18 résultats (0,15 seconde)

Phil Archer... Conchita Martinez
Phil Archer et Conchita Martinez se sont mariés en l'église Sainte-Marie de Brockton, Massachusetts. Alice Buckle, fille du marié, a conduit son père... réception... Club américano-irlandais, 58 Fox Street.

RECHERCHE GOOGLE : « William Buckle »
Environ 15 210 résultats (0,42 seconde)

William Buckle
William Buckle, D&D Advertising, nominé aux Clio Awards pour son spot « Fonction localisation » pour Mondavi Wines.

William Buckle
*Oakland magazine* : Vu : William Buckle et Alice Buckle célébrant leur 22e anniversaire de mariage chez Fig et dégustant une compote kumquat-rhubarbe.

RECHERCHE GOOGLE : « Alice Buckle »
Environ 25 401 résultats (0,55 seconde)

Alice Buckle
La première de la pièce de Mme Buckle, *Je prolonge notre au revoir*, au théâtre de Blue Hill...
*Boston Globe* : La naissance d'un brillant nouveau talent. Une comédie de mœurs moderne, originale, poignante, spirituelle, émouvante et sophistiquée. Quiproquos et malentendus étayés d'une pointe de vérité.

RECHERCHE GOOGLE : « Centre Netherfield »
Environ 0 résultat (0 seconde)

Centre Netherfield d'étude sur le mariage
Nous sommes désolés, mais cette page n'existe plus.

# APPENDICE – QUESTIONNAIRE

1. Quel âge avez-vous ?
2. Pour quelles raisons avez-vous accepté de participer à cette étude ?
3. À quelle fréquence avez-vous une conversation de plus de 5 minutes avec votre mari ?
4. Votre mari participe-t-il aux tâches ménagères ?
5. D'après votre mari, quel est votre plat préféré ?
6. Quand avez-vous mangé votre plat préféré pour la dernière fois ?
7. Racontez une chose que vous faites et qu'il ignore
8. Prenez-vous des médicaments ?
9. Nommez trois choses qui vous effraient.
10. Croyez-vous que l'amour peut durer ?
11. Êtes-vous toujours amoureuse de votre mari ?
12. Vous arrive-t-il de penser à le quitter ?
13. Si oui, qu'est-ce qui vous en empêche ?
14. Citez trois choses positives concernant votre mari.
15. Citez cinq choses négatives concernant votre mari.
16. Quel est votre livre préféré ?
17. À quel point connaissez-vous votre mari ?
18. Qu'aviez-vous l'habitude de faire et que vous ne faites plus ?

19. Qu'avez-vous l'habitude de faire aujourd'hui ?

20. Dressez la liste de vos emplois successifs.

21. Êtes-vous croyante ?

22. Citez les parties du corps de votre mari que vous préfériez quand vous aviez vingt ans.

23. Citez les parties du corps de votre mari que vous préférez aujourd'hui.

24. Décrivez votre mari lors de votre première rencontre.

25. Où êtes-vous allés pour votre premier rendez-vous ?

26. Citez quelques petites irritations du mariage.

27. Combien de cartes de crédit possédez-vous ?

28. À quelle fréquence faites-vous des recherches sur votre nom dans Google ?

29. En quoi votre mariage est-il semblable à celui de vos parents ?

30. Quel était le dernier cadeau d'anniversaire que vous a fait votre mari ?

31. Décrivez votre mari lors de votre premier rendez-vous.

32. Qu'auriez-vous aimé savoir concernant le mariage ?

33. Votre mari sait-il vous écouter ?

34. Avez-vous déjà eu honte devant votre mari ?

35. Votre mari et vous faites-vous du sport ensemble ?

36. Est-il bon pour des conjoints de garder des secrets ?

37. Votre mari parvient-il à vous faire part de ses besoins ?

38. Qu'est-ce que la drague selon vous ?

39. Quelle est la dernière chose blessante que vous ayez dite à votre mari ?

40. Quelle est la dernière chose blessante que votre mari vous ait dite ?

41. Vos amis disent-ils de vous que vous êtes un couple heureux ?

42. Diriez-vous que vous êtes un couple heureux ?

43. Décrivez votre premier baiser avec votre époux.

44. D'après vous, qu'est-ce qui ne devrait PAS être fait en public ?

45. Selon vous, quel est le pire état émotionnel dans lequel une personne peut se trouver ?

46. Vous arrive-t-il de faire semblant ? Si oui, donnez des exemples.

47. Combien de fois par semaine faites-vous de l'exercice ?

48. Complétez cette phrase : « Je me sens aimée et choyée quand... »

49. De qui admirez-vous le mariage et pourquoi ?

50. Si votre mari vous autorisait à coucher avec une autre personne, qui choisiriez-vous ?

51. Si vous autorisiez votre mari à coucher avec une autre personne, qui votre mari choisirait-il ?

52. Votre mari et vous trouvez-vous les mêmes choses amusantes ?

53. Citez les endroits les plus mémorables où vous avez fait l'amour.

54. Votre mari et vous êtes-vous d'accord sur l'éducation des enfants, notamment en ce qui concerne les drogues et l'alcool ?

55. Vous entendez-vous avec vos beaux-parents ?

56. Quelle est la dernière chose aimante que vous ayez dite à votre mari ?

57. Quelle est la dernière chose aimante que votre mari vous ait dite ?

58. Quel est votre film préféré ?

59. A quelle fréquence vous disputez-vous ?

60. Quel est le livre le plus sexy que vous ayez lu ?

61. Racontez le moment où vous avez su que votre mari était le bon.

62. Avez-vous eu recours à un quelconque conseiller conjugal avant le mariage ? Si oui, donnez un exemple de question posée pendant la session et votre réponse. Est-ce toujours vrai aujourd'hui ?

63. Où vous êtes-vous mariés ?

64. Racontez une situation dans laquelle votre mari vous a laissée tomber.

65. Que pensez-vous de la tendance actuelle qu'ont les couples à divorcer sous prétexte que les époux se considèrent plus comme des colocataires ?

66. À quand remonte la dernière fois où vous avez flirté avec quelqu'un d'autre que votre mari ?

67. Que signifie « être quelqu'un de bien » ?

68. Décrivez en quoi votre mariage a changé lors de votre première grossesse.

69. Écrivez une lettre à votre fille dans laquelle vous lui dites ce que vous ne pouvez lui exprimer en face à face.

70. Racontez une chose que vous ne pourriez admettre devant votre meilleure amie.

71. Nommez les choses que vous aimeriez pouvoir ne plus faire mais que vous continuez/devez continuer à faire.

72. Citez un lieu commun de la maternité qui vous a complètement bouleversée.

73. En quoi votre seconde grossesse différait-elle de la première ?

74. Votre mariage a-t-il été affecté de façon négative par la naissance d'un deuxième enfant ?

75. Écrivez une lettre à votre deuxième enfant dans laquelle vous lui dites ce que vous ne pouvez lui exprimer en personne.

76. Combien d'argent faudrait-il pour être heureux et l'argent facilite-t-il un mariage heureux ?

77. Le mariage est-il une dictature ou une démocratie ?

78. Comment expliqueriez-vous la conception du mariage à un extraterrestre tout juste débarqué sur Terre ?

79. Si l'on vous demandait de partager une leçon de vie apprise à la quarantaine, quelle serait-elle ?

80. Définissez la passion en une phrase.

81. Quand vous étiez jeune, tomber amoureuse ressemblait à quoi pour vous ?

82. Sachant ce que vous savez maintenant, quel conseil donneriez-vous à vos enfants concernant les relations amoureuses ?

83. Citez trois raisons pour lesquelles les gens devraient rester mariés.

84. Citez une raison pour laquelle les gens devraient divorcer.

85. Au cours de l'année écoulée, avez-vous eu des sentiments amoureux pour une autre personne que votre mari ?

86. Au cours de l'année écoulée, avez-vous eu des fantasmes sexuels avec une autre personne que votre mari ?

87. Êtes-vous pour le mariage homosexuel ?

88. Votre vie se déroule-t-elle comme vous l'espériez ?

89. Citez trois choses que vous ne pourriez pardonner à votre conjoint.

90. Écrivez une lettre à votre mari dans laquelle vous lui dites ce que vous ne pouvez lui exprimer de vive voix.

# REMERCIEMENTS

J'exprime la plus profonde gratitude à mon agent, Elizabeth Sheinkman, qui n'a jamais cessé de croire en ce livre. Mes sincères remerciements à Jennifer Hershey, Jennifer Smith, Lynne Drew, et Sylvie Rabineau, ainsi qu'à Gina Centrello, Susan Corcoran, Kristin Fassler, Kim Hovey, Sarah Murphy, Quinne Rogers et Betsy Robbins – un auteur ne saurait rêver d'une meilleure équipe. Pour leur perspicacité aiguisée et leur sagacité éditoriale, je suis extrêmement reconnaissante à Kerri Arsenault, Joanne Catz Hartman, et Anika Streitfeld, qui m'ont soutenue dans les tranchées dès le début. Je suis également redevable aux lecteurs qui ont eu la gentillesse de décortiquer la première version et de me faire part de leurs remarques aussi honnêtes qu'utiles : Elizabeth Bernstein, Karen Coster, Alison Gabel, Sara Gideon, Robin Heller, et Wendy Snyder. Un merci tonitruant à mes amis auteurs du Grotto de San Francisco. Et comme toujours, rien de tout cela n'aurait été possible ni n'aurait de sens sans mes deux Ben.

*Composé par Nord Compo Multimédia,*
*7, rue de Fives, 59650 Villeneuve-d'Ascq*

Cet ouvrage a été imprimé
en avril 2012 par

FIRMIN-DIDOT

27650 Mesnil-sur-l'Estrée
N° d'impression : 110973
*Imprimé en France*

FLEUVE NOIR
12, avenue d'Italie
75627 Paris Cedex 13

Dépôt légal : mai 2012

E054